W9-ARN-291

Сесилия АХЕРН

Посмотри на меня

Cecelia
AHERN

If you could ♥
see me now

Сесилия АХЕРН

Посмотри на меня

Роман

Перевод с английского
Маши Бабичевой

«Иностранка»
Москва, 2008

УДК 821.111–3Ахерн
ББК 84(4Ирл)–44
А95

Художественное оформление
Лидии Левиной

Ахерн С.
А95 Посмотри на меня : Роман / Пер. с англ. М.Бабичевой. — М.: Иностранка, 2008. — 432 с.
ISBN 978-5-389-00121-3

«Посмотри на меня» — третий по счету супербестселлер блистательной Сесилии Ахерн, покорившей своими романами почти пятьдесят стран.

Элизабет, молодой дизайнер, чье время расписано по минутам, раз и навсегда запретила себе мечтать. Обремененная заботами об отце, младшей сестре и ее ребенке, она несколько лет назад вынуждена была расстаться с любимым и знает по опыту, сколь опасны несбыточные надежды. Однако и в ее жизни вдруг начинают происходить чудеса. У нее в доме, как бы случайно, появляется таинственный незнакомец, красивый, обаятельный, бесшабашный, и Элизабет рядом с ним постепенно оттаивает. Но она ничего не знает о нем. Их любовь, возникшая на пересечении двух миров — реального и сверхъестественного, похожа на романтическую сказку. За юмор и смелость фантазии роман получил премию журнала «Cosmopolitan U.S.».

УДК 821.111–3Ахерн
ББК 84(4Ирл)–44

ISBN 978-5-389-00121-3

Copyright © 2005 by Cecelia Ahern
Originally published in UK by HarperCollins, 2005
© М.Бабичева, перевод на русский язык, 2008
© ООО «Издательская группа Аттикус», 2008
Издательство Иностранка®

Джорджине, которая верит...

Бесконечные благодарности моей семье — Мимми, папе, Джорджине и Ники — за все, я бы не смогла уточнить, за что именно, даже если б захотела. Дэвиду, который варит самый лучший в мире кофе, за то, что заглядывал ко мне каждые несколько часов и так страстно верил в эту книгу. Огромное спасибо Марианне за бесценную поддержку, булочки, чай и советы, а также спасибо Пэт и Вики из сами-знаете-какого агентства за заботу сами-знаете-о-чем.

Спасибо Линн, Максайн и всему издательству «Харпер Коллинз» за вашу веру в меня и за вашу нелегкую работу.

Спасибо моим читателям, старым и новым. Надеюсь, книжка доставит вам такую же радость, как мне, когда я ее писала, работа над ней была абсолютным наслаждением.

Самое главное спасибо — Айвену, за то что составлял мне компанию в кабинете до глубокой ночи. Думаешь, они когда-нибудь поверят в нашу историю?

Глава первая

Когда я познакомился с Люком и стал его лучшим другом, был июнь, утро пятницы. Если совсем точно, девять пятнадцать утра, — я знаю, потому что как раз посмотрел на часы. Не понимаю, зачем я это сделал, ведь мне не нужно было никуда спешить к определенному времени. Но я верю, что на все есть свои причины, и, возможно, я посмотрел на часы именно для того, чтобы должным образом рассказать вам свою историю. Ведь в рассказе важны детали, не так ли?

Я обрадовался встрече с Люком, мне же все-таки было немного грустно оттого, что пришлось покинуть своего предыдущего лучшего друга Барри. Он перестал меня видеть. Но это на самом деле не так уж важно, потому что теперь он счастлив, что, на мой взгляд, главное. Покидать лучших друзей — часть моей работы. Не очень приятная, но я верю, что во всем можно найти положительные стороны: например, если бы я не покидал своих лучших друзей, то не мог бы заводить новых. А заводить новых мне нравится больше всего. Наверное, поэтому мне и предложили эту работу.

Мы еще вернемся к тому, в чем состоит моя работа, но сначала я хочу рассказать вам о том утре, когда познакомился со своим лучшим другом Люком.

Я закрыл за собой калитку сада перед домом Барри и решил пройтись. Без всякой причины я повернул на углу налево, потом направо, потом налево, немного прошел прямо, опять повернул направо и оказался рядом с очаровательной улочкой под названием улица Фуксий. Должно быть, ее так назвали из-за того, что фуксии росли здесь повсюду. Простите, когда я говорю «здесь», я имею в виду город под названием Бале-на-Гриде, что значит «Город сердец», в графстве Керри. Это в Ирландии.

Я был рад снова оказаться здесь, где выполнил несколько заданий, когда еще только начинал работать, и куда долгие годы не возвращался. Я ведь езжу по всей стране, иногда даже за границу, если друзья берут меня с собой на каникулы, — лишнее доказательство того, что, где бы ты ни был, тебе всегда нужен лучший друг.

На улице Фуксий стояло двенадцать совершенно не похожих друг на друга домов, по шесть с каждой стороны. Жизнь тут била ключом. Было утро пятницы, помните, и к тому же июнь, солнце светило ярко, и все пребывали в отличном настроении. Ну, *не совсем* все.

Здесь было полно детей. Мальчики и девочки катались на велосипедах, бегали друг за другом, играли в классики, в прятки и в другие игры. Повсюду слышались их веселые крики и смех. Думаю, они радовались каникулам. Но, хотя они и казались мне очень милыми, меня к ним совсем не тянуло. Видите ли, я не могу подружиться с кем угодно. Моя работа заключается не в этом.

Какой-то человек стриг траву перед домом, а женщина в больших грязных перчатках занималась клумбой. Чудесно пахло свежесрезанной травой, а производимые садовыми инструментами звуки музыкой разливались в воздухе. В другом саду мужчина, насвистывая незнакомую мне мелодию, направил садовый шланг на машину и наблюдал, как с нее стекает мыльная пена и открывается сияющая поверхность. Время от времени он резко оборачивался и брызгал водой в двух маленьких девочек, одетых в желто-черные полосатые купальники. Девочки напоминали больших шмелей. Мне очень понравилось, как они хихикали.

На подъездной дорожке следующего дома мальчик с девочкой играли в классики. Я понаблюдал за ними какое-то время, но они не обратили на меня внимания, и я пошел дальше. В каждом саду были дети, но, когда я проходил мимо, никто не замечал меня и не звал играть. Они носились на велосипедах и скейтбордах, гоняли машины с дистанционным управлением, совершенно на меня не реагируя. Я уже начал думать, что визит на улицу Фуксий был ошибкой, это меня смутило, потому что обычно я очень хорошо выбираю места, да и детей тут полно. Я присел на садовую ограду последнего дома и начал думать, на каком углу я неправильно повернул.

Через несколько минут я пришел к выводу, что все же нахожусь там, где нужно. Мне очень редко доводится свернуть не туда. Я осмотрелся. В саду за моей спиной ничего не происходило, так что оставалось просто сидеть и изучать дом. Два этажа и гараж, рядом припаркована сверкающая на солнце дорогая машина. На ограде висела дощечка с надписью «Дом фуксий», по стене, цепляясь за коричневые кирпичи над входной дверью, вилась цветущая фуксия, доходя до самой крыши. Это было красиво. Какие-то части фасада были из коричневого кирпича, другие выкрашены в золотисто-медовый цвет, некоторые окна квадратные, некоторые круглые. Очень необычно. Дверь розовая, с длинными окошками из матированного стекла, с большой медной ручкой и, чуть ниже, щелью почтового ящика, — вместе это выглядело как два глаза, нос и улыбающийся мне рот. На всякий случай я помахал рукой и улыбнулся в ответ. Ведь в наши дни ни в чем нельзя быть абсолютно уверенным.

И именно тогда, когда я изучал выражение лица входной двери, ее открыл, а потом сердито захлопнул выбежавший на улицу мальчик. В руках он держал две машинки: в правой — красную пожарную, а в левой — полицейскую. Я люблю красные пожарные машины, они мои самые любимые. Мальчик спрыгнул с верхней ступеньки крыльца и побежал к газону, где упал на колени. Низ его черных спортивных штанов был весь в пятнах от травы, что меня насмешило. Пятна от травы такие смешные, потому что их нельзя отстирать. С моим предыдущим другом Барри мы все время ползали по траве. Как бы то ни было, мальчик начал бить пожарной машиной по полицейской, издавая разные звуки. У него это хорошо получалось. Мы с Барри тоже часто так делали. Весело делать что-то такое, чего в реальной жизни не бывает.

Мальчик с силой ударил полицейской машиной по пожарной, и главный пожарный, который держался за лестницу, соскользнул вниз. Я громко рассмеялся, и мальчик поднял глаза.

Он действительно посмотрел на меня. Прямо мне в глаза.

— Привет, — сказал я, нервно откашливаясь и болтая ногами. На мне были мои любимые синие конверсы, и на их белых резиновых носках все еще оставались пятна от травы с тех пор, как мы играли с Барри. Я решил их срочно почистить и стал тереть носком о кирпичи ограды, размышляя о том, что сказать дальше. Хотя заводить друзей — мое самое любимое занятие, я все равно каждый раз слегка волнуюсь. Боюсь не понравиться. От одной этой мысли у меня начинает урчать в животе. До сих пор мне везло, но было бы глупо полагать, что так будет всегда.

— Привет, — ответил мальчик, закрепляя пожарного на лестнице.

— Как тебя зовут? — спросил я, продолжая тереть конверсы об ограду. Пятна все никак не сходили.

13

Мальчик некоторое время изучал меня, оглядывая снизу вверх, как будто прикидывал, стоит называть свое имя или нет. Эти моменты в своей работе я ненавижу. Тяжело хотеть с кем-то подружиться, когда с тобой дружить не хотят. Такое случается. Правда, потом все улаживается, потому что на самом деле они хотят, чтобы я был с ними, хотя не всегда это понимают.

У мальчика были очень светлые волосы и большие голубые глаза. Его лицо казалось мне знакомым, но я не мог вспомнить, где я его видел.

В конце концов он сказал:

— Люк. А тебя?

Я засунул руки поглубже в карманы и сосредоточился на ударах правой ногой по садовой ограде. Кирпичи крошились, и отколовшиеся кусочки падали на землю. Не глядя на него, я сказал:

— Айвен.

— Привет, Айвен. — Он улыбнулся. У него не было передних зубов.

— Привет, Люк. — Я улыбнулся в ответ.

У меня все зубы были на месте.

— Мне нравится твоя пожарная машина. У моего лучш... моего предыдущего лучшего друга Барри была такая же, и мы все время с ней играли. Но у нее все-таки глупое название, ведь она не может проехать через огонь, потому что начинает плавиться, — объяснил я, по-прежнему держа руки в карманах, из-за чего плечи у меня доставали до ушей. В результате я почти ничего не слышал, поэтому решил вытащить руки, чтобы не упустить ничего из того, что ответит Люк.

Люк покатился по траве от хохота.

— Ты засунул свою пожарную машину в огонь? — взвизгнул он.

— Ну, она же называется «пожарная машина», не так ли? Куда же ее еще совать?

Люк перевернулся на спину, задрал ноги и закричал:

— Нет, дурачок! Пожарные машины нужны для того, чтобы тушить пожар! Они должны заливать его водой.

Я поразмышлял над этим какое-то время.

— Хм! Тогда они должны по-другому называться, Люк, — сухо сказал я. — Водяными машинами.

Люк ударил себя по голове, воскликнул:

— Ну да, конечно! — и залился смехом.

Я тоже засмеялся. Люк был очень забавным.

— Ты не хочешь слезть со стены и поиграть со мной? — Он вопросительно поднял брови.

Я ухмыльнулся:

— Конечно, Люк. Играть — мое самое любимое занятие. — И, перемахнув через ограду, я присоединился к нему на траве.

— Сколько тебе лет? — Он взглянул на меня с подозрением. — Ты выглядишь, как будто тебе столько же лет, сколько моей тете. — Он нахмурился. — А тетя не любит играть с пожарной машиной.

Я пожал плечами:

— Ну, тогда твоя тетя — скучный старый йынчукс.

— Йынчукс! — радостно вскричал Люк. — Что такое «йынчукс»?

— Тот, кто скучный, — ответил я, морща нос и произнося это слово так, словно речь шла о болезни. Мне нравилось произносить слова задом наперед, как будто я изобретал свой собственный язык.

— Скучный, — повторил за мной Люк и тоже наморщил нос. — Фу-у-у!

— А тебе самому сколько лет? — спросил я Люка, врезавшись полицейской машиной в пожарную. Пожарный опять упал с лестницы. — Ты, между прочим, выглядишь как *моя* тетя, — заявил я, и Люк тут же снова упал на землю от хохота. Смеялся он очень громко.

— Мне всего лишь шесть, Айвен! И я не *девочка!*

— Ой! — На самом деле у меня нет тети, и я сказал это только затем, чтобы его рассмешить. — Про шесть лет нельзя говорить «всего лишь».

И как раз когда я хотел спросить, какой у него любимый мультик, входная дверь распахнулась и послышались крики. Люк побелел, и я поднял глаза, чтобы увидеть, на что он смотрит.

— Сирша, отдай ключи! — раздался из дома отчаянный крик. На крыльцо выбежала явно нетрезвая женщина с красным лицом, безумными глазами и длинными грязными рыжими волосами. Из глубины дома снова раздался крик, отчего рыжая споткнулась на своих платформах на верхней ступеньке. Громко выругавшись, она оперлась о стену, чтобы не свалиться с крыльца, затем посмотрела в тот конец сада, где сидели мы с Люком. Ее губы расплылись в улыбке, обнажив

16

кривые желтые зубы. Я отполз немного назад и заметил, что Люк сделал то же самое. Она показала Люку два поднятых вверх больших пальца и прохрипела:

— До встречи, малыш!

Оторвавшись от стены и немного пошатываясь, она быстро пошла к припаркованной на подъездной дорожке машине.

— Сирша! — Кто-то в доме снова закричал. — Если ты только дотронешься до машины, я вызову полицию!

Рыжая фыркнула, нажала на брелок с ключами, фары мигнули, и раздался сигнал. Она открыла дверцу, забралась на сиденье, ударившись при этом головой, громко выругалась и с силой захлопнула дверь. Со своего места я услышал щелчок — она заперла машину изнутри. Дети на дороге перестали играть и наблюдали за разыгравшейся сценой.

В этот момент из дверей с телефоном в руке выбежала другая женщина. Она сильно отличалась от первой. Волосы были аккуратно уложены и стянуты на затылке. Модный брючный костюм серого цвета никак не вязался с раздававшимся из дома гневным, взволнованным голосом. Ее лицо тоже было красным, она задыхалась. Ее грудь быстро вздымалась, пока она бежала к машине на высоченных каблуках. Она подергала сначала одну дверцу, потом другую, пока не обнаружила, что машина заперта.

— Я звоню в полицию, — предупредила она, размахивая телефоном перед окном со стороны водителя.

Сирша ухмыльнулась и завела мотор. Женщина с телефоном срывающимся голосом умоляла ее выйти из машины. Она топала ногами и выглядела так, словно из нее вот-вот вырвется жуткий монстр, как в «Невероятном Халке».

Сирша изо всей силы нажала на газ. Однако на середине подъездной дорожки она все-таки сбросила скорость. Женщина с телефоном облегченно вздохнула. Машина, правда, не остановилась, зато опустилось стекло и показались два пальца в форме буквы V, гордо поднятые вверх, чтобы все видели.

— Ну вот, она вернется через две минуты, — сказал я Люку, который странно на меня посмотрел.

Женщина с телефоном в испуге наблюдала, как, выехав на дорогу, автомобиль резко рванул вперед, чуть не задавив ребенка. Из ее тугого пучка выбилось несколько прядей, они развевались на ветру, словно тоже хотели задержать машину.

Люк опустил голову и тихо поставил пожарного обратно на лестницу. Женщина послала вслед беглянке проклятие, махнула рукой и повернулась на каблуках. Раздался треск — каблук застрял между булыжниками. Женщина яростно затрясла ногой, ее раздражение нарастало с каждой секундой. В конце концов туфля вылетела из западни, но каблук так и остался в трещине между камнями.

— Чееееерт! — взвыла она.

Припадая на одну ногу, она кое-как доковыляла до крыльца. Розовая дверь захлопнулась, и дом поглотил ее. Окна, дверная ручка и щель почтового ящика снова улыбнулись мне, и я улыбнулся им в ответ.

— Кому ты улыбаешься? — спросил Люк, насупившись.

— Двери, — сказал я, полагая, что это очевидно.

Он уставился на меня, сдвинув брови. Похоже, мысли о происшедшем мешали ему сосредоточиться на том, почему и зачем можно улыбаться двери.

Сквозь стеклянные вставки этой самой двери было видно, как женщина с телефоном расхаживает по холлу.

— Кто она? — спросил я, поворачиваясь к Люку.

Он выглядел потрясенным.

— Моя тетя. — Он почти шептал. — Она заботится обо мне.

— А, — сказал я. — А та, что в автомобиле?

Люк медленно повез пожарную машину сквозь траву.

— А, эта... Это Сирша, — сказал он тихо. — Моя мама.

— О!

Повисло молчание, и я заметил, что ему грустно.

— Сииииир-ша, — протянул я с удовольствием: у меня изо рта как будто подул ветер, а еще это было похоже на то, как шелестят деревья, когда они переговариваются друг с другом в ветреные дни. — Сиииииииииир-шаааа... — Тут я поймал на себе странный взгляд Люка и замолчал.

Я сорвал лютик и подержал его у Люка под подбородком. На бледной коже появилось желтое пятно.

— Значит, ты любишь масло, — установил я. — Так, значит, Сирша не твоя девушка?

Лицо Люка тотчас оживилось, и он захихикал. Правда, не так громко, как раньше.

— Кто этот твой друг Барри, о котором ты говорил? — спросил Люк, врезаясь в мою машину гораздо сильнее, чем раньше.

— Его зовут Барри Макдональд, — улыбнулся я, вспоминая игры, в которые мы с Барри обычно играли.

У Люка загорелись глаза:

— Барри Макдональд учится со мной в одном классе!

И тут до меня дошло.

— Я же знал, что твое лицо мне почему-то знакомо, Люк. Я тебя видел каждый день, когда ходил в школу с Барри.

— Ты ходил в школу с Барри? — удивленно спросил он.

— Ага, в школе с Барри было весело, — засмеялся я.

Люк опустил глаза:

— Но я тебя там не видел.

Я рассмеялся:

— Ну конечно ты меня *не видел*, глупыш, — сказал я как ни в чем не бывало.

Глава вторая

Сердце Элизабет громко стучало, когда, сменив туфли, она шагала взад и вперед по длинному, выложенному мрамором холлу. Прижав плечом телефонную трубку, она слушала бесконечные гудки, мысли у нее путались.

На миг остановившись, Элизабет заметила свое отражение в зеркале. Карие глаза были широко распахнуты от ужаса. Она редко позволяла себе такую неряшливость. Такое *отсутствие самоконтроля*. Волосы, выбившиеся из французского пучка, растрепались и торчали во все стороны, как у человека, сунувшего пальцы в электрическую розетку. Тушь на ресницах размазалась, помады на губах не осталось — только контур от карандаша сливового оттенка, а тональный крем лежал какими-то жалкими пятнами. Исчез ее привычный ухоженный вид. От этой мысли сердце у нее забилось еще чаще, а паника усилилась.

«Дыши, Элизабет, дыши», — сказала она себе. Дрожащей рукой пригладила выбившиеся волосы, послюнив палец, стерла тушь под глазами, плотно сжала губы, одернула пиджак и откашлялась. Она просто на миг потеряла самообладание, вот и все. Больше это не повторится. Она переложила телефон к другому уху. Оказывается, она прижимала трубку плечом с такой силой, что на шее остался отпечаток сережки.

Наконец ей ответили, и она повернулась спиной к зеркалу, чтобы не отвлекаться.

— Полицейский участок Бале-на-Гриде.

Элизабет узнала голос на том конце провода.

— Привет, Мэри, это Элизабет... опять. Сирша взяла машину и уехала, — она помедлила, — опять.

В трубке раздался слабый вздох.

— Как давно это произошло?

Элизабет присела на нижнюю ступеньку лестницы и приготовилась к обычной череде вопросов. Она на секунду прикрыла глаза, чтобы дать им чуть-чуть отдохнуть, но, почувствовав облегчение оттого, что все вокруг отступило, не стала открывать их снова.

— Пять минут назад.

— Понятно. Она сказала, куда направляется?

— На луну, — коротко ответила Элизабет.

— Что? — переспросила Мэри.

— Ты правильно услышала, она сказала, что отправляется на луну, — твердо произнесла Элизабет. — Видимо, там ее смогут понять.

— На луну, — повторила Мэри.

— Да, — раздраженно ответила Элизабет. — Наверное, для начала стоит поискать ее на автостраде. Думаю, на луну другим путем не добраться. Правда, не знаю, где именно она свернет. Скорее всего, она движется на северо-восток в Дублин, или, кто знает, может, она уже на пути в Корк. Видимо, у них там есть летательный аппарат, который заберет ее с нашей планеты. В любом случае я бы проверила авто...

— Элизабет, успокойся, ты же знаешь, что я не могу не задать эти вопросы.

— Знаю. — Элизабет снова попыталась взять себя в руки. В эту минуту она должна была присутствовать на важной встрече. Важной для нее, важной для ее фирмы по дизайну интерьеров.

Постоянную няню Люка, Эдит, сейчас заменяла приходящая. Эдит несколько недель назад уехала на три месяца путешествовать — она грозилась это сделать уже шесть лет — и оставила вместо себя молодую девушку, совершенно не подготовленную к выходкам Сирши. Девушка в панике позвонила Элизабет на работу... опять, и Элизабет пришлось бросить все... опять и примчаться домой... опять. Однако не стоит удивляться, что это произошло... опять. Напротив, ее удивляло, что Эдит, если не считать нынешней поездки в Австралию, продолжала все эти годы каждый день приходить на работу. Шесть лет, что она помогала Элизабет растить Люка, были сплошной нервотрепкой, и Элизабет постоянно ждала звонка или письменного заявления об уходе. Быть няней Люка непросто. Как и его приемной матерью.

— Элизабет, ты тут?

— Да. — Она открыла глаза. — Прости, что ты сказала?

— Я спросила, на какой машине она уехала.

Элизабет состроила страшную гримасу телефонной трубке.

— Да все на той же, Мэри, все на той же чертовой машине, будь она неладна! На той же, что на прошлой неделе, и на позапрошлой, и на позапозапрошлой.

— Марка машины, — не сдавалась Мэри.

— «БМВ», — оборвала ее Элизабет. — Тот же проклятый черный «БМВ-330» с откидным верхом. Четыре колеса, две двери, один руль, два зеркала, фары и....

— Капот и багажник, — перебила ее Мэри. — В каком она была состоянии?

— Сияла, я только что ее вымыла, — дерзко ответила Элизабет.

— Это замечательно, а в каком состоянии была Сирша?

— В обычном.

— В состоянии опьянения?

— Именно в нем. — Элизабет встала и пошла на кухню. Стук каблуков по мраморному полу эхом отдавался в доме. Все лежало на своих местах. Ловушка для света — вот что такое ее кухня. От проникавшего через стекло оранжереи солнца было жарко. Элизабет даже зажмурилась. Идеально чистая кухня сверкала, черные гранитные поверхности искрились, хромированные краны блестели. Царство нержавеющей стали и орехо-

вого дерева. Она сразу направилась к своей спаси-
тельнице — кофеварке. Ее измученный организм
остро нуждался во вливании жизненных сил.
Элизабет открыла кухонный шкаф и достала маленькую кофейную чашку бежевого цвета. Прежде
чем закрыть дверцу шкафа, она повернула одну из
стоявших там чашек так, чтобы ее ручка оказалась
с правой стороны, как у всех остальных. Выдвинув
большой стальной ящик со столовыми приборами
и заметив, что нож лежит в отделении для вилок,
переложила его на нужное место, достала ложку
и задвинула ящик обратно.

Уголком глаза Элизабет увидела небрежно пе-
реброшенное через ручку плиты полотенце. Она
отнесла его в подсобку, достала чистое из аккурат-
ной стопки в шкафу, сложила ровно пополам и повесила на ручку. У всего должно быть свое место.

— Я не меняла номерные знаки с прошлой
недели, так что да, они те же самые, — устало ответила Элизабет на еще один бессмысленный вопрос. Чтобы не повредить стеклянную поверхность стола, она поставила дымящуюся чашку на
мраморную подставку. Отряхнув брюки и сняв
пылинку с пиджака, она села в оранжерее и посмотрела на свой большой сад и простирающиеся
за ним зеленые холмы, которым, казалось, не было
конца. Сорок оттенков зеленого, золотого и коричневого.

Она вдохнула аромат горячего эспрессо,
и силы сразу же вернулись к ней. Она представила себе свою сестру, мчащуюся по холмам в ее
машине с откинутым верхом: руки подняты, глаза

закрыты, ярко-рыжие волосы развеваются на ветру, она чувствует себя свободной. Сирша по-ирландски значит «свобода». Имя было выбрано матерью в последней отчаянной попытке сделать так, чтобы материнские обязанности, которые она презирала, казались ей меньшим наказанием. Она хотела, чтобы вторая дочь освободила ее от оков брака, материнства, ответственности... действительности.

Мать встретила ее отца в шестнадцать лет. Она проезжала через город с группой поэтов, музыкантов и мечтателей и разговорилась в местном пабе с фермером Бренданом Эганом. Старше ее на двадцать лет, он был очарован ее странными диковатыми манерами и беззаботным характером. Ей это польстило. И они поженились. В восемнадцать лет у нее родился первый ребенок, Элизабет. Как выяснилось, мать нельзя было приручить, ее все больше и больше раздражало заточение в сонном, затерянном в горах городке, через который она когда-то намеревалась всего лишь проехать. Плачущий ребенок и бессонные ночи вызывали у нее тоску, она все глубже погружалась в себя, в мысли о свободе. В конце концов мечты и реальность перепутались в ее голове, и мать стала пропадать на несколько дней. Она отправлялась странствовать и открывать новые места и других людей.

В двенадцать лет Элизабет уже сама заботилась о себе и о молчаливом, погруженном в раздумья отце и не спрашивала, когда мать вернется домой, потому что знала, что рано или поздно та вернется обязательно — с пылающими щеками, сияющими глазами — и, задыхаясь, станет рассказывать о большом мире и о том, что в нем бывает. Она врывалась время от времени в их тихое существование, как свежий летний ветерок, принося с собой оживление и надежду. Обстановка в их одноэтажном фермерском доме всегда менялась с ее возвращением, словно стены впитывали ее энтузиазм. Элизабет сидела на кровати матери, слушала ее истории, и голова кружилась от удовольствия. Такая атмосфера держалась недолго, всего лишь несколько дней, пока матери не надоедало рассказывать истории и она не отправлялась на поиски новых.

Она часто привозила странные вещи на память о своих путешествиях — ракушки, камни, листья. Элизабет помнила вазу с длинной сочной травой, стоявшую посередине обеденного стола, как будто это было самым экзотическим растением на свете. Когда Элизабет спросила, на каком поле мать нарвала эту траву, та просто подмигнула ей и нажала на кончик носа, обещая, что когда-нибудь она вырастет и поймет. Отец тихо сидел в своем кресле у камина, читая газету, но никогда не переворачивал страницы. Он так же терялся в мире слов ее матери, как и она сама.

Когда Элизабет было двенадцать лет, мать снова забеременела, но, несмотря на то что новорожденную девочку назвали Сиршей, этот ребенок не принес свободы, о которой мать так мечтала, и она отправилась в новое путешествие. Из которого не вернулась. Их отца, Брендана, совершенно не интересовало маленькое существо, послужившее причиной ухода жены, и он просто тихо ждал ее в своем кресле у огня. Читая газету, но никогда не переворачивая страницы. Годами. Всегда. Вскоре Элизабет устала ждать возвращения матери и приняла на себя все заботы о Сирше.

Сирша унаследовала кельтскую внешность отца — светлые рыжие волосы и белую кожу, тогда как Элизабет была копией матери. Оливковая кожа, каштановые волосы, почти черные глаза — все это благодаря древним испанским корням, уходящим в глубь веков. С каждым днем Элизабет все больше напоминала мать и понимала, что отец с трудом это переносит. Она начала ненавидеть себя и, помимо непрерывных попыток вести хоть какие-то разговоры с отцом, еще упорнее старалась доказать ему и самой себе, что у них с матерью нет ничего общего, что ей знакомо чувство преданности.

Окончив в восемнадцать лет школу, Элизабет оказалась в сложном положении: чтобы учиться в университете, нужно было переехать в Корк. Для принятия этого решения потребовалось все ее мужество. Отец рассматривал поступление дочери в университет как предательство и к любым дружеским отношениям, которые она заводила, относился точно так же. Он требовал внимания, желая оставаться единственным человеком в жизни своих дочерей, как будто в его власти было удержать их при себе навсегда. Впрочем, ему это почти удалось, и он был отчасти виноват в том, что у Элизабет не было ни развлечений, ни друзей. Она привыкла вежливо уходить, когда где-нибудь завязывался светский разговор, так как знала, что лишнее время, проведенное вдали от фермы, вызовет упреки и неодобрение. В любом случае забота о Сирше и школа занимали все ее время. Брендан обвинял ее в том, что она, совсем как мать, считает себя выше него и презирает Бале-на-Гриде. У нее же маленький городок вызывал клаустрофобию, ей казалось, что их унылый фермерский дом погружен в темноту и безвременье. Как будто даже дедушкины часы в холле ждали возвращения матери.

— А где Люк? — спросил голос Мэри в телефонной трубке, резко возвращая Элизабет к реальности.

Элизабет язвительно ответила:

— Ты что, действительно думаешь, что Сирша взяла бы его с собой?

Трубка молчала.

Элизабет вздохнула:

— Он здесь.

Имя «Сирша» было для сестры Элизабет не просто именем. Оно дало ей индивидуальность, определило стиль жизни. Все оттенки значения этого имени влились в ее кровь. Она была вспыльчивой, независимой, необузданной и свободной. Она настолько четко шла по стопам матери, которую помнить не могла, что Элизабет иногда казалось, будто она видит перед собой мать. Но Сирша постоянно исчезала из поля ее зрения. Она забеременела в шестнадцать лет, и никто, даже она сама, не знал от кого. Когда ребенок появился на свет, Сирша не стала мучиться проблемой выбора имени, но со временем стала звать его Лакки,

Счастливчик. Еще одно загаданное желание. Так что Элизабет назвала его Люком. И опять, на сей раз в возрасте двадцати восьми лет, Элизабет взяла на себя заботу о ребенке.

При взгляде на Люка в глазах Сирши не отражалось ничего, хорошо еще, что она вообще его узнавала. Элизабет поражало, что между ними нет совсем никаких отношений, никакой связи. Сама Элизабет никогда не планировала заводить детей, на самом деле она даже заключила сама с собой договор о том, что у нее *никогда* их не будет. Она выросла кое-как сама и вырастила сестру и больше не хотела растить никого. Пришло время позаботиться о себе. В двадцать восемь лет, после нелегкой учебы в школе и колледже, она с успехом начала заниматься своей собственной фирмой по дизайну интерьеров. Она понимала, что только она, и никто больше, способна создать Люку нормальные условия для жизни. Она достигла поставленных целей, полностью контролируя свои действия, поддерживала порядок в делах, не давала себе поблажек и всегда оставалась реалисткой, веря в факты, а не в мечты, и, главное, много работала и выкладывалась на все сто. Глядя на мать с сестрой, она хорошо усвоила, что ничего не добьется, если будет гоняться за мечтами и строить воздушные замки.

Теперь ей было уже тридцать четыре и она жила вдвоем с Люком в доме, который любила. Она сама купила его и платила за него без чьей-либо помощи. Это было ее убежище, место, где она могла уединиться и почувствовать себя в безопасности. Она оставалась одна, потому что любовь — это нечто такое, что контролю не подлежит. А ей нужно было всегда контролировать ситуацию. Когда-то она уже любила и была любима, почувствовала вкус мечтаний и узнала, что такое быть на седьмом небе от счастья. Также она узнала, каково потом с глухим стуком упасть обратно на землю. Необходимость взять на себя заботу о ребенке сестры положила конец ее любви, и с тех пор у нее никого не было. Она научилась больше не терять контроль над своими чувствами.

Громко хлопнула входная дверь, и она услышала в холле топот маленьких ног.

— Люк! — позвала она, зажимая рукой телефонную трубку.

— А? — спросил он невинно, в дверном проеме показались его голубые глаза и светлые волосы.

— Не «а?», а «что?», — строго поправила его Элизабет. За эти годы голос ее приобрел учительские нотки.

— *Что?* — повторил он.

— Что ты делаешь?

Люк вошел в холл, и Элизабет сразу заметила его испачканные травой колени.

— Айвен и я просто играем в видеоигры, — объяснил он.

— Мы с Айвеном, — поправила она, продолжая слушать, как Мэри на том конце провода договаривается об отправке полицейской машины.

Люк взглянул на тетю и вернулся в детскую.

— Подожди секунду, — закричала Элизабет в трубку, когда наконец поняла, что ей только что сказал Люк. Она вскочила со стула, ударившись об ножку стола и пролив кофе на его стеклянную поверхность. Чертыхнулась. Черные ножки стула из кованого железа со скрежетом проехались по мраморному полу. Прижав трубку к груди, она бросилась через длинный холл в детскую. Выглянув из-за угла, она увидела сидящего на полу Люка, глаза которого были прикованы к экрану телевизора. Эта комната и его спальня были единственными помещениями в доме, где она разрешала ему держать свои игрушки. Забота о ребенке не изменила ее, как думали многие, и нисколько не смягчила ее характер. Забирая или отвозя Люка, она побывала в домах многих его друзей, где повсюду валялись игрушки, о которые все спотыкались. Ей приходилось пить кофе с мамами, сидя на плюшевых мишках в окружении бутылочек, молочных смесей и подгузников. Но не в ее доме. Эдит знала об этих правилах и не нарушала их. С тех пор как Люк подрос и понял, что за человек его тетя, он тоже стал послушно следовать ее требованиям и играл только в той комнате, которую она ему для этого выделила.

— Люк, кто такой Айвен? — спросила Элизабет, обыскивая глазами комнату. — Ты же знаешь, что нельзя приводить домой незнакомых людей, — озабоченно добавила она.

— Это мой новый друг, — ответил он, не отрывая глаз от накаченного борца, теснящего на экране своего соперника.

— Ты же знаешь, я настаиваю на том, чтобы знакомиться с твоими друзьями до того, как ты приведёшь их в дом. Где он? — спросила Элизабет, открывая дверь и входя в детскую. Она надеялась, что этот друг окажется лучше предыдущего маленького разбойника, нарисовавшего портрет своей счастливой семьи несмываемым фломастером прямо на стене, которую после этого пришлось перекрашивать.

— Вон там. — Не отводя глаз от экрана, Люк кивнул в сторону окна.

Элизабет подошла к окну и выглянула в сад перед домом. Никого не увидев, она сложила руки на груди:

— Он что, прячется?

Люк нажал кнопку «Пауза» и наконец оторвал взгляд от борцов на экране. В замешательстве он нахмурился.

— Да вот же он! — показал он на большую подушку, набитую сухими бобами, около которой Элизабет стояла.

Элизабет уставилась на подушку, удивлённо раскрыв глаза:

— Где?

— Вон там, — повторил он.

Прищурившись, Элизабет вопросительно посмотрела на него.

— Рядом с тобой, на подушке. — От волнения голос Люка стал громче. Он смотрел на жёлтую вельветовую подушку, как будто приказывая своему другу появиться.

Элизабет проследила за его взглядом.

— Ты что, не видишь? — Он выронил джойстик и резко встал.

Повисло напряженное молчание, и Элизабет почувствовала, как от Люка исходят волны ненависти. Она понимала, о чем он думает: ну почему она не может увидеть его нового друга, почему не может хотя бы раз подыграть, почему она никогда не может притвориться? Она сглотнула слюну и осмотрела комнату — на тот случай, если действительно не заметила гостя. Но никого не было.

Она наклонилась, чтобы быть с Люком на одном уровне, и у нее хрустнули колени.

— Кроме нас с тобой, в этой комнате никого нет, — тихо прошептала она. Почему-то было легче сказать это шепотом. Легче для нее или для Люка — она не знала.

Щеки у Люка вспыхнули, дыхание участилось. Он стоял в центре комнаты в окружении проводов, руки опущены, на лице застыло беспомощное выражение. Сердце Элизабет гулко забилось в груди, и она беззвучно взмолилась: «Пожалуйста, ну пожалуйста, не будь как твоя мать». Она прекрасно знала, куда могут завести человека фантазии.

В конце концов Люк не выдержал и сказал, уставившись в пустоту:

— Айвен, скажи ей что-нибудь!

Повисло молчание. Люк смотрел в пустоту, а потом громко засмеялся. Он снова взглянул на Элизабет, и улыбка померкла, когда он понял, что она никак не реагирует.

— Ты что, правда не видишь его? — нервно взвизгнул он. Потом еще более сердито повторил: — Почему ты его не видишь?

— Ладно, ладно! — Элизабет старалась не паниковать. Она выпрямилась, чтобы вернуться на тот уровень, который был ей подконтролен. Она не видела никакого Айвена, а разум не разрешал ей притворяться. Ей хотелось как можно скорее выйти из комнаты. Она подняла ногу, чтобы переступить через подушку, но передумала и решила ее обойти. Уже находясь в дверях, она в последний раз обвела взглядом комнату в поисках загадочного Айвена. Никого.

Люк пожал плечами, сел на пол и вернулся к своей игре с борцами.

— Люк, я ставлю пиццу в духовку.

Молчание. Что она еще должна сказать? В такие моменты она понимала, что даже чтение всех в мире руководств по воспитанию детей ей не поможет. Правильное воспитание идет от сердца, оно должно быть инстинктивным, и уже не в первый раз она огорчилась из-за того, что у нее это не получается.

— Будет готово через двадцать минут, — неуклюже закончила она.

— Что? — Люк снова нажал «Паузу» и посмотрел в окно.

— Я сказала, будет готово через двад...

— Да нет, я не тебе, — ответил Люк, снова погружаясь в мир видеоигр. — Айвен тоже хочет пиццу. Он сказал, что это его любимое блюдо.

— А... — Элизабет беспомощно сглотнула.

— С оливками, — добавил Люк.

— Но, Люк, ты же ненавидишь оливки.

— Да, но их любит Айвен. Он говорит, что любит их больше всего.

— А…

— Спасибо, — сказал Люк тете, посмотрел на лежащую на полу подушку, улыбнулся, поднял вверх большой палец и снова отвернулся.

Элизабет медленно вышла из детской. Вдруг она поняла, что все еще прижимает к груди телефонную трубку.

— Мэри, ты еще тут? — Она начала грызть ноготь и, глядя на закрытую дверь детской, пыталась понять, что ей делать теперь.

— Я уж подумала, что ты тоже отправилась на луну. И собиралась послать машину к твоему дому, — захихикала Мэри.

Мэри приняла ее молчание за обиду и извинилась.

— В любом случае ты была права: Сирша действительно *собиралась* на луну, но, к счастью, решила по дороге остановиться, чтобы заправиться. То есть чтобы заправиться самой. Твою машину нашли на главной улице, где она мешала проезду. Двигатель работал, а водительская дверь была распахнута настежь. Тебе еще повезло, что Пэдди обнаружил ее до того, как кто-нибудь на ней уехал.

— Дай угадаю. Машина была брошена рядом с пабом.

— Верно. — Мэри сделала паузу. — Ты хочешь подать заявление?

Элизабет вздохнула:

— Нет. Спасибо, Мэри.

— Нет проблем. Я договорюсь, чтобы кто-нибудь пригнал машину к тебе домой.

— А что с Сиршей? — Элизабет мерила шагами холл. — Где она?

— Мы ее некоторое время подержим тут.

— Я за ней приеду, — быстро сказала Элизабет.

— Нет. — Голос Мэри был тверд. — Поговорим об этом позже. Ей нужно успокоиться перед тем, как куда-нибудь отправиться.

Элизабет услышала, как в детской Люк смеется и без умолку болтает сам с собой.

— Кстати, Мэри, — добавила она со слабой улыбкой. — Пока мы с тобой разговариваем, скажи тому, кто пригонит машину, чтобы он захватил с собой еще и психиатра. Кажется, у Люка появился воображаемый друг…

В детской Айвен закатил глаза и поудобнее устроился на подушке. Он слышал, что она говорила по телефону. С тех пор как он приступил к этой работе, родители называли его только так, и это уже начинало ему по-настоящему надоедать. В нем не было абсолютно ничего воображаемого.

Они просто не могли его увидеть.

Глава третья

С о стороны Люка было очень мило пригласить меня на обед в тот день. Когда я сказал, что пицца — мое любимое блюдо, это не значило, что я намекал на то, чтобы меня пригласили к столу. Но как можно отказаться от *пиццы* в *пятницу*? Это повод для двойного торжества. Как бы то ни было, после происшествия в детской у меня создалось впечатление, что его тете я не слишком нравлюсь, но я не удивился, потому что так оно обычно и бывает. Родители всегда считают, что готовить для меня — это расточительство, потому что в результате им всегда приходится эту еду выкидывать. Сложная получается ситуация: понимаете, очень трудно съесть что-нибудь, будучи втиснутым в очень маленькое пространство за столом, когда все смотрят на тебя, желая знать, исчезнет еда или нет. В итоге я испытываю такой стресс, что просто не могу есть, и приходится оставлять еду на тарелке нетронутой.

Не то чтобы я жаловался, ведь быть приглашенным на обед само по себе очень приятно, но взрослые никогда не кладут мне на тарелку столько же еды, сколько другим. Мне никогда не кладут даже половины и всегда говорят что-нибудь вроде: «О, уверен, Айвен сегодня все равно не голоден». Им-то откуда знать? Они же никогда не спрашивают. Обычно за столом я зажат между тем, кто на тот момент является моим лучшим другом, и надоедливым старшим братом или сестрой, которые тащат с моей тарелки еду, пока никто не видит.

Мне забывают давать такие вещи, как салфетки, приборы, а уж в отношении вина щедрости не дождешься. (Иногда передо мной ставят пустую тарелку и говорят моему лучшему другу, что невидимые люди едят невидимую еду. Ну да, конечно, разве невидимые деревья качаются из-за невидимого ветра?) Обычно я получаю стакан воды, да и то только тогда, когда вежливо прошу об этом своих друзей. Взрослые считают странным, что мне во время еды нужна вода, но еще больше они удивляются, когда я прошу лед. Но ведь лед ничего не стоит, а кому не хочется выпить в жару холодненького?

Разговоры со мной обычно ведут матери. Но они задают вопросы, не слушая ответов, или делают вид, что я сказал что-то другое, чтобы всех насмешить. Говоря со мной, они даже смотрят мне на грудь, как будто считают, что я не больше гнома. Это просто такой стереотип. Для справки: мой рост метр восемьдесят, и там, откуда я прибыл, у нас нет понятия возраста: мы сразу начинаем существовать такими, как есть, и растем скорее духовно, чем физически. Растут наши мозги. Могу вам сказать, что сейчас мой мозг уже достаточно большой, но это не предел. Я занимаюсь этой работой уже очень, очень давно, и у меня хорошо получается. Я ни разу не подводил своих друзей.

Отцы всегда говорят мне что-то вполголоса, когда думают, что никто не слушает. Например, на летние каникулы мы с Барри поехали в Уотерфорд. Мы лежали на пляже Бриттас Бэй, и мимо прошла женщина в бикини. Отец Барри сказал вполголоса: «Ничего себе, да, Айвен?» Отцы всегда считают, что я с ними согласен. Они всегда говорят моим лучшим друзьям, что я сообщаю им вещи вроде: «Нужно есть овощи. Айвен просил меня передать тебе, чтобы ты съел брокколи» и другие глупости. Мои лучшие друзья прекрасно знают, что я никогда не скажу ничего подобного.

Вот такие они, эти взрослые.

Через девятнадцать минут и тридцать восемь секунд Элизабет позвала Люка обедать. В животе у меня урчало, и я очень радовался пицце. Я последовал за Люком через длинный холл на кухню, по пути заглядывая в комнаты. В доме стояла тишина, и наши шаги отдавались гулким эхом. Все комнаты были оформлены в белых или в бежевых тонах и так безупречно чисты, что я начал беспокоиться, как буду есть пиццу: мне не хотелось ничего запачкать. Было не только незаметно, что в доме живет ребенок, — ничто не говорило о том, что тут вообще *кто-нибудь* живет. Никакого, что называется, ощущения уюта.

Тем не менее кухня мне понравилась. В ней было тепло и солнечно, а из-за того, что одна стена была стеклянной, казалось, будто мы сидим в саду. Как на пикнике. Увидев, что стол накрыт на двоих, я подождал, пока мне скажут, куда сесть. Тарелки были большие, черные и блестящие, приборы сияли в лучах солнца, а от двух хрустальных стаканов по стеклянной поверхности стола разбегалась радуга. В центре стояла миска с салатом и стеклянный кувшин с водой, вода, как я заметил, была со льдом и лимоном. Под каждым предметом черные мраморные подставки. Глядя, как все сверкает, я испугался при мысли, что испачкаю салфетку.

Ножки стула Элизабет скрипнули — она села. Положила на колени салфетку. Я заметил, что она переоделась в спортивный костюм шоколадного цвета, гармонировавший с ее волосами и выгодно оттенявший кожу. Стул Люка тоже скрипнул, когда он сел. Элизабет взяла большие вилку и ложку и стала накладывать листья салата с маленькими помидорами себе на тарелку. Люк выжидательно смотрел на нее. У него на тарелке лежал кусок пиццы с сыром. Без оливок. Я засунул руки глубоко в карманы и нервно переминался с ноги на ногу.

— Что-то не так, Люк? — спросила Элизабет, поливая салат соусом.

— А где сядет Айвен?

Элизабет замерла, плотно закрутила крышку на банке с соусом и поставила ее на середину стола.

— Ну же, Люк, не валяй дурака, — сказала она весело, не глядя на него. Я знал, что она просто боится поднять глаза.

— Я не валяю дурака. — Люк нахмурился. — Ты же сказала, что Айвен может остаться на обед.

— Да, но где Айвен? — Она старалась сохранить в голосе мягкость, посыпая салат тертым сыром. Я понимал, что она не хочет доводить дело до ссоры. Иначе она бы сразу положила этому конец, и не было бы больше никаких разговоров о воображаемых друзьях.

— Он стоит прямо рядом с тобой.

Элизабет со звоном опустила нож и вилку на стол, и Люк вздрогнул. Она открыла рот, чтобы отчитать его, но ей помешал звонок в дверь. Как только она вышла, Люк встал со стула и достал из кухонного шкафа тарелку. Большую черную тарелку, такую же, как две другие. Он положил на нее кусок пиццы, достал вилку, нож и салфетку и поставил все это на третью черную подставку рядом с собой.

— Вот твое место, Айвен, — радостно сказал он и откусил от своего куска пиццы. Расплавленный сыр повис у него на подбородке, как желтая нитка.

Честно говоря, если бы не мой урчащий от голода живот, я бы не сел за стол. Я знал, что Элизабет рассердится, но ведь если я очень быстро проглочу еду, пока она не вернулась на кухню, то она и не узнает.

— Хочешь еще оливок? — спросил Люк, вытирая рукавом с лица томатный соус.

Я засмеялся и кивнул. У меня потекли слюнки.

Элизабет вбежала на кухню как раз в тот момент, когда Люк тянулся к полке.

— Что ты делаешь? — спросила она, ища что-то в ящике.

— Достаю Айвену оливки, — объяснил Люк. — Он любит пиццу с оливками, помнишь?

Она посмотрела на кухонный стол, увидела, что он накрыт на троих, и устало потерла глаза:

— Послушай, Люк, тебе не кажется, что это перевод еды — класть оливки на пиццу? Ты их не любишь, так что потом мне просто придется их выбросить.

— Нет, это не перевод еды, потому что Айвен их съест, правда, Айвен?

— Конечно съем, — сказал я, облизывая губы и потирая ноющий живот.

— Ну и?.. — Элизабет вопросительно подняла бровь. — Что он сказал?

Люк нахмурился:

— То есть ты его еще и не *слышишь*? — Он посмотрел на меня и покрутил пальцем у виска, показывая, что его тетушка сошла с ума. — Он сказал, что, разумеется, съест оливки.

— Как это мило с его стороны, — пробормотала Элизабет, продолжая рыться в ящике. — Но ты уж убедись, чтобы все было съедено до конца, потому что, если что-то останется, это будет последний раз, когда Айвен с нами обедает.

— Не волнуйтесь, Элизабет, я мигом все проглочу, — сказал я ей, набрасываясь на пиццу. Не мог же я допустить, чтобы меня никогда больше не приглашали сюда на обед. У нее были грустные глаза, грустные карие глаза, и я верил, что сделаю ее счастливее, если съем все до крошки. Так что я ел быстро.

— Спасибо, Колм, — устало сказала Элизабет, забирая у полицейского ключи от машины. Она медленно обошла ее, внимательно осматривая краску.

— Все в полном порядке, — ответил Колм, наблюдая за ней.

— Во всяком случае, с машиной. — Она попыталась пошутить и похлопала по капоту. Ей было неловко. Как минимум раз в неделю в ее семье происходило что-то, требовавшее вмешательства полиции, и хотя в этих ситуациях они всегда вели себя исключительно профессионально и вежливо, она не могла совладать с острым чувством стыда. В их присутствии она еще больше старалась выглядеть «нормально», показать, что это не ее вина и что не у *всей* семьи крыша не на месте. Бумажной салфеткой она стерла с капота грязные брызги.

Колм грустно улыбнулся ей:

— Элизабет, на Сиршу завели дело.

Элизабет резко вскинула голову, готовясь противостоять неприятностям.

— Колм! — Она была шокирована. — Но почему?

Раньше такого никогда не случалось. Сирша всегда отделывалась предупреждением, после чего ее отвозили туда, где она на тот момент жила. Элизабет понимала, что это не по правилам, но в таком маленьком городке, где все друг друга знают, нужно было просто построже следить за Сиршей и останавливать ее, пока она не сделала какую-нибудь глупость. Однако за последнее время Сиршу предупреждали уже слишком много раз.

Колм вертел в руках темно-синюю кепку:

— Элизабет, она сидела за рулем пьяная, в украденной машине, а у нее даже прав нет.

Услышав это, Элизабет задрожала всем телом. Сирша сама была в опасности и представляла опасность для других. Почему она продолжает защищать сестру? Когда наконец признает, что они правы и сестра никогда не станет ангелом, как хочется верить ей, Элизабет?

— Но машина не была украдена, — запинаясь, произнесла она. — Я ей сказала, что она мо….

— Не надо, Элизабет. — Голос Колма был тверд.

Чтобы остановиться, ей пришлось прикрыть рот рукой. Она сделала глубокий вдох и постаралась взять себя в руки.

— Ее будут судить? — прошептала она.

Колм смотрел в землю, шевеля ногой камешек:

— Да. Она могла не только разбиться, но и стать причиной гибели других людей.

Элизабет с трудом перевела дыхание и кивнула.

— Еще один шанс, Колм, — сказала она, чувствуя, как теряет последние остатки гордости. — Дайте ей еще один шанс… пожалуйста. — Последнее слово далось ей с трудом. Она почти умоляла. А ведь Элизабет никогда не просила никого о помощи. — Я буду за ней приглядывать. Обещаю, что ни на минуту не спущу с нее глаз. Она исправится, обязательно. Ей просто нужно время, чтобы во всем разобраться. — Элизабет чувствовала, как дрожит ее голос. Ноги подкашивались.

В голосе Колма послышалась грусть.

— Все уже произошло. Мы не можем теперь ничего изменить.

— Каким будет наказание? — Она почувствовала подступающую дурноту.

— Все зависит от того, какой в этот день будет судья. Это ее первое нарушение, то есть ее первое *зафиксированное* нарушение. Так что он может ее пожалеть, но, опять же, может пожалеть, а может, и нет. — Колм пожал плечами, потом взглянул на свои руки. — Еще важно, что скажет задержавший ее полицейский.

— Почему?

— Потому что, если она не оказывала сопротивления полиции и не создавала проблем, это могло бы что-то изменить, но опять же...

— Может, и нет, — озабоченно сказала Элизабет. — Ну и? Она оказывала сопротивление?

Колм весело рассмеялся:

— Потребовалось два человека, чтобы удержать ее.

— Черт, — выругалась Элизабет. — Кто ее арестовал? — Она снова начала грызть ноготь.

После некоторого молчания Колм сказал:

— Я.

От удивления она открыла рот. Колм всегда был очень мягок с ее сестрой. Он всегда защищал Сиршу. Элизабет просто онемела. Она была так взволнована, что прикусила язык и теперь чувствовала во рту вкус крови. Ей не хотелось, чтобы люди поставили на Сирше крест.

— Я сделаю все, что смогу, — сказал он. — Просто постарайся уберечь ее от неприятностей до слушания, которое состоится через несколько недель.

Элизабет вдруг поняла, что уже несколько секунд задерживает дыхание, и выдохнула:

— Спасибо.

Больше она ничего не могла сказать. Испытав большое облегчение, она, тем не менее, понимала, что это не победа. На сей раз никто не сможет защитить ее сестру, и той придется отвечать за свои поступки. Но как она присмотрит за Сиршей, когда даже не знает, где ее искать? Сирша не могла жить с ней и с Люком — она была слишком неуправляема, чтобы находиться рядом с ребенком, — а отец уже давным-давно выставил ее из дома.

— Я, пожалуй, пойду, — тихо сказал Колм и, надев кепку, побрел по выложенной булыжниками подъездной дороге.

Элизабет присела на крыльцо, пытаясь унять дрожь в коленях, и посмотрела на свою машину, покрытую грязными пятнами. Почему Сирша должна все портить? Почему все, *все*, кого Элизабет любила, уходили из ее жизни по вине младшей сестры? Она ощущала невероятную тяжесть, давившую ей на плечи. К тому же известно, как поступит отец, если они привезут Сиршу к нему на ферму, а они непременно так и сделают. Не пройдет и пяти минут, как он будет звонить Элизабет и ругаться.

В доме зазвонил телефон. Элизабет медленно поднялась с крыльца, повернулась и пошла в дом. Когда она открыла дверь, звонки прекратились, и она увидела, что Люк сидит на лестнице, прижав трубку к уху. Она прислонилась к деревянному косяку и, скрестив руки на груди, наблюдала за ним. На ее лице появилась слабая улыбка. Он рос так быстро, а она чувствовала себя оторванной от этого процесса, как если бы он все делал без ее помощи, без того воспитания, которое она должна была ему дать, но которое дать не умела. Она знала, что ей не хватает некоего особого чувства (иногда она вообще не испытывала никаких чувств), и каждый день сокрушалась о том, что материнский инстинкт не появился у нее в момент подписания документов по опекунству. Когда Люк падал и разбивал коленку, ее немедленной реакцией было промыть рану и заклеить ее пластырем. Ей казалось, что этого достаточно и вовсе не обязательно танцевать с ним по комнате, чтобы он перестал плакать и пинать в наказание землю, как это делала Эдит.

— Привет, дедушка, — вежливо сказал Люк.

Он замолчал, слушая, что говорит на другом конце его дед.

— Я обедаю с Элизабет и моим новым лучшим другом Айвеном.

Пауза.

— Пицца с сыром и томатным соусом, но Айвен еще любит, чтобы сверху были оливки.

Пауза.

— Оливки, дедушка.

Пауза.

— Нет, не думаю, что оливки можно вырастить на ферме.

Пауза.

— О-лив-ки, — медленно произнес он по слогам.

Пауза.

— Подожди, дедушка, мой друг Айвен что-то мне говорит. — Люк прижал трубку к груди и внимательно посмотрел в пустоту. Потом снова приложил трубку к уху. — Айвен сказал, что оливка — это маленький маслянистый фрукт с косточкой. Его в субтропических зонах выращивают ради плодов и масла. — Он посмотрел в сторону с таким видом, будто кого-то слушал. — Существует много разновидностей оливок. — Он замолчал, посмотрел вдаль, потом продолжил: — Незрелые оливки всегда зеленого цвета, а зрелые могут быть как зелеными, так и черными. — Он снова посмотрел в сторону и прислушался к тишине. — Большинство созревших на дереве оливок используется для получения масла, остальные засаливают или маринуют и хранят в оливковом масле, рассоле или уксусе. — Он поднял глаза: — Айвен, что такое рассол? — Последовала пауза, потом он кивнул. — Ясно.

Брови Элизабет поползли вверх. С каких это пор Люк стал экспертом по оливкам? Наверное, он узнал о них в школе, он хорошо запоминает подобные вещи. Люк остановился и внимательно слушал то, что говорит ему дедушка.

— Ну, Айвен тоже хочет с тобой познакомиться.

Элизабет бросилась к телефону, пока Люк не сказал ничего лишнего. Отец и без того не всегда хорошо соображал, так что совершенно ни к чему

рассуждать с ним о существовании (или отсутствии) невидимого мальчика.

— Привет, — сказала Элизабет, хватая телефонную трубку. Люк медленно, волоча ноги, по-
плелся на кухню. От его шарканья на Элизабет
снова накатила волна раздражения.

— Элизабет, — раздался строгий деловой голос, в котором явно слышался напевный говор
графства Керри. — Я только что вернулся и обнаружил твою сестру лежащей у меня на полу
в кухне. Я ткнул ее ботинком, но так и не понял,
жива она или нет.

Элизабет вздохнула:

— Это не смешно, и моя сестра, помимо всего
прочего, еще и *твоя* дочь.

— Только вот не надо мне этого рассказывать, — сказал он презрительно. — Я хочу знать,
что ты собираешься с ней делать. Я не желаю ее
здесь видеть. В прошлый раз, когда она тут была,
ей захотелось выпустить кур из курятника, и я
целый день загонял их обратно. Это с моими-то
спиной и ногами...

— Понимаю, но тут она тоже жить не может,
это нервирует Люка.

— Ребенок еще слишком мал, чтобы нервни-
чать. А она довольно часто вообще забывает, что
родила его. Но ты ведь понимаешь, что он не может быть полностью твоим.

«Довольно часто» — это было еще мягко ска-
зано.

— Ей нельзя приезжать сюда, — ответила
Элизабет, стараясь не потерять терпение. — Она

уже была тут и опять взяла машину. Колм только что пригнал ее. На этот раз все действительно серьезно. — Она сделала глубокий вдох. — На нее завели дело.

Отец немного помолчал, а потом воскликнул в сердцах:

— И правильно сделали! Будет ей урок.— Потом быстро сменил тему: — Почему ты не на работе? Господь велел нам отдыхать только в воскресенье.

— В том-то все и дело. Сегодня был очень важный для меня день на рабо...

— Смотри-ка, твоя сестра вернулась в мир живых, и она уже на улице: пытается сбить коров с ног. Скажи Люку, пусть приезжает ко мне в понедельник со своим новым другом. Мы покажем ему ферму.

Раздался щелчок, и наступила тишина. Слова приветствия и прощания были не в чести у отца. Он до сих пор считал, что мобильные телефоны — это что-то вроде футуристической инопланетной технологии, разработанной для того, чтобы морочить людям голову.

Элизабет повесила трубку и пошла на кухню. Люк сидел за столом один и, держась за живот, хохотал до упаду. Она села на свое место и принялась за салат. Ее нельзя было отнести к тем людям, которые находят в еде удовольствие: она ела только потому, что так было надо. Длинные ужины, занимавшие весь вечер, нагоняли на нее тоску, она никогда не отличалась хорошим аппетитом, потому что всегда либо находилась во власти каких-нибудь переживаний, либо энергия в ней била ключом, мешая спокойно сидеть и есть. Взглянув на стоящую напротив тарелку, она, к своему удивлению, увидела, что там пусто.

— Люк?

Люк перестал говорить сам с собой и посмотрел на нее:

— А?

— Не «а?», а «что?», — поправила она. — Куда делся кусок пиццы, который лежал на этой тарелке?

Люк взглянул на пустую тарелку, потом посмотрел на Элизабет так, будто она сошла с ума, и откусил от своего куска.

— Айвен съел.

— Не говори с набитым ртом!

Он выплюнул непрожеванную пиццу на тарелку.

— Айвен съел.

При виде кашицы, которая только что была у него во рту, он истерически захохотал.

У Элизабет разболелась голова. Что за бес в него вселился?

— А оливки?

Видя ее раздражение, он сначала все проглотил и только потом ответил:

— Их он тоже съел. Я же говорил тебе, что он больше всего любит оливки. Дедушка хотел узнать, можно ли выращивать оливки на ферме. — И Люк улыбнулся, обнажив беззубые десны.

Элизабет улыбнулась. Ее отец не узнал бы оливку, даже если бы она подошла к нему и представилась. Он не любил «модную» еду: рис был самой большой экзотикой, на которую он соглашался, но все равно жаловался, что зернышки слишком маленькие и уж лучше он будет есть картофельное пюре.

Элизабет вздохнула и стала сбрасывать остатки еды в мусорное ведро, предварительно проверив, не выкинул ли Люк туда пиццу с оливками. Но ничего не обнаружила. У Люка обычно не было особого аппетита, он с трудом съедал один кусок пиццы, а уж о двух и говорить нечего. Она предположила, что найдет его через несколько недель покрытым плесенью в углу одного из шкафчиков. А если Люк действительно съел оба куска, то ночью ему будет плохо, и Элизабет придется за ним убирать. Опять.

— Спасибо, Элизабет.

— На здоровье, Люк.

— Чего? — сказал Люк, высунув голову из-за угла.

— Люк, я же тебе уже объясняла, надо говорить «что?», а не «чего?».

— Что?

— Я сказала: «На здоровье».

— Но я же тебя еще не поблагодарил.

Элизабет загрузила тарелки в посудомоечную машину и выпрямилась. Она потерла ноющую поясницу.

— Нет, поблагодарил. Ты сказал: «Спасибо, Элизабет».

— Нет, не говорил. — Люк нахмурился.

Элизабет почувствовала, что закипает:

— Люк, пожалуйста, хватит! Мы уже повеселились за обедом, так что теперь ты можешь перестать дурачиться, договорились?

— Нет. Это Айвен поблагодарил тебя, — сердито ответил он.

Она вся затряслась. Ей надоели эти глупые шутки. Слишком разозленная, чтобы отвечать племяннику, она с силой захлопнула дверцу посудомоечной машины. Ну почему он хотя бы один раз не может не действовать ей на нервы?

Элизабет пронеслась мимо Айвена с чашкой эспрессо, и он почувствовал аромат кофе вперемешку с духами. Она села за кухонный стол, плечи у нее поникли, и она опустила голову на руки.

— Айвен, иди сюда, — нетерпеливо закричал Люк из детской. — На этот раз я дам тебе быть Громилой!

Элизабет тихо застонала.

Но Айвен не мог пошевелиться. Его синие конверсы приросли к полу.

Элизабет слышала, как он поблагодарил ее. Он это точно знал.

Он некоторое время походил вокруг, проверяя ее реакцию на свое присутствие. Пощелкал пальцами у нее над ухом, отпрыгнул назад и посмотрел, что будет. Ничего. Он похлопал в ладоши и потопал ногами. Это вызвало громкое эхо в большой кухне, но Элизабет продолжала сидеть с опущенной головой, будто каменная.

Но она же сказала: «На здоровье». После бесконечных попыток издавать разные звуки рядом с ней он в недоумении и с большим разочарованием обнаружил, что она его присутствия не ощущает. Ладно, в конце концов, она всего лишь родитель, а кого волнует, что думают родители? Он стоял рядом и смотрел на ее макушку, раздумывая, какой бы звук ему еще издать. Он громко вздохнул, выпустив из легких большой объем воздуха.

Вдруг Элизабет вздрогнула, выпрямилась на стуле и до самого верха застегнула молнию на спортивном костюме.

И тут он понял, что она почувствовала его дыхание.

Глава четвертая

Элизабет закуталась в халат и завязала пояс. Подобрав под себя длинные ноги, она уютно устроилась в огромном кресле в гостиной. Завернутые в полотенце мокрые волосы башней возвышались у нее на голове, кожа источала фруктовый аромат после пенной ванны. В руках у нее была чашка свежесваренного кофе со сливками, и она смотрела телевизор, в буквальном смысле наблюдая за тем, как сохнет краска. Показывали ее любимое шоу про ремонт и перестройку домов, ей очень нравилось смотреть, как ведущим удается превращать самые запущенные и убогие комнаты в изысканные и элегантные.

Она с детства обожала переделывать все, к чему прикасалась. Томительные часы ожидания матери тратились на украшение кухонного стола россыпью ромашек, разбрасывание блесток на коврике у входной двери и скучном сером каменном полу фермы, на декорирование свежими цветами рамок для фотографий и украшение постельного белья пестрыми лепестками. Элизабет считала, что в этом проявлялся ее характер, заставляющий все исправлять, всегда стремиться к лучшему, никогда не успокаиваться, не знать удовлетворения.

Она считала, что это были ее детские попытки не дать матери снова уйти. Ей казалось, чем красивее дом, тем дольше мать в нем останется. Но ромашкам на столе доставалось не больше пяти минут внимания, блестки на коврике быстро затаптывались, цветы на рамках для фотографий не могли выжить без воды, а лепестки, разложенные на постели, оказывались на полу во время беспокойного сна матери. Как только эти уловки переставали действовать, Элизабет тут же снова начинала придумывать что-то такое, что могло бы по-настоящему привлечь мать и настолько ей понравиться, чтобы она уже не могла с этим расстаться. Элизабет и в голову не приходило, что «чем-то таким» может быть она сама.

Став старше, она полюбила выявлять истинную красоту вещей и, пока жила на старой ферме отца, приобрела в этом деле большой опыт. Теперь она любила рабочие дни, когда занималась восстановлением старых каминов, снимала ветхое ковровое покрытие и обнаруживала под ним прекрасный пол, лежавший там изначально. Даже в собственном доме она непрерывно что-то меняла, переставляла с места на место. Она стремилась к безупречности. Ставила перед собой задачи, иногда невыполнимые, чтобы только доказать самой себе и всем, что каждая, даже на первый взгляд уродливая вещь таит в себе красоту.

Элизабет получала от работы огромное удовольствие, а когда в Бале-на-Гриде и окружающих городках развернулось жилищное строительство, она начала неплохо зарабатывать. Если появлялись новые веяния, ее фирма узнавала об этом первой. Она свято верила в то, что хороший дизайн делает жизнь лучше. Красивые, удобные и функциональные пространства — вот что она рекомендовала своим клиентам.

Ее собственная гостиная была решена в мягких тонах. Замшевые диванные подушки, пушистые ковры — она любила *чувствовать* предметы. Светло-кофейные и кремовые оттенки, как чашка кофе в ее руке, помогали ей привести мысли в порядок. В этом вечно спешащем куда-то мире ей было жизненно необходимо иметь спокойный дом, чтобы сохранить рассудок, укрыться от хаоса и суеты. По крайней мере, у себя дома она все держала под контролем. Сюда она могла впускать лишь тех, кого хотела, решать, сколько они пробудут и где именно расположатся. В отличие от сердца, куда люди входят без спроса, вторгаются в любые уголки, и попробуй потом удержать их дольше, чем они планировали. Нет, в дом к Элизабет гости приходили только по ее желанию. А она не желала, чтобы они приходили вообще.

Встреча в пятницу была очень важной. Она потратила несколько недель, планируя ее, обновляя портфолио, готовя слайды для презентации, подбирая вырезки из газет и журналов, где говорилось об оформленных ею домах. Она собрала всю свою жизнь в одну папку, чтобы убедить заказчиков поручить ей эту работу. Древнюю башню, возвышающуюся на горном склоне над Бале-на-Гриде, собирались снести, чтобы освободить место под гостиницу. Когда-то, во времена викингов, эта башня защищала город от врагов, но Элизабет не видела смысла сохранять ее в нынешнем виде: ни художественной, ни исторической ценности она не представляла. Когда туристические автобусы, забитые жадными до впечатлений людьми со всего мира, проезжали Бале-на-Гриде, гиды об этой башне даже не упоминали. Никто ею не гордился, никто не интересовался. Уродливое нагромождение камней, да и только. Ее ни разу не реставрировали, и она тихо осыпалась и разрушалась, днем служила приютом подросткам, а ночью — местным пьяницам. Сирша принадлежала к обеим этим группам.

Но многие жители городка начали борьбу против строительства гостиницы, утверждая, что с башней связана сказочная и романтическая история. Поползли слухи, что, если башню снесут, из города уйдет любовь. Это привлекло внимание желтой прессы, развлекательных программ, и застройщики вскоре поняли, что обнаруженная ими золотая жила оказалась еще богаче. Они решили восстановить башню, придав ей прежний славный вид, но гостиницу все же построить, поместив башню в ее внутренний дворик как исторический памятник, который не даст угаснуть любви в Городе сердец. Неожиданно по всей стране возник интерес к этому проекту, людям захотелось пожить в гостинице рядом с башней, освященной любовью.

Будь ее воля, Элизабет сама сровняла бы башню с землей. Она считала, что эту нелепую историю придумал кто-то из обитателей городка, чтобы сохранить башню. Такая легенда годилась разве что для туристов и мечтателей. Зато оформление интерьера гостиницы очень ее заинтересовало. Заведение будет небольшим, однако сможет дать работу местным жителям. Кроме того, это всего в нескольких минутах от ее дома, так что ей не пришлось бы беспокоиться о том, что Люк надолго остается один.

Раньше Элизабет постоянно находилась в разъездах. Она никогда не проводила в Бале-на-Гриде больше двух-трех недель подряд и радовалась возможности путешествовать и работать в других странах. Ее последний большой проект был в Нью-Йорке, однако с рождением Люка всему этому пришел конец. Оставшись с младенцем на руках, Элизабет не могла разъезжать по другим городам, не говоря уж о странах. Это был очень сложный период: она пыталась основать свою фирму в Бале-на-Гриде и привыкала к мысли, что ей опять придется воспитывать ребенка. Ей ничего не оставалось, кроме как нанять Эдит, ведь отец не стал бы ей помогать, а Сирше, разумеется, не было до Люка никакого дела. Теперь, когда он стал старше и пошел в школу, Элизабет обнаружила, что поиски заказов в окрестностях Бале-на-Гриде дают все меньше и меньше результатов. Строительный бум наверняка со временем кончится, и она постоянно волновалась, не придет ли вместе с этим конец и ее бизнесу.

Ей нельзя было уходить с переговоров в пятницу. Никто в офисе не мог продемонстрировать ее компетентность в области дизайна лучше, чем она сама. Ее сотрудницами были Бекка, отвечавшая на звонки, и Поппи. Бекка, скромная и безумно застенчивая семнадцатилетняя девушка, начала работать у Элизабет стажеркой, еще учась в школе, а потом решила больше к учебе не возвращаться. Она усердно трудилась, вела себя тихо и не болтала в офисе, что очень нравилось Элизабет, и она взяла ее на работу вскоре после того, как Сирша, работавшая неполный рабочий день, подвела ее. И *не просто* подвела. Пришлось срочно нанимать нового человека. Чтобы справиться с хаосом. Опять. То, что она держала Сиршу при себе в течение дня, пытаясь помочь ей встать на ноги, привело лишь к тому, что Сирша взбунтовалась и еще больше отдалилась от нее.

Двадцатипятилетняя Поппи недавно окончила художественное училище, она была полна потрясающих и нереализуемых творческих планов и готова раскрасить мир в еще не придуманный ею самой цвет. В офисе работали только они втроем, но Элизабет часто прибегала к услугам шестидесятивосьмилетней миссис Брэкен, настоящей волшебницы по части шитья, державшей в городе обивочную мастерскую. Неимоверно сварливая, она настаивала на том, чтобы ее называли миссис Брэкен, а не Гвен, — в знак почтения к ее обожаемому, увы, покойному мистеру Брэкену, у которого, как полагала Элизабет, никогда не было имени. И наконец, у нее еще работал пятидесятидвухлетний Гарри, мастер на все руки, для которого не существовало ничего невозможного: он с одинаковым успехом развешивал картины и прокладывал проводку. Но при этом был не в состоянии понять, как незамужняя женщина может иметь собственное дело, не говоря уже о том, что она воспитывает чужого ребенка. В зависимости от бюджета проекта Элизабет могла предложить своим клиентам самые разные услуги — от инструктирования маляров и декораторов до выполнения всей работы самостоятельно, но обычно ей нравилось принимать во всем активное участие. Она любила наблюдать за тем, как все преображается, ведь это было частью ее натуры — желание исправить все самой.

В том, что Сирша в то утро появилась в доме Элизабет, не было ничего необычного. Она часто приезжала пьяная, осыпала сестру оскорблениями, пыталась забрать все, до чего могла дотянуться и что можно было продать. Элизабет даже не знала, только ли алкоголь у нее теперь в ходу. Много времени прошло с тех пор, когда они с сестрой последний раз разговаривали по-человечески. Когда Сирше исполнилось четырнадцать, у нее в голове как будто щелкнул какой-то выключатель, и она ушла от них в другой мир. Элизабет пыталась ей помочь, отправляла на консультации к врачам, в реабилитационные центры, давала ей деньги, находила работу, сама нанимала ее, позволила переехать к ней, снимала для нее квартиры. Элизабет пробовала быть ей другом, пробовала быть врагом, смеялась вместе с ней и кричала на ее, но ничего не помогало. Сирша была для нее потеряна, потеряна в мире, где никто другой не имел значения.

Элизабет не могла не думать об иронии, заключенной в ее имени. Сирша не была свободной. Может, она и чувствовала себя свободной, приходя и уходя когда вздумается, не испытывая ни к кому и ни к чему ни малейшей привязанности, но она была рабой своих пристрастий. Однако сама она того не замечала, а слова Элизабет пропускала мимо ушей. Элизабет не могла полностью отвернуться от сестры, но у нее не было больше сил и надежды на то, что Сиршу можно изменить. Она уже потеряла всех своих друзей и возлюбленных из-за непоколебимой веры в то, что все можно исправить. Видя, как Сирша постоянно использует сестру в своих интересах, они все больше и больше разочаровывались, пока не уходили из ее жизни навсегда. Но Элизабет не чувствовала себя жертвой. Она всегда владела ситуацией и прекрасно понимала, зачем делает то, что делает. Не в ее правилах было бросать на произвол судьбы члена своей семьи. Она не собиралась становиться похожей на мать. Всю жизнь старалась избежать этого.

Элизабет, встревожившись, нажала кнопку «Звук» на телевизионном пульте, и в комнате стало тихо. Она наклонила голову набок — ей снова что-то послышалось. Осмотревшись и увидев, что все в порядке, она вернула звук обратно.

Но вот опять.

Она снова выключила звук и поднялась с кресла.

Было двадцать два пятнадцать, еще не совсем стемнело. Она выглянула в раскинувшийся за домом сад, но в сумерках смогла разглядеть только черные тени и силуэты. Элизабет быстро задернула шторы и, оказавшись в своем сливочно-бежевом коконе, сразу почувствовала себя в безопасности. Она затянула потуже пояс халата и снова села в кресло, обняв руками колени, как будто защищалась от кого-то. На нее смотрел пустой кожаный диван кремового цвета. Она увеличила звук телевизора и сделала глоток кофе. Бархатистая жидкость мягко отдавала свое тепло, согревая ее изнутри, и она еще раз попробовала сосредоточиться на передаче.

Весь день она странно себя чувствовала. Отец всегда говорил, что, если чувствуешь, как по спине пробегает холодок, значит, кто-то ходит по твоей могиле. Элизабет в это не верила, но все же отвернулась от трехместного кожаного дивана, пытаясь избавиться от ощущения, что кто-то на нее смотрит.

Айвен видел, как она выключила звук телевизора, быстро поставила кофейную чашку на столик и вскочила с кресла так стремительно, будто сидела на булавках. Ну, вот опять, подумал он. Расширенными от ужаса глазами она оглядывала комнату. Айвен приготовился и подвинулся на край дивана. Кожаная обивка чуть слышно скрипнула.

Элизабет резко обернулась и посмотрела на диван.

Она схватила черную железную кочергу, стоявшую у большого мраморного камина. Крепко сжав ее в руке, так что побелели костяшки пальцев, она медленно обошла комнату на цыпочках, заглядывая во все углы. Диванное покрытие скрипнуло снова, и Элизабет бросилась туда. Айвен поднялся и отошел в сторону.

Он спрятался за занавесками и смотрел, как она снимает с дивана подушки, ворча себе под нос что-то про мышей. После десятиминутных поисков Элизабет положила подушки на место, вернув дивану его безупречный вид.

В недоумении она взяла со столика чашку и пошла на кухню. Айвен следовал за ней почти вплотную, он шел так близко, что пряди ее мягких волос щекотали ему лицо. Ее волосы пахли кокосом, а от кожи по-прежнему исходил фруктовый аромат.

Он сам не понимал, чем она его привлекла. Он наблюдал за ней с обеда в пятницу. Люк все звал и звал его играть в бесконечные игры, а Айвену не хотелось ничего, кроме как находиться рядом с Элизабет. Сперва только для того, чтобы понять, сможет ли она услышать или почувствовать его, но вскоре он пришел к выводу, что она неотразима. Она была помешана на чистоте. Он заметил, что она не может выйти из комнаты, чтобы ответить на телефонный звонок или открыть входную дверь, если в ней не все убрано. Она пила много кофе, рассматривала сад, снимала воображаемые пылинки практически со всего вокруг. И еще она думала. Это было видно по ее лицу. Элизабет сосредоточенно хмурилась, при этом выражение ее лица менялось, как будто она мысленно вела с кем-то разговор, и, судя по тому, как часто она хмурилась, эти беседы постоянно перерастали в споры.

Он заметил, что ее всегда окружает тишина. Ни музыки, ни каких-либо привычных звуков, как у большинства людей: грохочущее радио, открытое окно, через которое врывается шум лета, пение птиц, жужжание газонокосилок. Они с Люком мало разговаривали, и чаще всего их общение сводилось к тому, что она давала инструкции, а он спрашивал разрешения — в общем, ничего веселого. Телефон звонил редко, никто не заходил в гости. Как будто мысленные разговоры были достаточно громкими, чтобы заполнить окружающую пустоту.

Всю пятницу и субботу он ходил за ней по пятам, а вечером сидел на кремовом диване и наблюдал, как она смотрит, судя по всему, единственную программу, которая ей нравилась. Они смеялись над одними и теми же шутками, вздыхали в одних и тех же местах — казалось, они совпадают во всем, хотя она и не подозревала, что он рядом. Прошлой ночью он смотрел, как она спит. Спала она беспокойно, максимум три часа, остальное время провела за чтением: откладывала книгу каждые пять минут, смотрела в пустоту, снова брала, пролистывала несколько страниц, читая одно и то же, снова откладывала, закрывала глаза, через какое-то время вновь открывала их, включала свет, делала наброски мебели и комнат, играла с цветами, оттенками и кусочками тканей, выключала свет...

Наблюдая за ней из плетеного кресла в углу, Айвен почувствовал, что сам устал. Регулярные прогулки на кухню за кофе не помогали ей заснуть. В воскресенье утром она встала рано и принялась за уборку: чистила ковры пылесосом, мыла, полировала и драила и без того безупречный дом. Она занималась этим все утро, пока Айвен в саду за домом играл с Люком в салочки. Он вспомнил, что Элизабет особенно расстроил вид Люка, бегающего по саду, смеющегося и кричащего что-то самому себе. Она присоединилась к ним за кухонным столом и смотрела, как Люк играет в карты, с озабоченным видом качает головой и подробно объясняет правила пустоте перед собой.

Но когда в девять вечера Люк пошел спать, Айвен быстрее обычного прочитал ему сказку «Мальчик-с-пальчик» и поспешил к Элизабет. Он чувствовал, как тревога ее растет с каждым днем.

Она сполоснула кофейную чашку и, перед тем как поставить ее в посудомоечную машину, убедилась, что на ней нет ни единого пятнышка. Затем протерла раковину специальной тряпочкой и бросила ее в корзину с грязным бельем, стоявшую в подсобке. Потом она сняла воображаемые пылинки с нескольких предметов, подняла крошки с пола, выключила везде свет и начала тот же процесс в гостиной. Два вечера подряд она делала абсолютно одно и то же.

Но сейчас, выходя из комнаты, она вдруг резко остановилась, Айвен чуть не налетел на нее. Сердце у него бешено забилось. Неужели она почувствовала его присутствие?

Элизабет медленно повернулась.

Он поправил рубашку, чтобы выглядеть презентабельно.

Когда они оказались лицом к лицу, он улыбнулся.

— Привет, — сказал он, страшно смущаясь.

Она устало потерла глаза.

— Ох, Элизабет, ты сходишь с ума, — прошептала она. И, закусив губу, двинулась на Айвена.

Глава пятая

Тут Элизабет поняла, что теряет рассудок. Это уже случилось с ее сестрой и матерью, теперь очередь за ней. Последние несколько дней она чувствовала себя ужасно неуверенно, как будто кто-то постоянно следил за ней. Она заперла все двери, задернула все шторы, включила сигнализацию. Но ей этого показалось мало.

Она бросилась через гостиную к камину, схватила кочергу, выбежала с ней из комнаты, заперла за собой дверь и с кочергой в руке поднялась наверх, в спальню. Положив кочергу на прикроватную тумбочку, она покачала головой и выключила свет. Она *действительно* сходит с ума.

Айвен выбрался из-за дивана, куда нырнул, когда Элизабет пошла прямо на него, и огляделся. Он слышал, как щелкнул замок. Такого разочарования он еще никогда не испытывал. Она по-прежнему его не видела.

Знаете, я ведь не волшебник. Я не могу сложить руки на груди, кивнуть и в следующую секунду оказаться на самом верху книжной полки или еще где-нибудь. Я не живу в лампе, у меня нет смешных ушей, волосатых ступней или крыльев. Я не меняю выпавшие зубы на монетки, не оставляю подарки под елкой и не прячу шоколадные яйца. Я не умею летать, лазить по стенам и перемещаться со скоростью света.

И я не в состоянии открыть дверь.

Кто-нибудь должен сделать это за меня. Взрослые считают, что нет ничего смешнее. Но я ведь не смеюсь над взрослыми, когда они не могут забраться на дерево или произнести алфавит в обратном порядке, потому что они не могут этого сделать физически. Это вовсе не значит, что они какие-то недоделанные.

Так что Элизабет могла и не запирать дверь гостиной, отправляясь спать, потому что я все равно не смог бы повернуть ручку. Как я уже сказал, я не супергерой, моя сила — это дружба. Я слушаю людей и слышу, что они говорят. Я прислушиваюсь к их интонациям, к словам, которые они выбирают, и, что важнее всего, я слышу то, чего они *не* говорят.

Поэтому единственное, что я мог делать той ночью, — это думать о своем новом друге Люке. Время от времени мне необходимо сосредоточиться. Я мысленно делаю заметки, чтобы потом отправить отчет в Управление. Там все это фиксируют в учебных целях. К нам постоянно присоединяются новые люди. Должен признаться, что, находясь среди друзей, я их немного кое-чему учу.

Мне нужно было подумать, почему я сюда попал. Почему Люк захотел увидеть меня? Что он мог получить от нашей дружбы? Мы работаем профессионально и должны предоставлять компании краткую биографию наших друзей, а также перечень наших целей и намерений. Обычно я сразу с легкостью могу определить проблему, но сейчас что-то сбивало меня с толку. Понимаете, я никогда еще не дружил со взрослыми. Любой, кто хоть раз общался со взрослыми, поймет почему. С ними никогда не бывает весело. Они живут строго по расписанию, сосредоточены на самых малозначительных вещах, таких как закладные и банковские счета, хотя всем известно, что наибольшую радость приносят окружающие нас люди. Это тяжелый труд, а не игра, и я действительно много работаю, но все равно больше всего люблю играть.

Возьмем, к примеру, Элизабет. Лежа в постели, она беспокоится о налоге на автомобиль и телефонных счетах, о нянях и расцветках стен. Если нельзя сделать так, чтобы стена была цвета магнолии, можно использовать еще миллион других оттенков; если не можешь оплатить телефонный счет, просто напиши об этом в телефонную компанию. Люди забывают, что варианты есть всегда. И что на самом деле все это не так уж важно. Нужно сосредоточиться на том, что имеешь, а не на том, чего у тебя нет. Но я опять отклоняюсь от темы.

Той ночью, сидя взаперти в гостиной, я немного нервничал из-за своей работы. Это случилось в первый раз за всю мою практику. Я нервничал, оттого что не мог понять, почему нахожусь здесь. Ситуацию в семье Люка нельзя было назвать простой, но в ней не было ничего экстраординарного, и мальчик явно чувствовал, что его любят. Он был веселым ребенком и любил играть, хорошо спал по ночам и ел все, что клали ему на тарелку, у него имелся симпатичный друг по имени Сэм, и, когда он говорил, я внимательно вслушивался, стараясь уловить, чего он недоговаривает, но так ничего и не обнаружил. Ему нравилось жить с тетей, он боялся своей матери и любил разговаривать с дедом об овощах. Но то, что он по-прежнему видел меня и хотел играть со мной, означало, что я непременно должен оставаться с ним.

С другой стороны, его тетя очень мало спала, почти ничего не ела, ее всегда окружала тишина, такая гулкая, что буквально оглушала. У нее не было близкого человека, с которым она могла бы поговорить, по крайней мере, я его пока не видел, и она *держала в себе гораздо больше, чем говорила.* Один раз она услышала, как я поблагодарил ее, несколько раз почувствовала мое дыхание, услышала, как скрипнул подо мной кожаный диван, но все еще не видела меня и не желала моего присутствия у себя в доме.

Элизабет не хотела играть.

Кроме того, она была взрослой, и от нее исходили какие-то флюиды, но она не умела видеть смешное, даже если оно оказывалось у нее под носом, хотя, поверьте, за эти выходные я часто ей подсовывал забавные вещи. Поэтому вряд ли я находился здесь для того, чтобы помочь ей. Это было бы неслыханно.

Люди говорят обо мне как о невидимом или воображаемом друге. Как будто меня окружает какая-то тайна. Я читал книги, написанные взрослыми, в которых задается вопрос, почему дети видят меня, почему они долго верят в меня, а потом внезапно перестают и снова становятся такими, как раньше? Я смотрел телевизионные передачи, где взрослые обсуждали, почему дети выдумывают таких, как я.

Так вот, просто чтобы вы знали: я не невидимый и не воображаемый. Я всегда нахожусь неподалеку. И ребята вроде Люка не *решают* увидеть меня, они просто меня видят. А вот люди, как вы и Элизабет, решают этого не делать.

Глава шестая

Элизабет проснулась в шесть часов восемь минут от лучей солнца, струившихся через окно спальни прямо ей в лицо. Она всегда спала с незадернутыми шторами. Причина заключалась в том, что она выросла на ферме. Лежа в постели, она могла через окно их одноэтажного домика проследить взглядом путь по тропинке в саду и к передней калитке. За ней начиналась проселочная дорога, которая шла прямо от фермы и растягивалась на милю. Элизабет видела, что мать идет по дороге, возвращаясь из своих путешествий, как минимум за двадцать минут до того, как она доходила до дома, и издалека могла узнать эту подпрыгивающую и одновременно скользящую походку. Эти двадцать минут всегда казались Элизабет вечностью, а длинная дорога словно сама постепенно усиливала ее возбуждение, чуть ли не дразнила ее.

И наконец раздавался знакомый звук — скрип калитки. Как будто ржавые петли приветствовали ее страннцу мать. Элизабет находилась в отношениях любви-ненависти с этой калиткой. Как и дорога, калитка дразнила Элизабет, и часто, услышав скрип, она бежала посмотреть, кто там, чтобы, к огромному своему разочарованию, убедиться, что это всего лишь почтальон.

Настойчивое требование Элизабет оставлять шторы незадернутыми раздражало ее соседок по комнате в колледже и ее возлюбленных. Она сама не знала, зачем ей это нужно, ведь она уж точно больше никого не ждала. Но сейчас, во взрослой жизни, открытые шторы были ее будильником, она знала, что льющийся в окно свет не даст ей снова заснуть. Даже во сне она была настороже и держала все под контролем. Она ложилась в постель для того, чтобы отдохнуть, а не погружаться в мир грез.

Элизабет зажмурилась от наполнявшего комнату яркого солнца, в голове начала пульсировать боль. Ей был нужен кофе, и срочно. Пение птиц за окном громкими переливами разносилось в сельской тишине. Где-то вдали на этот призыв отозвалась корова. Но, несмотря на утреннюю идиллию, Элизабет не ждала от наступившего понедельника ничего хорошего. Ей предстояло заново назначить встречу со строителями гостиницы, что было трудной задачей, так как после шумихи в прессе о новом любовном гнездышке на вершине горы в город со всех концов света хлынули люди, желающие поделиться своими дизайнерскими идеями. Это возмущало Элизабет, ведь здесь ее территория. Но это было не единственной проблемой.

Ее отец пригласил Люка провести день на ферме, и Элизабет была этому рада. Однако ее беспокоило то, что там ждали еще одного шестилетнего мальчика по имени Айвен. Ей придется утром поговорить об этом с Люком, она боялась даже представить себе, что случится, если в присутствии отца зайдет разговор о воображаемом друге.

В свои шестьдесят пять Брендан был крупным, широкоплечим, молчаливым мужчиной, постоянно погруженным в собственные мысли. Время не смягчило его, наоборот, лишь добавило горечи, с возрастом чувство обиды и недоумения только усилилось. Он был человеком негибким, очень закрытым и не желал меняться. Элизабет примирилась бы с его сложным характером, если бы отец ощущал себя комфортно, замкнувшись в своей скорлупе, но она видела, что это не так, что он просто загоняет себя в тупик, делая собственную жизнь еще более несчастной. Он был угрюм, редко говорил с кем-нибудь, кроме коров или овощей, никогда не смеялся и каждый раз, когда решал, что кто-то достоин беседы с ним, принимался поучать. Отвечать не требовалось. Он говорил не для поддержания разговора. Он говорил, чтобы делать заявления. С Люком он виделся редко, так как не желал попусту тратить время на детские забавы, глупые игры и прочую ерунду. Но Люк был в его глазах чистой книгой, готовой быть заполненной разнообразными сведениями, и не имел пока достаточных знаний, чтобы задавать сложные вопросы или критиковать. Именно это, по мнению Элизабет, и привлекало в нем отца. В жизни старого фермера не было места для сказок и волшебных историй. И это, пожалуй, единственное, что роднило его с дочерью.

Она зевнула, потянулась и, все еще не в силах открыть глаза навстречу яркому свету, повернулась к тумбочке, чтобы взять будильник. Просыпаясь каждое утро в одно и то же время, она, тем не менее, никогда не забывала поставить будильник. Неожиданно ее рука наткнулась на нечто твердое и холодное, что затем с громким стуком упало на пол. Все еще не до конца проснувшись, она вздрогнула от испуга.

Свесившись с кровати, Элизабет увидела лежащую на белом ковре железную кочергу. Вид этого грозного оружия напомнил ей, что нужно вызвать специалиста из компании «Рентокил» вывести мышей. Все выходные она ощущала их присутствие в доме, а мысль о том, что уже несколько ночей мыши разгуливают у нее в спальне, приводила ее в такой ужас, что она почти не спала, что, впрочем, не было для нее так уж необычно.

Умывшись, одевшись и разбудив Люка, Элизабет спустилась на кухню. Через несколько минут с чашкой эспрессо в руке она уже набирала номер «Рентокила». В кухню вошел сонный Люк, с растрепанными волосами, в оранжевой футболке, кое-как заправленной в красные шорты. Этот наряд дополняли странного вида носки и кроссовки, на подошвах которых при каждом шаге вспыхивал огонек.

— Где Айвен? — спросил он слабым голосом, оглядывая кухню, будто никогда раньше здесь не бывал. По утрам ему был нужен как минимум час, чтобы окончательно проснуться после того, как он встал и оделся. Зимой, когда утром за окном темно, это занимало еще больше времени. Элизабет полагала, что Люк окончательно начинал понимать, что происходит вокруг него, только на первых уроках в школе.

— Где Айвен? — повторил он, растерянно озираясь.

Прижав палец к губам и строго посмотрев на него, Элизабет заставила Люка замолчать, слушая, что говорит в трубке девушка из «Рентокила». Он знал, что нельзя мешать, когда она говорит по телефону.

— Ну, я заметила только на этих выходных. Даже в середине дня в пятницу, когда я…

— Айвен! — закричал Люк и начал заглядывать под кухонный стол, за занавески и двери. Элизабет закатила глаза. Ну вот, опять началось.

— Нет, я не видела…

— Айвееееен!

—…Еще ни одной, но точно знаю, что они тут есть, — закончила Элизабет и попыталась поймать взгляд Люка, чтобы снова строго на него посмотреть.

— Айвен, где тыыы? — закричал Люк.

— Помет? Нет, никакого помета нет, — сказала Элизабет, начиная заводиться.

Люк перестал кричать и стал прислушиваться.

— Что? Я тебя похо слышу.

— Нет, у меня нет мышеловок. Слушайте, я очень занята, у меня нет времени отвечать на миллион вопросов. Может ли кто-то просто приехать и проверить? — резко сказала Элизабет.

Вдруг Люк выбежал из кухни в холл. Она слышала, как он стучит в дверь гостиной.

— Что ты там делаешь, Айвен? — Он потянул за ручку.

Наконец телефонный разговор кончился, и Элизабет бросила трубку. Люк изо всех сил кричал что-то через дверь гостиной. Она окончательно потеряла терпение:

— Люк! Немедленно иди сюда!

Стук в дверь гостиной сразу же прекратился. Волоча ноги, он вернулся на кухню.

— Хватит шаркать! — закричала она.

Он стал старательно поднимать ноги, и при каждом шаге на подошвах кроссовок вспыхивали лампочки. Он подошел к ней и высоким голоском спросил как можно невиннее:

— Почему ты заперла Айвена на ночь в гостиной?

Тишина.

Пора положить этому конец. Она выберет момент, они с Люком сядут и обсудят сложившуюся ситуацию. Она поможет ему образумиться, и больше не будет никаких разговоров о невидимых друзьях.

— А еще Айвен хочет знать, зачем ты взяла с собой в постель кочергу, — добавил он, чувствуя себя увереннее оттого, что она молчит.

И тут Элизабет взорвалась:

— Чтоб больше не было никаких разговоров об этом Айвене, ты меня слышишь?

Люк побледнел.

— Ты меня слышишь? — кричала она, не давая ему возможности ответить. — Ты знаешь так же хорошо, как и я, что Айвена *нет*. Он *не* играет в салочки, *не* ест пиццу, его *нет* в гостиной, и он *не* твой друг, потому что его *не существует*.

Лицо Люка сморщилось, он был готов расплакаться.

Элизабет продолжала:

— Сегодня ты поедешь к дедушке, и, если я узнаю от него, что ты хотя бы раз упомянул Айвена, у тебя будут *большие неприятности*. Ты меня понял?

Люк начал тихо плакать.

— Ты понял? — повторила она.

Он кивнул, по его щекам текли слезы.

Элизабет замолчала, от крика у нее заболело горло.

— А теперь садись за стол, я принесу твои хлопья, — мягко сказала она.

Она сходила за хлопьями «Кокопопс». Обычно она не разрешала ему есть на завтрак сладкое, но разговор об Айвене прошел не совсем так, как она планировала. Она знала, что у нее плохо получается держать себя в руках. Элизабет села за стол и стала смотреть, как он насыпает хлопья в миску и как дрожат его маленькие руки, держа тяжелый пакет с молоком. Молоко брызнуло на стол. Она сдержалась, чтобы снова не накричать на него, хотя только вчера вечером отчистила стол до блеска. Что-то из того, что сказал Люк, беспокоило ее, но она никак не могла вспомнить, что именно. Подперев голову рукой, она смотрела, как он ест.

Он жевал медленно. И печально. Кроме хруста хлопьев не раздавалось ни звука. Наконец несколько минут спустя он заговорил.

— Где ключ от гостиной? — спросил он, избегая ее взгляда.

— Люк, сначала прожуй, — тихо сказала она, затем вынула из кармана ключ от двери в гостиную, пересекла холл и повернула ключ в замке. — Ну вот, теперь Айвен может спокойно *покинуть* наш дом, — пошутила она и сразу об этом пожалела.

— Он не может, — грустно сказал Люк из-за кухонного стола. — Он не может сам открыть дверь.

Тишина.

— Не может? — повторила Элизабет.

Люк кивнул, как будто сказал нечто совершенно обычное. За всю свою жизнь Элизабет не слышала большей нелепицы. Что же это за воображаемый друг, если он не может проходить сквозь стены и двери? Что ж, она не будет открывать дверь, она уже отперла ее, и этого более чем достаточно. Она вернулась на кухню, чтобы собрать кое-что для работы. Люк доел хлопья, поставил миску в посудомоечную машину, вымыл руки, вытер их и пошел в гостиную. Он повернул ручку, рывком открыл дверь, отступил назад, широко улыбнулся пустоте, прижал палец к губам и, показав другой рукой на Элизабет, тихонько захихикал. Элизабет с ужасом наблюдала за ним. Она вышла в холл, встала за Люком в дверном проеме и заглянула в гостиную.

Никого.

Девушка из «Рентокила» сказала, что это очень необычно, чтобы мыши появились в доме в июне, и, обводя глазами комнату, Элизабет пыталась понять, откуда могли взяться все эти звуки.

Смех Люка вывел ее из задумчивости, и, посмотрев через холл в кухню, она увидела, что он сидит за столом, весело болтает ногами и корчит рожи в пустоту. Стол был накрыт еще для одного человека, и там стояла новая миска с «Кокопопсом».

— Ну и строга же она, — прошептал я Люку за столом, пытаясь набрать в ложку побольше хлопьев так, чтобы не заметила Элизабет. Я обычно не шепчу при родителях, но она уже пару раз меня слышала, и я не хотел рисковать.

Люк захихикал и кивнул.

— Она всегда такая?

Он опять кивнул.

— Она что, никогда не играет с тобой и не обнимает тебя? — спросил я, наблюдая, как Элизабет чистит каждый сантиметр и без того сверкающих кухонных поверхностей и передвигает предметы на несколько миллиметров вправо и влево.

Люк на время задумался, потом пожал плечами:

— Нечасто.

— Но ведь это ужасно! Тебе не кажется?

— Эдит говорит, что есть люди, которые не обнимаются без конца и не играют с тобой в разные игры, но все равно любят тебя. Они просто не знают, как об этом сказать, — прошептал он.

Заметно нервничая, Элизабет наблюдала за ним.

— Кто такая эта Эдит?

— Моя няня.

— А где она сейчас?

— В отпуске.

— И кто же будет присматривать за тобой, пока она в отпуске?

— Ты, — улыбнулся Люк.

— Давай скрепим это рукопожатием, — сказал я, протягивая руку. Люк схватил ее. — Мы делаем это вот так, — объяснил я, тряся головой и всем телом, будто бился в конвульсиях. Люк начал смеяться и повторил за мной. Мы засмеялись еще громче, Элизабет перестала убираться и посмотрела в нашу сторону. Глаза у нее расширились.

— Ты задаешь много вопросов, — прошептал Люк.

— Ты на многие отвечаешь, — парировал я, и мы снова засмеялись.

Элизабет тряслась в своем «БМВ» по ухабистой проселочной дороге, ведущей к ферме отца. Она с раздражением сжимала руль, когда поднимавшаяся с земли пыль оседала на ее недавно вымытую машину. Она не понимала, как могла прожить на этой ферме восемнадцать лет. Здесь было невозможно ничего сохранить в чистоте. На обочине дороги от легкого ветерка покачивались дикие фуксии, словно приветствуя их. Они обступили эту дорогу длиной в милю, как посадочные огни, и терлись об окна машины, заглядывая внутрь, чтобы посмотреть, кто там едет. Люк опустил стекло и позволил веточкам пощекотать поцелуями свою ладонь.

Элизабет молилась про себя, чтобы никто не ехал навстречу: двум машинам здесь было не разъехаться. Чтобы пропустить кого-нибудь, ей пришлось бы сдать на полмили назад. Иногда казалось, что это самая длинная дорога на свете. Видишь впереди цель, но чтобы попасть туда, то и дело приходится от нее удаляться.

Два шага назад, один вперед.

Совсем как в детстве, когда она видела, что мать идет по дороге, но должна была ждать двадцать минут, пока наконец не раздастся знакомый скрип калитки.

К счастью, поскольку они выехали позже, чем собирались, навстречу им никто не попался. Предупреждение Элизабет не подействовало: Люк решительно отказался выйти из дома, пока Айвен не доест хлопья. Потом он настоял на том, чтобы отодвинуть пассажирское сиденье и дать Айвену забраться назад.

Она быстро взглянула на Люка. Он сидел, пристегнувшись, на переднем сиденье, высунув руку в окно, и тихо напевал ту же песенку, что пел все выходные. Он выглядел счастливым. Она надеялась, что он скоро перестанет играть в эту новую игру, по крайней мере у дедушки.

Элизабет видела, что отец поджидает их у калитки. Знакомая картина. Знакомое поведение. Что-что, а ждать он умел. Элизабет могла поклясться, что на нем те же коричневые вельветовые брюки, что он носил, когда она еще жила здесь. Они были заправлены в заляпанные грязью зеленые сапоги, в которых он ходил дома. Серый хлопковый свитер украшал выцветший узор из зеленых и голубых ромбов, на груди зияла дыра, и в ней виднелась зеленая рубашка. На голове плотно сидела твидовая кепка. В правой руке он держал терновую трость, щеки и подбородок покрывала серебристая щетина. Седые брови были такими кустистыми, что, когда он хмурился, они полностью закрывали его серые глаза. Из крупного носа с большими ноздрями торчали седые волоски. Лицо в глубоких морщинах, ладони огромные, как лопаты, а плечи широкие, как горы в ущелье Данлоу. По сравнению с ним ферма у него за спиной казалась совсем маленькой.

Увидев деда, Люк сразу же перестал напевать и убрал руку из окна. Элизабет остановилась, выключила мотор и выскочила из машины. У нее был план. Как только Люк вышел, она быстро захлопнула дверцу с его стороны, не дав ему отодвинуть сиденье, чтобы выпустить Айвена. Лицо Люка дернулось, когда он это увидел.

Калитка фермы скрипнула.

Сердце Элизабет сжалось.

— Доброе утро, — пророкотал низкий голос. Это не было приветствием. Это было заявлением.

У Люка задрожала нижняя губа, он прижал лицо и ладони к окну заднего сиденья. Элизабет надеялась, что он не станет устраивать истерику.

— Люк, ты не хочешь поздороваться с дедушкой? — строго спросила она, прекрасно понимая, что сама еще этого не сделала.

— Привет, дедушка. — Голос Люка дрожал. Он все еще прижимался лицом к стеклу.

Элизабет уже подумывала о том, чтобы во избежание сцены открыть дверцу, но передумала. Ему необходимо пережить эту фазу.

— А где второй? — прогрохотал Брендан.

— Второй? — Она взяла Люка за руку и попыталась развернуть его спиной к машине. Его голубые глаза жалобно смотрели на нее. Он был не настолько глуп, чтобы закатывать сцену.

— Тот мальчик, что знает про заморский овощ.

— Айвен, — сказал Люк со слезами в голосе.

Элизабет вмешалась в их разговор:

— Айвен не смог сегодня приехать, правда, Люк? Может быть, как-нибудь в другой раз, — быстро сказала она и продолжила, не дожидаясь обсуждения: — Так, мне уже пора ехать на работу, иначе я опоздаю. Люк, хорошо веди себя у дедушки, ладно?

Люк неуверенно посмотрел на нее и кивнул.

Элизабет ненавидела себя за этот поступок, но твердо знала, что поступает правильно.

— Езжай. — Брендан махнул в ее сторону терновой тростью, как будто освобождая ее от всех обязательств, и повернулся к дому. Последнее, что она услышала перед тем, как захлопнуть дверцу, был скрип калитки. По пути ей пришлось два раза возвращаться, чтобы пропустить трактор. В зеркало она видела Люка с отцом в саду перед домом, отец возвышался над мальчиком. Она не могла быстро уехать отсюда, как будто что-то тащило ее назад, как волна.

Элизабет вспомнила, как в восемнадцать лет она упивалась свободой, глядя на эту картину. Первый раз в жизни она уезжала из дома с вещами, зная, что не вернется до Рождества. Она ехала в Университет графства Корк, выиграв битву с отцом, но утратив его уважение. Вместо того чтобы разделить ее радость, он отказался проводить дочь в этот знаменательный день. Единственной фигурой, стоявшей у калитки в то ясное августовское утро, была шестилетняя Сирша. Ее рыжие волосы были заплетены в неаккуратные косички, у нее не хватало нескольких зубов, но она широко улыбалась и неистово махала на прощание, переполненная гордостью за свою взрослую сестру.

Когда такси наконец отъехало от дома, разрывая державшую ее там пуповину, вместо облегчения и радости она испытала лишь страх и тревогу. Не из-за того, что ждало ее впереди, а из-за того, что она оставляла. Она не могла вечно быть для Сирши матерью, ей обязательно надо было вылететь из родного гнезда и найти свое место в мире. Отец много лет назад отказался от отцовства и не хотел о нем слышать, но Элизабет надеялась, что, оставшись вдвоем с Сиршей, он вспомнит о своих обязанностях и полюбит младшую дочь, которой никогда не занимался.

А если нет? Через заднее стекло отъезжавшей машины она смотрела на сестру, которую, как ей казалось в тот момент, она больше никогда не увидит, и изо всех сил махала ей рукой, заливаясь слезами. Подпрыгивающая рыжая головка была видна за милю от фермы, и они всё махали и махали друг другу. Что будет делать маленькая Сирша, когда веселье проводов кончится и она поймет, что осталась одна с человеком, который никогда не разговаривал с ней, никогда о ней не заботился и никогда ее не любил? Элизабет чуть не попросила водителя остановить машину, но собралась и велела себе быть сильной. Она должна была жить.

Ты тоже когда-нибудь поступишь как я, маленькая Сирша, говорили ее глаза маленькой фигурке, пока машина отъезжала все дальше. Обещай, что ты поступишь так же. Улетишь подальше отсюда.

Элизабет со слезами на глазах смотрела, как уменьшается ферма в зеркале заднего вида, пока она не исчезла совсем, когда машина доехала до конца дороги длиной в милю. Элизабет сразу же расслабилась и поняла, что все это время задерживала дыхание.

— Ну что, Айвен, — сказала она, глядя в зеркало на пустое заднее сиденье. — Похоже, ты едешь со мной на работу.

И тут она сделала кое-что смешное.

Она захихикала, как ребенок.

Глава седьмая

Когда Элизабет переехала серый каменный мост, служивший въездом в город, Бале-на-Гриде бурлил. На узкой улочке пытались разъехаться два огромных автобуса, заполненных туристами. Элизабет видела, как пассажиры, приникнув к окнам, охают и ахают, улыбаются, куда-то показывают пальцами и подносят фотоаппараты вплотную к стеклу, чтобы снять кукольный городок. Водитель автобуса, ехавшего навстречу Элизабет, сосредоточенно облизывал губы и медленно вел свою огромную машину по тесной улице, изначально предназначенной лишь для лошадей и экипажей, и она видела, как у него на бровях блестят капельки пота. Автобусы практически соприкасались. В этот ранний час сидящий рядом с водителем экскурсовод изо всех сил старался развлечь своих слушателей, которых было никак не меньше ста человек.

Элизабет поставила машину на ручной тормоз и громко вздохнула. Такие ситуации случались в городе часто, и она знала, что это может занять немалое время. Она сомневалась, что автобусы остановятся. Разве только для того, чтобы выпустить пассажиров в туалет. Они всегда проезжали через Бале-на-Гриде, но никогда в нем не задерживались. Она их и не винила: город был хорош в качестве перевалочного пункта, но не как место, где можно задержаться надолго. Автобусы замедляли ход, пассажиры смотрели по сторонам, а водители уже решительно жали на газ и везли их дальше.

Дело не в том, что Бале-на-Гриде не был красивым городом, — напротив, как раз был. Три года подряд он выигрывал в конкурсе «Чистый город», чем очень гордились жители, а на мосту при въезде вас встречали выложенные яркими цветами слова приветствия. Цветы были в городе повсюду. Ящики с растениями украшали витрины магазинов, с фонарных столбов свисали корзины с цветами, вдоль главной улицы росли цветущие деревья. Каждый дом имел свой цвет, и главная улица, единственная улица городка, представляла собой радугу пастельных и ярких оттенков зеленого, розового, сиреневого, желтого и голубого. На сверкающих тротуарах не было ни пылинки, а если посмотреть поверх серых шиферных крыш, то можно было увидеть, что город окружен зелеными горами. Как будто Бале-на-Гриде прятался в коконе, укрытом в самом сердце матери-природы.

Здесь человек чувствовал себя уютно. Или задыхался.

Офис Элизабет находился между зеленым зданием почты и желтым супермаркетом. Здание было выкрашено в бледно-голубой цвет, на первом этаже располагался магазин штор и обивочных материалов миссис Брэкен. Раньше тут был магазин скобяных товаров, которым заправлял мистер Брэкен, но, когда он умер десять лет назад, Гвен превратила его в царство тканей. Казалось, она принимает решения, основываясь исключительно на том, чего бы хотел ее покойный супруг. Она открыла магазин, «потому что так хотел бы мистер Брэкен». Как бы то ни было, Гвен никуда не ходила по выходным и не участвовала в светских мероприятиях, так как «мистер Брэкен этого бы не хотел». Насколько Элизабет могла понять, то, что нравилось или не нравилось мистеру Брэкену, полностью соответствовало взглядам на жизнь его супруги.

Сантиметр за сантиметром автобусы медленно объезжали друг друга. Образовалась пробка. В конце концов им удалось разъехаться, и Элизабет заметила, как экскурсовод радостно вскочил со своего места с микрофоном в руке и после томительной скуки начал вещать об увлекательном автобусном путешествии по проселочным дорогам Ирландии. Туристы ликовали. В окнах снова засверкали вспышки, и пассажиры обоих автобусов замахали друг другу на прощание.

Элизабет поехала дальше и, взглянув в зеркало заднего вида, увидела, что радость выезжавших из города пассажиров померкла: на маленьком мосту им встретился еще один огромный автобус. Поднятые в прощальном жесте руки медленно опустились, вспышки померкли — туристы приготовились к очередному томительному ожиданию.

Обычная история. Как будто город подстраивал это нарочно. Он с распростертыми объятиями приветствовал вас и показывал все, что мог предложить, все свои ослепительные разноцветные витрины, украшенные цветами. Как будто привели ребенка в кондитерский магазин и показали полки с чудесными сладостями, от одного вида которых начинают течь слюнки. А потом, когда он уже стоит там с бешено колотящимся сердцем и осматривает все восхищенным взглядом, банки поспешно закрывают и туго закручивают крышки. Когда красота города становилась очевидной, очевидным становилось и то, что показать ему больше нечего.

Как ни странно, мост было легче пересечь при въезде. Он поворачивал под таким углом, что выехать из города было довольно сложно. Это каждый раз озадачивало Элизабет.

Как та дорога, которая вела из дома ее отца: оттуда быстро не уедешь. Было в этом городе что-то такое, что всегда тянуло ее назад, и она потратила годы, пытаясь вырваться. В какой-то момент она даже сумела переехать в Нью-Йорк, последовав туда за своим другом и ухватившись за предложение полностью, от начала и до конца, создать интерьер одного ночного клуба. Ей там очень понравилось. Понравилось, что никто не знал ее имени, лица или истории ее семьи. Она могла купить кофе, тысячи разных сортов кофе, и не получить в придачу порцию соболезнований по поводу каких-нибудь недавних семейных неприятностей. Никто не знал, что мать ушла от них, когда она была ребенком, что ее сестра совершенно неуправляема, а отец практически не разговаривает с ней. Ей понравилось чувствовать себя влюбленной среди небоскребов. В Нью-Йорке она могла быть кем хотела. В Бале-на-Гриде она никуда не могла убежать от того, кем была на самом деле.

Она вдруг поняла, что все это время тихонько напевает глупую песенку, которую, как пытался убедить ее Люк, придумал тот самый Айвен. Люк назвал ее мурлыкающей песенкой, она была раздражающе приставучей, веселой и незамысловатой. Элизабет перестала петь и припарковала машину на свободном месте у обочины, затем отодвинула водительское кресло и потянулась взять с заднего сиденья портфель. Но прежде всего ей нужно выпить кофе. Бале-на-Гриде еще предстояло познакомиться с чудесами кофеен «Старбакс». Только в прошлом месяце в кафе «У Джо» Элизабет наконец разрешили забирать свой кофе с собой, но хозяину уже явно надоело просить ее каждый раз вернуть чашку.

Порой ей казалось, что всему городу тоже не помешает инъекция кофеина: зимой люди как будто спали на ходу, бродили, не открывая глаз. Встряхнуть бы их всех хорошенько. Но в летние дни, как сегодня, город бурлил, повсюду были люди. Она вошла в выкрашенное в фиолетовый цвет кафе «У Джо», оказавшееся практически пустым. Местные жители еще не усвоили привычку завтракать вне дома.

— А, вот и наша деловая дама, — нараспев пророкотал Джо. — И конечно, безумно хочет кофе.

— Доброе утро, Джо.

Он устроил маленькое представление, посмотрев на часы и постучав пальцем по циферблату:

— Немного опаздываем сегодня, не так ли? — Он вопросительно поднял брови. — Я подумал, может, ты в постели с приступом летнего гриппа. Кажется, на этой неделе все им болеют. — Он пытался понизить голос, но в результате лишь опустил голову и стал говорить громче. — Ведь Салли О'Финн свалилась как раз с летним гриппом сразу после той ночи, когда ушла из паба с П. Дж. Флэнаганом, который заболел им на следующей неделе. Она провела в постели все выходные. — Он фыркнул. — Провожал ее домой, ну конечно. Никогда еще не слышал подобной чуши.

В Элизабет поднималась волна раздражения. Ей не было никакого дела до перемывания косточек незнакомым людям, кроме того, она знала, что на протяжении многих лет основным поводом для сплетен служила ее семья.

— Джо, кофе, пожалуйста, — решительно сказала она, не обращая внимания на его болтовню. — С собой. И добавь не молоко, а сливки, — твердо продолжила она, хотя каждый день брала одно и то же, и начала искать в сумке кошелек, пытаясь таким образом намекнуть Джо, что у нее нет времени на пустые пересуды.

Он медленно направился за стойку. К ужасной досаде Элизабет, у Джо был только один сорт кофе, да и тот растворимый. Ей не хватало разнообразия и оттенков вкуса, к которым она привыкла в других городах: она скучала по мягкому сладковатому кофе с ванилью в парижских кафе, по густому ореховому напитку в шумных кафе Нью-Йорка, по изысканному бархатистому шедевру с макадамией в Милане и по ее любимому мокко с кокосом, который мгновенно переносил ее со скамейки в Центральном парке в шезлонг на берегу Карибского моря. А здесь Джо просто наполнил чайник и нажал на кнопку. Один жалкий крохотный чайник на все кафе, и Джо даже не фильтровал воду.

Джо смотрел на нее. Он выглядел так, будто собирался спросить: «Так что же тебя так задержало?»

И спросил.

— Я на *пять минут* позже обычного, Джо, — скептически заметила она.

— Знаю, знаю. А ведь пять минут легко могут превратиться в пять часов. Может, твои часы впали в спячку, как медведь?

Элизабет невольно улыбнулась.

Джо ухмыльнулся и подмигнул:

— Так-то лучше.

Вскипевший чайник выключился, и Джо повернулся к ней спиной, чтобы сделать кофе.

— Автобусы задержали, — мягко сказала Элизабет, беря из рук Джо теплую чашку.

— Да, я видел. — Он кивнул в сторону окна. — Джеймси отлично выкрутился из этой передряги.

— Джеймси? — Элизабет нахмурилась, добавляя еще сливок. Они быстро растворились, наполнив чашку до краев. Джо с отвращением наблюдал за ее действиями.

— Джеймси О'Коннор, сын Джека, — объяснил он. — Джек, чья дочь Мэри на прошлых выходных обручилась с парнем из Дублина. Живет в Мейфэре. Пятеро детей. Младшего на прошлой неделе арестовали за то, что он швырнул в Джозефа бутылкой.

Элизабет, замерев, с недоумением глядела на него.

— Джозеф Макканн, — повторил Джо таким тоном, как будто надо быть сумасшедшей, чтобы не знать этого. — Живет в Ньютауне. Жена умерла в прошлом году — утонула в болоте. Дочь Мэгги утверждает, что это несчастный случай, но семья подозревает, что это могло быть как-то связано с их ссорой, когда мать не дала Мэгги сбежать с тем смутьяном из Кахиркивина

Элизабет положила деньги на стойку и улыбнулась, не желая участвовать в этом странном разговоре.

— Спасибо, Джо, — сказала она по пути к двери.

— В общем, — закончил он свое сбивчивое повествование, — Джеймси О'Коннор вел этот автобус и великолепно справился. Не забудь, пожалуйста, вернуть чашку! — крикнул он и пробормотал про себя: — Кофе с собой, вы когда-нибудь такое слышали?

Дойдя до двери, Элизабет крикнула:

— Джо, а ты никогда не думал купить кофеварку? Тогда ты бы мог делать латте, капучино и эспрессо вместо этой растворимой жижи. — Она подняла вверх свою чашку.

Джо скрестил руки на груди, облокотился на прилавок и ответил скучающим голосом:

— Элизабет, если тебе не нравится мой кофе, не пей его. Я вот пью чай. Есть только один вид чая, который я люблю. Он называется Чай. Без всяких там выкрутасов.

Элизабет улыбнулась:

— На самом деле существует много разновидностей чая. Китайский...

— Давай иди уже! — Он махнул рукой в сторону двери. — Если бы все было по-твоему, мы бы пили чай с помощью палочек и клали бы в кофе крем с шоколадом, как будто это десерт. Но раз уж ты сама заговорила об этом, я тоже кое-что предложу: почему бы тебе не купить в офис чайник и не избавить меня от этих мучений?

— А заодно и от бизнеса, — улыбнулась Элизабет и вышла на улицу.

Городок потянулся, зевнул и теперь сонно перемещался из кровати в ванную. Вскоре он будет умыт, одет и окончательно проснется. Как обычно, она была на шаг впереди, даже если опаздывала.

Элизабет всегда приходила первой, она любила тишину и покой, царившие в офисе по утрам. Это помогало ей сосредоточиться на том, что предстояло сделать, до прихода коллег и возникновения пробок на дорогах. Элизабет нельзя было назвать смешливой и разговорчивой. Так же, как и с едой, которую она поглощала только для того, чтобы не умереть, она говорила только для того, чтобы сказать то, что хотела. Она не принадлежала к тому типу женщин, чьи разговоры слышала в ресторанах и кафе, хихикавших и сплетничавших о том, что кто-то когда-то кому-то сказал. Попусту молоть языком было ей неинтересно.

Она не анализировала, не разбирала до мельчайших нюансов чужие слова, взгляды и обстоятельства. Для нее не существовало двусмысленности, она всегда имела в виду именно то, что говорила. Дискуссии и жаркие споры не приносили ей удовольствия. Но, сидя в тишине своего маленького кабинета, она понимала, что именно поэтому у нее нет компании, друзей. Когда-то она пыталась их завести, особенно в колледже, когда хотела обрести почву под ногами, но и тогда ей быстро приедалась бессмысленная болтовня.

Она не страдала от отсутствия друзей даже в детстве. Ей нравилось быть наедине с собой, нравилось думать о чем-нибудь в одиночестве, а когда она подросла, ее развлечением стала Сирша. Элизабет и тогда рассчитывала только на себя, гордилась своей организованностью и считала, что распоряжаться своим временем гораздо удобнее одной, чем в компании. Вернувшись из Нью-Йорка, она устроила ужин с соседями у себя дома. Хотела начать новую жизнь, завести друзей, как большинство людей, но Сирша, по своему обыкновению, ворвалась в дом и за пять минут умудрилась оскорбить всех сидящих за столом. Рея Коллинза она обвинила в том, что у него интрижка на стороне, Берни Конвэй, по ее словам, сделала операцию по увеличению груди, а шестидесятилетний Кевин Смит, как она заявила, похотливо смотрел на нее. Следствием бессвязных выкриков Сирши стал плач девятимесячного Люка, покрасневшие лица гостей за столом и сгоревшее каре ягненка.

Конечно, ее соседи не были настолько глупы, чтобы считать, что Элизабет в ответе за поведение сестры, но после того случая она сдалась. Не настолько уж она стремилась к обществу, чтобы мириться с унизительной необходимостью все время что-то объяснять и извиняться.

Молчание она любила куда больше, чем все слова в мире. В нем она находила покой и ясность. Но не по ночам, когда беспорядочные мысли не давали ей заснуть, будто тысяча голосов в ее сознании вдруг принимались говорить наперебой, замолкали, перебивали друг друга, так что ей едва удавалось сомкнуть глаза.

Сейчас ее беспокоило странное поведение Люка. Слишком уж надолго задержался этот Айвен в голове ее племянника. Все выходные она наблюдала за тем, как Люк ходит, разговаривает и играет сам с собой. Он смеялся и хихикал, как будто проживал лучшие моменты своей жизни. Вероятно, надо что-то предпринять. Но рядом не было Эдит, которая справилась бы с этим так же чудесно, как справлялась со всем остальным. Наверно, Элизабет должна сама знать, как поступить. И снова она столкнулась с неведомыми тайнами материнства, и ей не у кого было спросить совета. И не с кого брать пример. Впрочем, она уже поняла, чего *не надо* делать, и то хорошо. До сих пор она следовала лишь своей интуиции и совершила несколько ошибок, но в целом считала, что справляется и Люк растет воспитанным, спокойным ребенком. Или, может быть, она все делает неправильно? Вдруг Люк кончит как Сирша? Где она так ошиблась, когда Сирша была маленькой, что сделало сестру такой, какая она сейчас? Элизабет застонала и опустила голову на стол.

Она включила компьютер и, пока он загружался, пила кофе маленькими глотками. Она зашла в «Google», набрала «воображаемый друг» и нажала «Поиск». На экране появились ссылки на сотни сайтов. Полчаса спустя она уже гораздо меньше переживала из-за ситуации с Айвеном.

К своему удивлению, она узнала, что воображаемые друзья — явление очень распространенное и не представляет собой проблемы, пока не мешает нормальной жизни. И хотя сам факт наличия воображаемого друга никак не вписывался в нормальную жизнь, это, по мнению врачей из Интернета, не являлось проблемой. Чуть ли не на каждом сайте ей советовали почаще спрашивать у Люка, что сказал или сделал Айвен, — только так можно выяснить, что творится в голове у самого мальчика. Это помогло Элизабет принять решение накрывать отныне стол не только для себя и Люка, но и для их фантомного гостя и не указывать без конца племяннику на то, что его друг существует только в его мыслях. Она с облегчением узнала, что воображаемые друзья — признак творческого склада ума, а не мучительного одиночества или стресса.

Но Элизабет все равно не могла это принять. Это противоречило всем ее убеждениям. Ее мир и мир фантазий лежали в разных плоскостях, и притворяться ей было очень сложно. Она не умела сюсюкать, не умела изображать, будто прячется, закрыв ладонями лицо, или соглашаться с тем, что плюшевый мишка действительно умеет разговаривать. В колледже она не могла даже читать тексты по ролям. Она выросла, зная, что нельзя витать в облаках, как мать, иначе попадет от отца. Это привили ей в раннем детстве, а теперь эксперты в Интернете убеждали ее, что все надо изменить.

Она допила остатки холодного кофе и прочла последнюю строчку на экране:

Воображаемые друзья исчезают в течение трех месяцев, вне зависимости от того, способствуете вы этому или нет.

Через три месяца она будет счастлива проводить Айвена и вернуться к нормальной жизни. Она пролистала календарь и обвела август красным фломастером. Если к тому времени Айвен не покинет ее дом, она откроет дверь и сама покажет ему дорогу.

Глава восьмая

Айвен, смеясь, крутился на черном кожаном кресле за столом в приемной Элизабет. Он слышал, как она в другой комнате разговаривает по телефону и назначает встречу своим скучным взрослым голосом. Но как только она повесила трубку, он услышал, что она опять напевает ту самую песенку. Он засмеялся про себя. Песенка была ужасно привязчивой, и если мелодия запала вам в голову, избавиться от нее уже практически невозможно.

Он все быстрее и быстрее крутился в кресле, делая пируэты на колесиках, пока его не начало мутить. Он решил, что крутиться в кресле — его самое любимое занятие. Он знал, что Люку очень понравилась бы такая игра, и, вспоминая грустное маленькое личико, прижатое к окну машины, он задумался, и кресло замедлило ход. Айвен очень хотел съездить в гости на ферму, а дедушке Люка явно не повредило бы немного веселья. В этом они с Элизабет были похожи. Два скучных старых йынчукса.

В любом случае расставание с Люком дало Айвену возможность понаблюдать за Элизабет, чтобы потом написать о ней отчет. Через несколько дней будет собрание, и для своей команды он должен сделать доклад о том, с кем в данный момент работает. Они все время так делали.

Если за несколько дней он окончательно убедится, что она не видит его, он снова сможет сосредоточиться на Люке. Может быть, несмотря на свой многолетний опыт, он что-то упустил, общаясь с ним.

У Айвена закружилась голова, и он поставил ногу на пол, чтобы остановиться. Он решил выпрыгнуть из крутящегося кресла, как будто это движущаяся машина. Он эффектно покатился по полу, как делают актеры в кино, и, посмотрев вверх, увидел девочку-подростка, стоявшую перед ним с открытым ртом и наблюдавшую за тем, как кресло вертится само по себе.

Она оглядела офис, пытаясь выяснить, есть ли там кто-нибудь еще. Нахмурившись, направилась к столу, как будто шла по минному полю, и тихо, словно боясь потревожить кресло, положила на стол сумку. Затем посмотрела, не следит ли кто за ней, и на цыпочках приблизилась к креслу, чтобы как следует рассмотреть его, выставив при этом руки вперед, будто пыталась приручить дикого скакуна.

Айвен захихикал.

Увидев, что все в порядке, Бекка в недоумении почесала в затылке. Может быть, Элизабет встала с кресла прямо перед ее приходом? Она ухмыльнулась, представив себе, как Элизабет, словно маленькая девочка, крутится на кресле, с убранными в тугой пучок волосами, в одном из своих строгих черных костюмов, с болтающимися в воздухе ногами. Нет, эта картинка была совершенно нереальной. В мире Элизабет кресла служили только для того, чтобы на них сидеть. И, воспользовавшись своим по назначению, Бекка немедленно приступила к работе.

— Всем доброе утро, — раздался из дверей пронзительный голос. В комнату впорхнула Поппи с фиолетовыми волосами; на ней были широкие джинсы с вышитыми цветами, туфли на платформе и цветастая футболка. Как обычно, каждый миллиметр ее тела был покрыт какой-нибудь краской.

— Хорошо ли прошли выходные? — Она всегда пропевала фразы и ходила по комнате, пританцовывая и размахивая руками со слоновьей грацией.

Бекка кивнула.

— Чудесно. — Поппи, подбоченившись, встала перед Беккой. — Что ты делала на выходных, Бекка? Вступила в дискуссионный клуб? Ходила на свидание и до смерти надоела своей болтовней какому-нибудь парню, а?

Бекка перевернула страницу книги, которую читала, не обращая на нее никакого внимания.

— Ничего себе, здорово, звучит потрясающе! Знаешь, мне так нравится дружелюбная атмосфера нашего офиса.

Бекка перевернула страницу.

— Да что ты? Наверное, пока с меня достаточно новостей, если ты не против. Что за... — Она отпрянула от стола Бекки и замолчала.

Бекка не отрывала взгляда от книжки.

— Оно так делает с самого утра, — тихо сказала она скучающим тоном.

Теперь настала очередь Поппи замолчать.

В офисе на несколько минут воцарилась тишина, при этом Бекка продолжала читать, а Поппи, не отрываясь, смотрела в пространство перед собой. Элизабет заметила, что ее сотрудницы надолго замолчали, и выглянула из-за двери.

— У вас все хорошо, девочки? — спросила она.

Таинственный скрип был ей единственным ответом.

— Поппи?

Не поворачивая головы, она ответила:

— Кресло.

Элизабет вышла из своего кабинета и посмотрела в ту же сторону. Стоящее за столом Поппи кресло, все забрызганное краской, от которого Элизабет уже много месяцев уговаривала ее избавиться, с громким скрипом вертелось вокруг своей оси. Тем временем Бекка продолжала невозмутимо читать книгу, как будто это была самая нормальная вещь в мире.

Поппи издала нервный смешок. Они с Элизабет подошли ближе, чтобы выяснить, в чем дело.

— Бекка, — Элизабет еле сдерживала смех, — ты это видела?

Бекка так и не подняла глаз от страницы.

— Оно так крутится уже около часа, — тихо сказала она. — Останавливается, а потом снова крутится.

Элизабет нахмурилась:

— Это одно из твоих новых художественных творений, Поппи?

— Если бы! — ответила не оправившаяся от испуга Поппи.

Они молча наблюдали за вращением кресла. Скрип-скрип-скрип.

— Может, стоит позвонить Гарри? Наверное, что-то с винтиками, — рассуждала Элизабет.

Поппи вскинула брови.

— Ну да, конечно, именно с винтиками, — язвительно заметила она, с изумлением взирая на вертящееся разноцветное кресло.

Элизабет сняла невидимую пылинку со своего пиджака и прочистила горло:

— Знаешь, Поппи, тебе и правда следует переобить кресло — оно производит не слишком хорошее впечатление на клиентов. Гвен наверняка тебе что-нибудь подберет.

Глаза у Поппи широко раскрылись.

— Но оно и должно быть таким. Это проявление индивидуальности, продолжение меня самой. Это единственный предмет, на который я могу спроецировать себя в этой комнате. В этой проклятой *бежевой* комнате. — Она произнесла это так, будто говорила о каком-то заболевании, и с отвращением посмотрела вокруг. — А миссис Брэкен больше времени проводит не за работой, а за сплетнями со своими подружками, у которых нет других дел, кроме как таскаться сюда каждый день.

— Ты сама знаешь, что это не так. И запомни: не все разделяют твои вкусы. Кроме того, мы дизайнерская фирма и должны представлять меньше... альтернативного дизайна и больше такого, который люди могут использовать для собственных домов. — Элизабет еще какое-то время разглядывала кресло. — Оно выглядит так, как будто его загадила птица, у которой большие проблемы с желудком.

Поппи с гордостью посмотрела на нее:

— Я рада, что *кто-то* это понял.

— Ладно, я ведь разрешила тебе поставить эту ширму. — Элизабет кивнула в сторону ширмы, которую Поппи украсила всеми возможными цветами и тканями и которая служила перегородкой между ней и Беккой.

— Да, и людям она нравится, — сказала Поппи. — Я уже получила три заказа от клиентов.

— Заказы на что? На то, чтобы ты ее убрала? — улыбнулась Элизабет.

Они внимательно рассматривали ширму, скрестив руки на груди и наклонив головы набок, как будто изучали в музее произведение искусства. Кресло тем временем продолжало крутиться.

Внезапно оно подпрыгнуло, и ширма, стоявшая рядом со столом Поппи, с грохотом упала. Женщины шарахнулись в сторону. Кресло начало замедлять ход и наконец остановилось.

Поппи прижала ладонь ко рту.

— Это знак, — прошептала она.

На другом конце комнаты обычно молчавшая Бекка громко захохотала.

Элизабет и Поппи ошеломленно посмотрели друг на друга.

— Ммм, — все, что смогла сказать Элизабет, потом она медленно повернулась и ушла к себе в кабинет.

Айвен прыгнул с раскрутившегося кресла на какой-то непонятный предмет, упал вместе с ним и теперь лежал на полу, обхватив голову руками и дожидаясь, пока комната перестанет кружиться у него перед глазами. Голова болела, и он пришел к выводу, что вертеться на кресле теперь, пожалуй, не самое любимое его занятие. Словно сквозь туман, он видел, как Элизабет вошла в свой кабинет и толкнула ногой дверь. Быстро вскочив, он бросился за ней и сумел протиснуться в щель, до того как дверь захлопнулась. Сегодня ей не удастся нигде его запреть.

Айвен сел в обычное (не вертящееся) кресло у стола Элизабет и стал рассматривать ее кабинет. Ему показалось, что он сидит в кабинете директора школы в ожидании выговора. Атмосфера здесь была именно такая: тихая и напряженная, и даже пахло так же, если не считать запаха духов Элизабет, которые так ему нравились. Со своими прежними лучшими друзьями он побывал в нескольких директорских кабинетах и знал, что это такое. Вообще-то им не полагалось ходить с лучшими друзьями в школу. В этом не было никакой необходимости, кроме того, дети из-за них порой попадали в неприятные ситуации, и родителей потом вызывали в школу. Поэтому они слонялись поблизости в ожидании перемены. И даже если ребенок не играл с ними во дворе, он все равно знал, что лучший друг рядом, и чувствовал себя увереннее, играя с другими детьми. Это правило возникло как результат многолетних исследований, однако Айвен игнорировал накопленные факты и статистические выкладки. Если его лучший друг нуждался в нем в школе, Айвен был там с ним, невзирая ни на какие правила.

Элизабет, одетая в строгий черный костюм, сидела за большим стеклянным столом в огромном кожаном кресле. Насколько он успел понять, ничего другого она не носила. Черный, коричневый и серый. Так сдержанно и так безумно скучно, скучно, скучно. Безупречно чистый, сверкающий стол выглядел так, как будто только что доставлен из магазина. На нем не было ничего, кроме компьютера, толстого черного ежедневника и работы, над которой склонилась Элизабет, — как показалось Айвену, она перебирала скучные квадратики каких-то тканей. Все остальное было убрано в черные шкафы. На стенах висели в рамках фотографии комнат, оформленных фирмой Элизабет. Как и в ее доме, в кабинете отсутствовали какие-либо проявления индивидуальности. Черный, белый, стекло — больше ничего. Как на космическом корабле. В кабинете директора космического корабля.

Айвен зевнул. Она действительно оказалась йынчуксом. Ни одной фотографии семьи или друзей, никаких сидящих на мониторе симпатичных игрушек, не было видно даже рисунка, который Люк нарисовал для нее в выходные. Она сказала, что повесит его у себя в кабинете. Интерес представляла только стоявшая на подоконнике коллекция чашек из кафе «У Джо». Он подумал, что Джо это не понравилось бы.

Он наклонился вперед, поставил локти на стол и придвинулся совсем близко к ней. На лице у нее отражалась крайняя сосредоточенность, лоб был совершенно гладким, без обычных складок. Ее блестящие губы, которые, как казалось Айвену, пахли клубникой, тихо сжимались и разжимались. Она напевала про себя.

И тогда его мнение о ней опять изменилось. Она больше не была той строгой директрисой, какой он видел ее на людях, она стала тихой, спокойной и безмятежной, не такой, как в те моменты, когда думала о чем-то в одиночестве. Он решил, что ее просто вдруг отпустила тревога. Понаблюдав за ней какое-то время, Айвен взглянул на лист бумаги, над которым она работала. Держа в руке коричневый карандаш, она раскрашивала эскиз спальни.

У Айвена загорелись глаза. Раскрашивание было его самым любимым занятием. Он поднялся с кресла и встал у нее за спиной посмотреть, что она делает и удается ли ей не вылезать за края. Элизабет оказалась левшой. Он склонился над ее плечом и, чтобы удержать равновесие, оперся рукой на стол рядом с ней. Расстояние было совсем небольшим, и он ощущал исходивший от ее волос запах кокоса. Он глубоко вздохнул и почувствовал, как ее волосы защекотали ему нос.

Элизабет на мгновение прекратила раскрашивать, закрыла глаза, откинула голову назад, расправила плечи и нежно улыбнулась самой себе. Айвен сделал то же самое и, почувствовав, как щекой прикоснулся к ее лицу, весь задрожал. Ощущение было какое-то странное, но приятно странное. Похожее на то, которое он испытывал, когда его кто-нибудь крепко обнимал, а обниматься он любил больше всего. У него слегка закружилась голова, но не так, как после катания на кресле. Гораздо приятнее. Он еще несколько минут наслаждался этим ощущением, пока, наконец, в один и тот же момент они оба не открыли глаза и не посмотрели на эскиз. Ее рука потянулась к коричневому карандашу как бы в сомнении, брать его или нет.

Айвен тихо застонал.

— Элизабет, не надо больше коричневого. Давай же, выбери какой-нибудь яркий цвет, например вот этот салатовый, — прошептал он ей в ухо, прекрасно понимая, что она его не слышит.

Ее пальцы застыли над карандашом, словно их удержала какая-то магнетическая сила. Она медленно перенесла руку от шоколадно-коричневого карандаша к салатовому и, чуть заметно улыбнувшись, словно удивляясь собственному выбору, осторожно взяла карандаш, как будто делала это впервые в жизни. Она начала медленно заштриховывать разбросанные по кровати подушки и кисти на перевязях штор, потом перешла к предметам покрупнее, таким, как покрывало в ногах кровати, и, наконец, к кушетке, стоявшей в углу комнаты.

— Так гораздо лучше, — прошептал Айвен, испытывая чувство гордости.

Элизабет улыбнулась, закрыла глаза и стала глубоко и медленно дышать.

Внезапно раздался стук в дверь.

— Можно войти? — пропела Поппи.

Ресницы Элизабет взметнулись, и она выронила преступно яркий карандаш, как будто он был каким-то опасным оружием.

— Да! — крикнула она и, откидываясь в кресле, слегка задела плечом Айвена. Элизабет посмотрела вокруг, недоуменно тронула рукой плечо и обернулась навстречу Поппи, влетевшей в комнату с сияющим видом.

— Ура, Бекка сказала, что люди из любовной гостиницы готовы встретиться с тобой еще раз. — Слова сливались друг с другом, как будто она пела песню.

Айвен присел на подоконник рядом со столом Элизабет и вытянул ноги. Они с ней одновременно сложили руки на груди. Айвен улыбнулся.

— Поппи, пожалуйста, не называй это любовной гостиницей. — Элизабет устало потерла глаза. Айвен огорчился — к ней вернулся голос йынчукса.

— Ну, хорошо, просто гостиница. — Поппи с нажимом произнесла последнее слово. — У меня есть кое-какие идеи. Я представляю себе наполненные водой матрацы в форме сердец, горячие ванны и стоящие на прикроватных тумбочках бокалы с шампанским. — Она понизила голос до восторженного шепота. — Я представляю, как романтизм переплетается с ар-деко, стиль Каспара Давида Фридриха — со стилем Жана Дюнана. Буйство насыщенных оттенков красного и бордового, так что вы чувствуете себя как в сладостно-бархатистом чреве матери. Повсюду свечи. Смесь французского будуара с...

—...Лас-Вегасом, — сухо закончила Элизабет.

Поппи вышла из транса, на лице у нее застыло разочарованное выражение.

— Поппи, — вздохнула Элизабет, — мы уже говорили об этом. Мне действительно кажется, что в данном случае надо следовать общей концепции.

— Ох! — Она отшатнулась, как будто получила удар под дых. — Но общая концепция такая скучная!

— Вот-вот, совершенно верно! — Айвен поднялся и зааплодировал. — Йынчукс! — громко крикнул он Элизабет в ухо.

Она вздрогнула и помассировала ухо.

— Поппи, мне жаль, что ты так к этому относишься, но, к сожалению, ты находишь скучной ту самую уютную, комфортную и спокойную обстановку, которую люди предпочитают создавать, оформляя свое жилье. Им не хочется после тяжелого рабочего дня возвращаться домой, где на каждом шагу их подстерегают бьющие по нервам художественные эффекты и все пестрит яркими оттенками, от которых болит голова. Постоянно работая в атмосфере стресса, люди хотят, чтобы дома их ждал покой и уют. — Эту заготовленную речь она произносила перед всеми клиентами. — И потом, Поппи, это гостиница. Мы должны соответствовать вкусам большинства, а не только тех немногих, очень немногих, кому хотелось бы пожить в бархатном чреве, — добавила она с невозмутимым выражением лица.

— Ну, я не знаю людей, которые хотя бы раз в жизни не побывали в бархатном чреве. А ты знаешь таких? Мне кажется, их просто нет, по крайней мере на этой планете, — не сдавалась Поппи. — Это может вызвать у людей какие-нибудь приятные успокаивающие воспоминания.

Элизабет посмотрела на нее с отвращением.

— Элизабет, — Поппи со стоном произнесла ее имя и картинно упала в стоящее перед ней кресло, — должна же ты мне позволить хоть как-то проявить себя. Я чувствую себя тут такой скованной, моим творческим замыслам не дают воплотиться и... Ого, это мило, — прощебетала она, наклоняясь вперед, чтобы получше рассмотреть лежащий перед Элизабет листок. — Шоколадный и салатовый потрясающе смотрятся вместе. Но что навело тебя на это сочетание?

Айвен вновь подошел к Элизабет и присел рядом, изучая ее лицо. Элизабет не отводила глаз от эскиза, как будто видела его впервые. Она нахмурилась, но затем смягчилась.

— Честно говоря, даже не знаю. Просто... — Она крепко зажмурилась, глубоко вздохнула и воскресила в памяти возникшее у нее в тот момент ощущение. — Просто это... как-то неожиданно возникло у меня в голове.

Поппи улыбнулась и возбужденно закивала:

— Вот видишь, теперь ты знаешь, как это происходит у меня. Я не могу сдерживать в себе творческий поиск. Я отлично понимаю, что ты имеешь в виду. Это совершенно естественный инстинктивный порыв. — Глаза ее засияли, а голос понизился до шепота. — Как любовь.

— Вот-вот, совершенно верно, — повторил Айвен, наблюдая за Элизабет. Он сейчас находился так близко, что кончик его носа почти касался ее щеки, однако он произнес это очень тихо, чуть потревожив дыханием волоски возле ее уха.

Глава девятая

П оппи, ты меня звала? — спросила Элизабет из-за груды образцов коврового покрытия, наваленной у нее на столе.

— *И сейчас тоже* не звала, — раздался недовольный голос. — Пожалуйста, не отвлекай меня, я собираюсь заказать две тысячи банок с краской цвета магнолии для наших следующих проектов. Можно с тем же успехом собраться и распланировать все на двадцать лет вперед, — пробормотала она, а затем проворчала достаточно громко, чтобы Элизабет ее услышала: — Ведь мы же не собираемся в ближайшем будущем менять концепцию.

— Ну ладно, хорошо, — улыбнулась Элизабет, уступая. — Можешь заказать и какой-нибудь другой цвет.

От возбуждения Поппи чуть не свалилась с кресла.

— Закажи еще несколько сотен банок бежевой краски. Цвет называется «Ячмень».

— Ха-ха-ха, — сухо отозвалась Поппи.

Айвен в изумлении посмотрел на Элизабет.

— Элизабет, Элизабет, — пропел он. — Ты что, пошутила? Уверен, что да. — Он смотрел прямо на нее, облокотившись на стол. Выбившиеся у нее из прически пряди всколыхнулись от его дыхания.

Элизабет замерла, с подозрением посмотрела по сторонам и вернулась к работе.

— Видите, как она ко мне относится? — произнес Айвен трагическим голосом, поднося театральным жестом руку ко лбу и делая вид, что падает в обморок на черную кожаную кушетку в углу. — Как будто меня здесь вообще нет! — Подняв ноги, он уставился в потолок. — Забудем о кабинете директора, это похоже на кабинет психиатра. — Изучая трещины на потолке, он подпустил американского акцента. — Видите ли, док, все началось с того, что Элизабет продолжала меня не замечать, — сказал он на всю комнату. — Это заставило меня почувствовать себя таким *нелюбимым*, таким *одиноким*, таким *безумно, безумно одиноким*. Как будто меня не существует. Как будто я *ничто*, — нагнетал он. — Моя жизнь — сущий ад. — Он сделал вид, что плачет. — И в этом виновата Элизабет. — Он остановился и какое-то время смотрел, как она подбирает ковровое покрытие по образцам. Когда он заговорил снова, его голос уже был нормальным, и он нежно сказал: — Это она виновата в том, что не может меня видеть, она просто боится поверить. Не так ли, а, Элизабет?

— Что? — снова воскликнула Элизабет.

— Что «что»? — раздраженно закричала в ответ Поппи. — Я ничего не говорила!

— Ты же меня позвала!

— Нет, не звала. Тебе опять мерещатся какие-то голоса, и, пожалуйста, перестать напевать эту чертову песню! — взвизгнула Поппи.

— Какую песню? — нахмурилась Элизабет.

— Которую ты напеваешь все утро. Она сводит меня с ума.

— Премного благодарен, — заявил Айвен, вставая и отвешивая театральный поклон, перед тем как снова упасть на кушетку. — Эту песню сочинил я. Эндрю Ллойд Вебер, можешь мне завидовать.

Элизабет погрузилась в работу и снова стала напевать, но сразу же осеклась.

— Знаешь, Поппи, — прокричал Айвен в другую комнату. — Мне кажется, Элизабет меня слышит. — Он сложил руки на груди и пошевелил большими пальцами. — Мне кажется, она меня хорошо слышит. Не так ли, Элизабет?

— Господи боже мой! — Элизабет уронила образцы на стол. — Бекка, это ты меня зовешь?

— Нет. — Голос Бекки был едва слышен.

Элизабет покраснела, смущенная тем, что выставляет себя дурой перед подчиненными. Пытаясь исправить положение, она строго попросила:

— Бекка, ты можешь принести мне кофе от Джо?

— Да, кстати, — пропел Айвен, получая большое удовольствие от ситуации. — Не забудь сказать, чтобы она отнесла назад одну из этих чашек. Джо будет доволен.

— А-а! — Элизабет щелкнула пальцами, как будто вдруг о чем-то вспомнила. — Захвати с собой одну из этих чашек. — Она протянула Бекке кофейную чашку. — Джо будет, — она смущенно запнулась, — доволен.

— Ага, она прекрасно меня слышит, — рассмеялся Айвен. — Просто не хочет себе признаться. Рассудок не позволяет. У нее весь мир черно-белый. — И, подумав, добавил: — И еще бежевый. Но я тут все встряхну, и мы повеселимся. Ты когда-нибудь делала это раньше, Элизабет? Веселилась? — В глазах у него зажегся озорной огонек.

Он спустил ноги с кушетки и вскочил. Сев на край стола Элизабет, он посмотрел на распечатки с информацией о воображаемых друзьях и недовольно покачал головой.

— Ну нет, ты же не веришь во всю эту чепуху, правда, Лиззи? Можно, я буду называть тебя Лиззи?

Элизабет вздрогнула.

— А-а, — нежно сказал Айвен, — Значит, тебе не нравится, когда тебя называют Лиззи, так?

Элизабет тихо сглотнула.

Он лег на стол поверх образцов коврового покрытия и подпер рукой голову.

— Что ж, у меня есть для тебя новости. — Он понизил голос: — Я настоящий. И никуда не уйду, пока ты не откроешь глаза пошире и не увидишь меня.

Элизабет перестала вертеть в руках листы с образцами и медленно подняла глаза. Она окинула взглядом кабинет, а затем уставилась прямо перед собой. Ее вдруг охватило почти забытое ощущение покоя. Она чувствовала себя в полной безопасности, окруженная теплом, и, застыв, словно в трансе, не могла ни моргнуть, ни посмотреть в сторону.

Внезапно дверь кабинета распахнулась так быстро и резко, что ручка врезалась в стену. Элизабет и Айвен вздрогнули от неожиданности.

— Что ж, простите, что прерываю ваше воркование, — хмыкнула возникшая в дверном проеме Сирша.

Айвен спрыгнул со стола.

Озадаченная Элизабет сразу начала приводить в порядок стол, что было ее естественной панической реакцией на неожиданные появления сестры. Она поправила пиджак и провела руками по волосам.

— Ну, не стоит наводить порядок ради меня. — Сирша махнула рукой, ее челюсти энергично ходили, занятые жевательной резинкой. — Знаешь, ты все время суетишься из-за ерунды. Просто *расслабься*. — Ее глаза двигались вверх-вниз, пока она с подозрением изучала пространство вокруг стола Элизабет. — Ты не собираешься меня представить?

Полуприкрыв глаза, Элизабет наблюдала за сестрой. Своими дикими поступками и вспышками агрессии Сирша выводила ее из себя. Пьяная или трезвая, Сирша всегда была одинаково непредсказуемой. На самом деле, Элизабет с трудом могла определить, пьяна сестра или нет. Сирша так и не нашла себя, так и не стала личностью, не поняла, кто она, к чему ее влечет, в чем ее счастье и куда она хочет двигаться в жизни. Она этого попросту не знала. В ней переплелись разные личности, которым она так и не дала развиться. Элизабет часто задумывалась о том, кем могла бы стать ее сестра, если бы перестала пить. Но она боялась, что это решило бы только одну из множества проблем.

Элизабет очень редко удавалось остаться с Сиршей наедине и поговорить, это напоминало ей погоню за бабочками, которых она в детстве пыталась поймать банкой. Они были такие красивые, наполняли комнату светом, но никогда нигде не сидели достаточно долго, чтобы их можно было поймать. Элизабет все время находилась в состоянии погони, а когда ей все-таки удавалось поймать сестру, Сирша яростно билась крыльями о стекло, стремясь вырваться на волю.

Находясь рядом с Сиршей, Элизабет изо всех сил старалась проявлять понимание, относиться к ней с симпатией и сочувствием. Она научилась этому, когда обратилась к специалистам. Ей хотелось получить как можно больше советов из разных источников, чтобы помочь сестре. Нужно было узнать те волшебные слова, которые следовало сказать Сирше во время ее редких визитов. И даже когда Сирша ей грубила и вела себя чудовищно, Элизабет все равно старалась держаться с ней дружелюбно и ласково, потому что боялась навсегда ее потерять, боялась, что Сирша совсем ускользнет из-под ее опеки. К тому же она чувствовала, что обязана за ней присматривать. Но главное, она не могла больше мириться с тем, что все красивые бабочки в ее жизни улетают от нее.

— Представить тебя кому? — мягко спросила Элизабет.

— Ох, оставь этот покровительственный тон! Если не хочешь меня представлять, не надо. — Она повернулась к пустому сиденью. — Понимаете, она меня стыдится. Считает, что я позорю ее доброе имя. Вы же знаете, как соседи любят болтать. — Она горько рассмеялась. — Или, может, она боится, что я вас спугну. Ведь так уже было с одним. Он…

— Сирша, хватит, — прервала ее Элизабет. — Слушай, я рада, что ты зашла, нам надо с тобой кое-что обсудить.

Колени у Сирши подергивались, а челюсти яростно пережевывали жвачку.

— В пятницу Колм пригнал машину назад и сказал, что на тебя завели дело. На этот раз все серьезно, Сирша. До слушанья ты должна вести себя очень осмотрительно. Оно состоится через несколько недель, и если ты сделаешь что-нибудь… еще, это может тебе дорого стоить.

Сирша состроила гримасу:

— Элизабет, расслабься! Что они сделают? Посадят меня на много лет в тюрьму за то, что я две минуты прокатилась в машине собственной сестры? Они не могут лишить меня прав, потому что у меня их нет. А если они сделают так, что я никогда не смогу их получить, то мне все равно, права мне не нужны. Все, что они могут, — это приговорить меня к нескольким неделям каких-нибудь дурацких общественных работ, например помогать старушкам при переходе через дорогу или что-нибудь еще в этом роде. Все будет в порядке. — Она надула пузырь, и он лопнул, а жвачка повисла на ее обветренных губах.

Элизабет вытаращила глаза.

— Сирша, ты же не *одолжила* мою машину, ты взяла ее без разрешения, и у тебя нет прав, — сказала она срывающимся голосом. — Ты же не дурочка, ты знаешь, что так нельзя.

Элизабет выдержала паузу и попыталась взять себя в руки. На этот раз она сумеет переубедить сестру. Но Сирша никогда не желала признавать очевидное. Она тяжело сглотнула.

— Слушай. — Сирша начинала злиться. — Мне двадцать два года, и я делаю то же самое, что делают в моем возрасте все: гуляю и развлекаюсь. — Она перешла на базарный тон. — И потом, если у тебя в этом возрасте не было никакой жизни, это не значит, что и у меня ее быть не должно. — Она бешено хлопала своими крылышками, как будто сидела в банке и воздух был на исходе.

«У меня не было жизни, потому что я воспитывала тебя, — сердито подумала Элизабет. — И похоже, не справилась с этой задачей».

— Ты что, собираешься тут сидеть и слушать наши разговоры? — вызывающе спросила Сирша у кушетки.

Элизабет нахмурилась и прочистила горло.

— А как быть с тем, что сказал Пэдди? И совсем не важно, что *ты* считаешь, что не сделала ничего плохого. Полиция думает иначе.

Сирша продолжала жевать жвачку и смотрела на нее холодными голубыми глазами.

— Пэдди натуральный остолоп. В чем он может меня обвинить? Разве что веселиться вдруг стало преступлением.

Бабочка бьется, бьется из последних сил.

— Сирша, пожалуйста, — мягко начала Элизабет, — пожалуйста, выслушай меня. На этот раз они настроены серьезно. Просто… просто сделай перерыв с… — она помедлила, — с выпивкой. Ладно?

— Не смей говорить об этом! — Лицо Сирши перекосилось от ярости. — Заткнись, заткнись, заткнись, ты меня чудовищно достала! — Она вскочила. — У меня все в порядке с выпивкой. Это у тебя проблемы, раз ты думаешь, что так чертовски совершенна. — Она открыла дверь и кричала, чтобы всем было слышно. — А ты, — она кивнула в сторону кушетки, — не думаю, что ты здесь надолго задержишься. В конце концов, они ведь все уходят, не так ли, *Лиззи?* — Сирша будто выплюнула это имя.

В глазах у Элизабет заблестели злые слезы.

Сирша с шумом захлопнула за собой дверь. Ей удалось сбить с банки крышку, и теперь она снова была свободна и могла улететь. От звука захлопнувшейся двери Элизабет задрожала всем телом. В кабинете стало совсем тихо, даже жужжавшая до этого муха опустилась на лампу. Мгновение спустя раздался слабый стук в дверь.

— Что? — резко спросила она.

— Это.. ээ… Бекка, — послышался робкий ответ. — Принесла кофе.

Элизабет пригладила волосы и промокнула глаза:

— Заходи.

Когда Бекка выходила из комнаты, Элизабет увидела, что возвращается сестра.

— Да, кстати, я забыла попросить тебя одолжить мне немного денег. — Голос Сирши стал мягче. Как всегда, когда ей было что-нибудь нужно.

Сердце Элизабет дрогнуло.

— Сколько?

Сирша пожала плечами:

— Пятьдесят.

Элизабет порылась в сумке.

— Ты все еще живешь в гостинице?

Сирша кивнула.

Элизабет вытащила пятьдесят евро и помедлила, прежде чем дать их сестре.

— На что?

— На наркотики, Элизабет, на огромную кучу наркотиков, — ехидно ответила Сирша.

Плечи Элизабет поникли.

— Я просто хотела…

— На продукты, ну, знаешь, хлеб, молоко, туалетная бумага, — вот на что. — Она выхватила хрустящую банкноту из руки Элизабет. — Не все подтираются шелком. — Она взяла со стола образец и бросила его в сестру.

Дверь за ней захлопнулась, и Элизабет осталась стоять посреди кабинета, глядя, как лоскуток черного шелка тихо опускается на белый ковер.

Она знала, что такое падать.

Глава десятая

Несколько часов спустя Элизабет выключила компьютер, в двадцатый раз навела порядок на столе и вышла из кабинета, куда в этот день уже не собиралась возвращаться. Бекка и Поппи стояли рядом, глядя в пустоту. Элизабет повернулась, чтобы посмотреть, что привлекло их внимание.

— Оно опять крутится, — нервно пропела Поппи.

И они втроем уставились на кресло, которое крутилось само по себе.

— Думаете, это мистер Брэкен? — тихо спросила Бекка.

Поппи изобразила голос миссис Брэкен:

— Крутиться в кресле — это не то, чего бы хотел мистер Брэкен.

— Девочки, не волнуйтесь, — сказала Элизабет, с трудом сдерживая смех. — Завтра я попрошу Гарри его починить. А теперь идите домой.

Они ушли. Элизабет какое-то время смотрела на крутящееся в тишине кресло, а затем медленно, сантиметр за сантиметром, приблизилась к нему. Когда она подошла совсем близко, кресло перестало крутиться.

— Трусишка, — пробормотала Элизабет.

Она оглянулась, убедилась, что находится в комнате одна, осторожно взялась за подлокотники и села в кресло. Ничего не произошло. Элизабет поерзала, посмотрела по сторонам, заглянула под кресло, но ничего не произошло. И когда она уже была готова подняться и уйти, кресло вдруг начало крутиться. Сначала медленно, затем постепенно набирая обороты. Элизабет испугалась и уже подумывала о том, чтобы спрыгнуть, но кресло крутилось все быстрее и быстрее, и она вдруг захихикала. Чем быстрее вращалось кресло, тем громче она смеялась. От смеха у нее заболел живот, она не могла вспомнить, когда последний раз чувствовала себя такой молодой — ноги подняты вверх и в стороны, ветерок колышет волосы. В конце концов, через несколько секунд, движение замедлилось и кресло остановилось. Элизабет перевела дух.

Улыбка медленно угасла, а детский смех начал стихать. Осталась только гулкая тишина пустого офиса. Она стала напевать, рассматривая живописный беспорядок на столе Поппи: буклеты с образцами тканей, банки с красками и журналы по дизайну интерьеров. На глаза ей попалась фотография в золотой рамке. На ней была Поппи, две ее сестры, три брата и их родители, теснящиеся на одном диване, как футбольная команда. Сходство между ними было очевидным — у всех маленькие носы и зеленые глаза, превращавшиеся в узкие щелочки, когда они смеялись. В угол рамки была вставлена полоска из четырех маленьких фотографий Поппи и ее друга. На первых трех они гримасничали перед камерой, на четвертой с любовью смотрели друг на друга. И этот момент был навечно запечатлен на фотографии.

Элизабет перестала напевать и загрустила. Она тоже когда-то пережила нечто подобное.

Продолжая рассматривать фотографию, она старалась не думать о тех временах, но в который раз проиграла эту битву, утонув в море нахлынувших воспоминаний.

Она заплакала. Сначала это были тихие всхлипы, но вскоре они превратились в полные боли стоны, идущие из глубины ее сердца. Она вслушивалась в свою боль. Каждая слеза была мольбой о помощи, на которую никто никогда не отвечал и на которую она теперь не ждала ответа. И оттого плакала еще сильнее.

Элизабет зачеркнула красной ручкой еще один день у себя в календаре. Мать отсутствовала уже три недели. Это не было рекордом, но достаточно долго для Элизабет. Она спрятала календарь под кровать и легла. Отец отправил ее спать три часа назад: ему надоело, что она возбужденно мерит шагами пространство перед окном гостиной. Но она изо всех сил старалась не заснуть, чтобы не пропустить возвращение матери. Потому что первые моменты самые лучшие: мать будет в хорошем настроении, довольная, что вернулась домой, будет говорить Элизабет, как сильно она по ней скучала, душить ее объятиями и поцелуями до тех пор, пока Элизабет не забудет, что она когда-то плакала.

Мать проплывет по комнатам, словно не касаясь ногами пола. Возвращаясь, она всегда говорила восторженным шепотом, и голос ее был таким тихим, что Элизабет казалось, что все, о чем они говорили, было их секретом. Глаза матери блестели от удовольствия, когда она рассказывала Элизабет о своих путешествиях и о людях, с которыми познакомилась. Конечно, Элизабет не хотела проспать все это.

Элизабет выпрыгнула из постели и сполоснула лицо ледяной водой из раковины. Не спи, Элизабет, не спи, говорила она себе. Она прислонила подушки к стене и села на кровати, глядя сквозь открытые шторы на темную дорогу, ведущую во мрак. Она ни секунды не сомневалась, что мать вернется этим вечером, потому что она ей обещала. И должна сдержать обещание, ведь на следующий день Элизабет исполняется десять лет, и мать это ни за что не пропустит. Всего несколько недель назад она обещала дочери, что они будут есть пирожные, булочки и любые сладости, какие только захотят. И у них будут воздушные шары всех любимых цветов Элизабет, они вынесут их в поле, отпустят и будут смотреть, как те летят к облакам. С тех пор как мать ушла, Элизабет не могла думать ни о чем другом. От мыслей о волшебных пирожных с чудесной розовой глазурью у нее текли слюнки, и она мечтала о розовых воздушных шарах с белыми лентами, взлетающих в голубое небо. И вот этот день почти наступил, больше не надо ждать!

Она взяла «Паутину Шарлотты», которую читала по ночам, чтобы не заснуть, и включила фонарик, так как отец не разрешал ей зажигать свет после восьми вечера. Она прочла несколько страниц, ее веки отяжелели и начали смыкаться. Она медленно закрыла глаза, чтобы дать им ненадолго отдохнуть. Каждую ночь она боролась со сном, потому что именно сон всегда позволял матери ускользнуть в ночь, именно из-за него она пропускала ее возвращение. Даже когда мать бывала дома, Элизабет старалась не заснуть, предпочитая вместо этого стоять под ее дверью, наблюдая, как она спит, или сторожа ее и не давая уйти. Даже в те редкие моменты, когда она все-таки спала, сны заставляли ее просыпаться, как будто она делала что-то плохое. Отцу всегда говорили, что ей еще рано иметь черные круги под глазами.

Книга выпала из рук Элизабет, и она погрузилась в сон.

Передняя калитка скрипнула.

В ярком свете раннего утра Элизабет открыла глаза, ее сердце бешено забилось. Она слышала, как поскрипывал гравий под ногами — кто-то приближался к входной двери. Ее сердце неистово колотилось от радости. Мать не забыла про нее, Элизабет знала, что мать ни за что не пропустит ее день рождения.

Она выпрыгнула из постели и пустилась в пляс по комнате, не зная, открыть ли матери дверь или же позволить ей появиться неожиданно, что та очень любила делать. Прямо в ночной рубашке она выбежала в холл. Сквозь рифленое стекло входной двери она видела чей-то силуэт. От возбуждения она прыгала с одной ноги на другую.

Дверь в комнату отца открылась. Она повернулась к нему с улыбкой на лице. Он ответил ей слабой улыбкой и прислонился к косяку, глядя на дверь. Элизабет снова повернулась к двери, теребя подол ночной рубашки. Щель почтового ящика открылась. В нее проскользнули два белых конверта и приземлились на каменный пол. Фигура за дверью исчезла. Калитка скрипнула и закрылась.

Элизабет отпустила подол ночной рубашки и перестала прыгать. Она вдруг почувствовала холод, исходивший от каменного пола. Медленно подняла конверты. Оба были адресованы ей, и сердце ее забилось быстрее. Может быть, мать все-таки не забыла. Может быть, она так захвачена каким-нибудь своим приключением, что не успела вернуться вовремя, и все объясняет в письме. Она аккуратно открыла конверты, боясь порвать бумагу, возможно, хранившую драгоценные слова матери.

В обоих конвертах были дежурные поздравительные открытки от дальних родственников.

Плечи у нее опустились, сердце упало. Она повернулась к отцу и медленно покачала головой. Его лицо потемнело, и он сердито уставился вдаль. Их взгляды снова пересеклись, и на какое-то мгновение, редчайшее в их жизни, они почувствовали одно и то же, и Элизабет перестала ощущать себя такой одинокой. Она шагнула вперед, чтобы обнять его.

Но он повернулся и закрыл за собой дверь.

Нижняя губа Элизабет задрожала. В тот день не было ни волшебных пирожных, ни булочек. Розовые воздушные шары, плывущие к облакам, так и остались мечтами. А Элизабет поняла, что грезы и фантазии только разбивают сердце.

Глава одиннадцатая

Шипение кипящей воды, выливающейся на плиту, резко вернуло Элизабет к действительности. Она бросилась к плите, чтобы снять кастрюлю с конфорки и уменьшить огонь. Затем проверила готовность приготовленных на пару курицы и овощей, недоумевая, где она сегодня витает.

— Люк, иди ужинать! — крикнула она.

После работы она забрала Люка с фермы, хотя ей совсем не улыбалось ехать по той дороге после рыданий в офисе. Она уже сто лет не плакала и не понимала, что с ней происходит в последние дни. Мысли Элизабет все время уносились куда-то далеко, что было ей совершенно не свойственно. Она никогда не менялась, ее мысли были устойчивы и управляемы, как и она сама. Полная противоположность сегодняшнему поведению в офисе.

Волоча ноги, на кухню вошел Люк, уже переодевшийся в пижаму с Человеком-Пауком. Он грустно посмотрел на стол:

— Ты опять не поставила Айвену тарелку.

Элизабет уже открыла рот, чтобы начать возражать, но вовремя остановилась, вспомнив совет, который почерпнула в Интернете.

— Ой, правда?

Люк с удивлением посмотрел на нее.

— Извини, Айвен, — сказала она, доставая третью тарелку. «Пустая трата еды», — подумала она, кладя на тарелку брокколи, цветную капусту и картошку. — Я уверена, что он не любит курицу, так что этого хватит. — Она поставила тарелку с оставшимися овощами перед собой.

Люк покачал головой:

— Нет, Айвен сказал, что он очень любит курицу.

— Дай угадаю, — сказала Элизабет, отрезая от своего куска. — Курица — это его любимое?

Люк улыбнулся:

— Он говорит, что это его любимая *птица*.

— Хорошо. — Элизабет закатила глаза. Она смотрела на тарелку Айвена, не понимая, как Люку удастся съесть вторую порцию овощей, если даже то, что лежало у него на тарелке, он ел с большой неохотой.

— Айвен говорит, что сегодня хорошо повеселился у тебя в офисе, — сказал Люк и, положив в рот брокколи, стал поспешно жевать с гримасой отвращения. Он все быстро проглотил и запил молоком.

— Правда? — Элизабет улыбнулась. — Что же веселого было у меня в офисе?

— Ему понравилось крутиться в кресле, — ответил он, насаживая на вилку молодую картошку.

Элизабет перестала жевать и уставилась на Люка:

— Что ты имеешь в виду?

Люк засунул картошку в рот.

— Он сказал, что больше всего ему понравилось крутиться в кресле Поппи.

На этот раз Элизабет оставила без внимания тот факт, что он разговаривает с набитым ртом.

— Ты сегодня говорил с Поппи?

Люку нравилась Поппи, и он иногда болтал с ней, когда Эдит звонила Элизабет на работу, чтобы что-нибудь уточнить. Он знал наизусть телефон офиса — она настояла на том, чтобы он запомнил его, как только выучил цифры, — так что вполне может быть, что он звонил сам, без Эдит, соскучившись по разговорам с Поппи. «Так, наверное, все и было», — подумала Элизабет, испытав огромное облегчение.

— Не-а.

— Ты говорил с Беккой?

— Не-а.

Неожиданно кусок курицы во рту стал напоминать картон. Она быстро проглотила его и отложила нож с вилкой. Погрузившись в раздумья, она смотрела, как Люк ест. Тарелка Айвена, как и ожидалось, оставалась нетронутой.

— Ты сегодня разговаривал с Сиршей? — Она изучающе смотрела на него и думала о том, имеет ли отношение маленькое представление, устроенное сегодня Сиршей у нее в кабинете, к новому увлечению Люка. Отлично зная сестру, Сирша стала бы дразнить ее, если бы узнала про воображаемого друга.

— Не-а.

Может быть, это просто совпадение. Может быть, Люк просто угадал про кресло. Может быть, может быть, может быть... Куда вдруг пропала вся ее уверенность?

— Не играй с овощами, Люк. Айвен просил передать, что они тебе полезны. — В конце концов, она имеет право извлечь выгоду из ситуации с Айвеном.

Люк рассмеялся.

— Что тут смешного?

— Айвен говорит, что все матери используют его, чтобы заставить детей есть овощи.

Элизабет удивленно вскинула брови и улыбнулась:

— Что ж, можешь сказать Айвену, что мамы знают лучше. — Ее улыбка поблекла. — Ну, по крайней мере, *некоторые* мамы.

— Сама ему и скажи, — хихикнул Люк.

— Ну, ладно. — Элизабет посмотрела на пустой стул перед собой. — Откуда ты приехал, Айвен? — Она наклонилась вперед и говорила так, будто перед ней был ребенок.

Люк начал смеяться, и она почувствовала себя очень глупо.

— Он из Яизатнафа.

Настала очередь Элизабет смеяться.

— Правда? И где это?

— Очень, очень далеко, — ответил Люк.

— Насколько далеко? Как до Донегола? — улыбнулась она.

Люк пожал плачами, ему наскучил этот разговор.

— Эй! — Элизабет посмотрела на Люка и засмеялась. — Как ты это сделал?

— Что сделал?

— Взял картофелину с тарелки Айвена.

— Я не брал, — нахмурился Люк. — Ее съел Айвен.

— Не будь глу… — Она оборвала себя.

Позже тем вечером Люк лежал на полу в гостиной, напевая *ту самую* песенку, пока Элизабет пила кофе и смотрела телевизор. Они уже давно этого не делали. Обычно после ужина они расходились по своим комнатам. Обычно так много не говорили за едой, но, опять же, *обычно* Элизабет не развлекала Люка, играя в глупые игры. Она начала жалеть о том, что пошла на это. Люк, лежа на полу, что-то раскрашивал. Она подстелила коврик, чтобы он не испачкал ковер, и, хотя ей не нравилось, когда он играл за пределами детской, она радовалась, что на этот раз он играет с тем, что она хотя бы видит. Нет худа без добра, и тому подобное. Она смотрела шоу про переделку домов.

— Элизабет. — Она почувствовала постукивание маленького пальца по плечу.

— Да, Люк?

— Я нарисовал это для тебя. — Он протянул ей ярко раскрашенный рисунок. — Это мы с Айвеном играем в саду.

Элизабет улыбнулась и стала рассматривать картинку. Люк подписал имена поверх двух спичкообразных мужских фигур, однако что ее удивило, так это рост Айвена. Он был в два раза выше Люка, одет в голубую футболку, вытертые джинсы, синие ботинки, и у него были черные волосы и огромные голубые глаза. Он казался слегка небритым, держал Люка за руку и широко улыбался. Она замерла, не зная, что сказать. Разве воображаемый друг не должен быть того же возраста, что и ребенок?

— Ээ... Айвену всего лишь шесть лет, а он очень высокий, правда? — Может быть, Люк нарисовал его выше, чем в жизни, из-за того, что Айвен для него так важен, рассуждала она.

Люк покатился со смеху:

— Айвен сказал, про шесть лет нельзя говорить «всего лишь», но ему и не шесть. — Он снова громко засмеялся. — Он старый, как ты.

От ужаса Элизабет широко раскрыла глаза. *Старый, как она?* Что за друга придумал себе ее племянник?

Глава двенадцатая

Друзья выглядят по-разному и бывают разного возраста, мы все это знаем, так почему же с воображаемыми друзьями должно быть по-другому? Элизабет все неправильно поняла. На самом деле Элизабет все *совершенно* неправильно поняла, потому что, насколько я видел, у нее вообще не было друзей. Может быть, оттого, что она искала только женщин тридцати четырех лет, которые выглядят, одеваются и ведут себя точно так же, как она? По выражению ее лица, когда она смотрела на рисунок, где Люк изобразил меня и себя, было ясно: она думает, что Люк должен был найти себе кого-то, как две капли воды похожего на него самого. А ведь так друзей не заведешь.

Важно не то, как мы *выглядим*, а то, какую роль играем в жизни нашего лучшего друга. Люди выбирают себе определенных друзей, потому что именно с ними хотят быть рядом в данный момент, а не потому, что те нужного роста, возраста или у них нужный цвет волос. Это, конечно, тоже важно, но не всегда. Люк неспроста увидел именно меня, а не моего коллегу Томми, который выглядит как раз на шесть лет и у него постоянно течет из носа. Я имею в виду, что не вижу вокруг Люка других взрослых мужчин, а вы видите? Тот факт, что вы видите «воображаемого» друга, не означает, что вы видите их всех. Вы наделены *способностью* увидеть их всех, но люди используют только десять процентов своих способностей, и вы не поверите, узнав, какими еще возможностями обладаете. Существует масса чудесных вещей, которые можно увидеть, если хорошенько присмотреться. Жизнь в чем-то похожа на картину. На очень странную абстрактную картину. Можно смотреть на нее и думать, что это просто расплывшееся пятно. Можно так и прожить всю жизнь, думая, что это просто расплывшееся пятно. Но если хорошенько вглядеться, то все-таки можно увидеть, что там изображено. Если сконцентрироваться и использовать воображение, жизнь может стать для вас чем-то гораздо большим. На этой картине может, например, оказаться море, небо, люди, здания, сидящие на цветах бабочки — *все, что угодно*, а вовсе не расплывшееся пятно, как вам когда-то представлялось.

После событий в кабинете Элизабет мне нужно было собрать экстренное совещание «Если вдруг». Я работаю уже много лет и думал, что все повидал, однако, как выяснилось, ошибался. То, что Сирша видела меня и разговаривала со мной, привело меня в сильнейшее замешательство. То есть это было совершенно неслыханно. Ладно, Люк мог меня видеть — это нормально. Элизабет чувствовала мое присутствие, что само по себе довольно странно, но я уже начинал привыкать. Но Сирша… Конечно, бывает так, что тебя видят сразу несколько человек, но среди них никогда не бывает *взрослых*, и уж тем более *двоих взрослых*. Единственный из нас, кто имеет дело со взрослыми, — это Оливия. Это не то чтобы правило, просто так обычно случается. В общем, я растерялся и попросил босса созвать всех на внеочередное собрание «Если вдруг».

Собрания «Если вдруг» были учреждены для обсуждения текущей работы всех участников и обмена идеями и предложениями, если кто-то оказался в тупике. Мне еще никогда не приходилось собирать всех для решения своих проблем, так что, когда я обратился с этой просьбой, босса, понятно, это удивило. Название собраний имеет двойной смысл. «Вдруг» расшифровывается как Воображаемый друг. Нам ужасно надоело, что люди называют нас «воображаемыми друзьями», и мы решили пошутить. Это я придумал.

Шесть человек, принимающих участие в собраниях, являются самыми старшими в компании. Когда я вошел, все смеялись и играли. Я поздоровался, и мы уселись ждать босса. Наши совещания проходят не в каком-нибудь зале заседаний без окон, с длинными столами для переговоров и пахнущими кожей креслами. Мы собираемся в непринужденной обстановке, и так гораздо лучше, потому что чем комфортнее мы себя чувствуем, тем больше интересного можем придумать. Мы сидим на удобных сиденьях, в кружок. Мое сиденье — большая подушка, набитая сухими бобами. У Оливии — кресло-качалка. Она говорит, в нем удобнее вязать.

Наш босс ведет себя не слишком начальственно, нам просто нравится так ее называть. На самом деле она относится к числу самых приятных людей, каких только можно встретить в жизни. Ей *действительно* известно все — все, что необходимо знать о том, как быть лучшим другом. Она терпелива и заботлива, слушает и слышит все, что люди недоговаривают. Ее зовут Опал, и она прекрасна. Она вплыла в комнату в фиолетовой мантии, ее косички были завязаны в небольшой хвост, который спускался на спину. При каждом движении у нее в волосах сверкали блестящие бусинки. Кроме того, в волосы, наподобие диадемы, были вплетены ромашки, они же украшали шею и запястья, на носу были круглые очки с фиолетовыми стеклами, а ее ослепительная улыбка могла бы привести корабли к берегу в непроглядной тьме.

— Милые ромашки, Опал, — тихо сказала сидящая рядом со мной Гортензия.

— Спасибо, Гортензия. — Она улыбнулась. — Мы с маленькой Тарой сплели это недавно у нее в саду. Ты сегодня выглядишь очень нарядно. Какой красивый цвет!

Гортензия просияла. Как и я, она была лучшим другом уже целую вечность, но на вид одного возраста с Люком. Маленького роста, со светлыми волосами, которые сегодня были уложены тугими кудряшками, с тихим голосом и большими голубыми глазами. Сегодня на ней был желтый сарафан, а волосы украшены желтыми ленточками ему в тон. Она сидела на деревянном стульчике ручной работы и болтала ногами в блестящих белых туфельках. Этот стул всегда напоминал мне о Гензеле и Гретель — желтый, с нарисованными конфетами, пряниками и сердечками.

— Спасибо, Опал. — Гортензия слегка покраснела. — После собрания я со своей новой лучшей подругой иду на чаепитие.

— Да? — Опал изумленно подняла брови. — Очень хорошо. И где же оно будет?

— В саду за домом. Вчера на день рождения ей подарили чайный сервиз, — ответила Гортензия.

— Чудесно. Как идут дела с маленькой Мейв?

— Ничего, спасибо. — Гортензия уперлась взглядом в колени.

Остальные перестали шуметь, все внимание было приковано к Опал и Гортензии. Опал была не из тех, кто просит всех замолчать, чтобы начать собрание. Она всегда тихо начинала его без объявления, зная, что остальные вскоре прекратят разговоры и постепенно успокоятся. Она говорила, что людям просто нужно время и тогда они почти всё смогут решить сами.

Опал смотрела, как Гортензия теребит ленточку на платье.

— Гортензия, Мейв все еще тобой командует?

Гортензия кивнула с грустным видом:

— Она постоянно командует, говорит, что мне делать, а что нет, а когда ломает игрушки и другие вещи и родители начинают ее ругать, она все сваливает на меня.

Покачиваясь в кресле и не отрываясь от вязания, Оливия, самый немолодой наш лучший друг, громко выразила свое неодобрение.

— Ты же знаешь, почему Мейв так себя ведет, верно, Гортензия? — мягко спросила Опал.

Гортензия кивнула.

— Именно мое присутствие дает ей возможность покомандовать, и она копирует поведение своих родителей. Я понимаю, почему она так поступает и что это очень важно для нее, однако меня огорчает, что это повторяется изо дня в день.

Все согласно закивали. Все мы когда-то находились в положении Гортензии. Большинство детей любит командовать нами, как будто это их единственная возможность проявить себя, не рискуя нажить неприятности.

— Гортензия, ну ты же знаешь, что осталось совсем немного и она перестанет так себя вести, — ободряюще сказала Опал, и Гортензия кивнула, тряхнув кудряшками.

— Бобби! — Опал повернулась к сидевшему на скейтборде маленькому мальчику в повернутой козырьком назад кепке, который слушал разговор, перекатываясь взад и вперед. Услышав свое имя, он остановился. — Тебе следует прекратить играть с маленьким Энтони в компьютерные игры. Ты ведь знаешь, почему?

Мальчик с ангельским личиком кивнул и заговорил совсем не детским голосом, хотя и выглядел на шесть лет:

— Потому что Энтони всего три и он еще мал для гендерных игр. Ему нужно играть с универсальными игрушками, которыми он сам может управлять. Слишком большое количество других игрушек может задержать его развитие.

— А с чем, по-твоему, вам нужно играть? — спросила Опал.

— Мы будем играть... ну, в общем-то, с чем угодно: будем сами придумывать игры или использовать коробки, кастрюльки или рулончики от туалетной бумаги.

Его последние слова вызвали всеобщий смех. Рулончики от туалетной бумаги — мои самые любимые. Из них так много всего можно сделать.

— Отлично, Бобби. Просто помни об этом, когда Энтони снова попробует заставить тебя играть на компьютере. Как Томми... — Она умолкла, оглядывая комнату. — Кстати, а где Томми?

— Простите за опоздание, — раздался громкий голос у двери. Томми влетел в комнату, подергивая плечами и размахивая руками, как будто был лет на пятьдесят старше. Лицо чем-то вымазано, на коленях пятна от травы, а локти покрыты царапинами и засохшей грязью. Громко отдуваясь, он плюхнулся на набитую сушеными бобами подушку.

Опал засмеялась:

— Добро пожаловать, Томми. Ты был занят?

— Ага, — нахально ответил Томми. — Мы с Джонни были в парке, копали червей. — И он вытер мокрый нос рукой.

— Фу-у! — Гортензия с отвращением наморщила носик и подвинула свой стул ближе к Айвену.

— Да ладно тебе, принцесса. — Томми подмигнул Гортензии, кладя ноги на стоящий перед ним столик. На столике была газировка и шоколадное печенье.

Гортензия удивленно подняла брови и, отвернувшись от него, сосредоточила внимание на Опал.

— То есть Джон не изменился, — с интересом констатировала Опал.

— Ага, все еще видит меня, — ответил Томми, как будто это было какой-то победой. — Понимаешь, Опал, у него сейчас проблемы с хулиганами, и, поскольку они заставляют его держать все в секрете, он ничего не рассказывает родителям. — Томми грустно покачал головой. — Он боится, что они будут ругать его или вмешаются, а это еще хуже, к тому же ему стыдно, что он позволил втянуть себя в такие дела. В общем, типичные переживания в ситуации запугивания. — Он засунул в рот конфетку.

— Так, и что ты намереваешься делать? — озабоченно спросила Опал.

— К сожалению, еще до моего появления у Джона развилась хроническая робость. Он соглашался с несправедливыми требованиями тех, кого считал сильнее, потом сам постепенно принял позицию хулиганов, и теперь он уже почти один из них. Но я не позволил ему собой помыкать,— жестко сказал Томми. — Мы работаем над его осанкой, голосом и взглядом — сами знаете, все это сразу говорит о том, уязвим ты или нет. Я учу его бдительности по отношению к подозрительным личностям, и каждый день мы повторяем список их отличительных признаков. — Он откинулся на спинку и положил руки за голову. — Мы стремимся развить у него чувство справедливости.

— И копаете червей, — с улыбкой добавила Опал.

— Всегда найдется время для копания червей, не так ли, Айвен? — И Томми подмигнул мне.

— Джейми-Линн! — Опал повернулась к маленькой девочке в джинсах и грязных кроссовках. Ее волосы были коротко пострижены, она сидела верхом на футбольном мяче. — Как поживает Саманта? Надеюсь, вы больше не перекапываете цветник ее матери?

Джейми-Линн была сорванцом, и у ее друзей постоянно случались из-за нее неприятности, Гортензия же в основном ходила на чаепития в красивых платьях и играла с Барби и другими игрушками для девочек. Джейми-Линн открыла рот и стала что-то говорить на неизвестном языке.

Опал подняла брови:

— Как я вижу, вы с Самантой по-прежнему общаетесь на своем собственном языке?

Джейми-Линн кивнула.

— Хорошо, но будь осторожна. Не стоит это затягивать.

— Не волнуйся. Саманта уже учится складывать слова в предложения, у нее развивается память, так что я не собираюсь дальше его использовать, — сказала Джейми-Линн, перейдя на нормальный язык, и добавила печальным голосом: — Сегодня утром Саманта меня не увидела, когда проснулась. Но во время обеда увидела снова.

Всем стало жаль Джейми-Линн, и мы выразили ей сочувствие, потому что все знали, каково это. Это было начало конца.

— Оливия, как дела у миссис Кромвелл? — Голос Опал зазвучал нежнее.

Оливия перестала вязать и качаться на кресле и грустно помотала головой:

— Ей недолго осталось. Вчера ночью у нас был чудесный разговор о том, как семьдесят лет назад они с семьей на целый день поехали на пляж Сэндимаунт. Это привело ее в отличное настроение. Но сегодня утром, как только она рассказала своим родственникам, что говорила со мной, они все тут же ушли. Они думают, она имеет в виду свою двоюродную бабушку Оливию, которая умерла сорок лет назад, и убеждены, что она сходит с ума. Как бы то ни было, я останусь с ней до конца. Как я уже сказала, ей недолго осталось, а за последний месяц родственники навестили ее всего два раза. Ей не на кого опереться.

Оливия всегда заводила себе друзей в больницах, хосписах и домах для престарелых. С теми, кто не мог заснуть, она предавалась воспоминаниям, чтобы скоротать время, и вообще отлично справлялась.

— Спасибо, Оливия. — Опал улыбнулась и повернулась ко мне: — Итак, Айвен, как дела на улице Фуксий? Что у тебя за срочная проблема? Кажется, у Люка все в порядке?

Я поудобнее уселся на подушке:

— Да, с ним все нормально. Надо еще кое над чем поработать, например над тем, как он относится к ситуации в своей семье, но ничего экстраординарного.

— Хорошо. — Опал выглядела довольной.

— Дело не в этом. — Я обвел глазами всех сидящих в комнате. — Его тете, которая усыновила его, тридцать четыре года, и иногда она *чувствует мое присутствие*.

Все открыли рты и в ужасе посмотрели друг на друга. Я знал, что они отреагируют именно так.

— Но и это еще не все, — продолжил я, стараясь не получать слишком большое удовольствие от их реакции, потому что, в конце концов, это была моя проблема. — *Мама* Люка, которой *двадцать два года*, пришла сегодня к Элизабет на работу, *увидела* меня и даже *заговорила* со мной!

Все снова открыли рты — все, кроме Опал, глаза которой понимающе блеснули мне в ответ. И у меня отлегло от сердца, я понял: Опал знает, в чем дело. Она всегда все знает и поможет мне выйти из тупика.

— Где находился Люк, когда ты был на работе у Элизабет? — спросила Опал. Уголки ее губ загибались в улыбку.

— На ферме у своего деда, — объяснил я. — Элизабет не дала мне вылезти из машины и пойти

149

с ним, она боялась, что ее отец разозлится, услышав, что у Люка есть друг, которого нельзя увидеть. — Я сделал паузу, чтобы перевести дух.

— А почему ты не пошел к Люку пешком, когда оказался на работе Элизабет? — спросил Томми, развалившись на подушке.

Глаза Опал снова блеснули. Что это с ней?

— Потому что, — ответил я.

— Ну так почему? — спросила Гортензия.

«Вот ее тут только не хватало», — подумал я.

— Ферма далеко от офиса? — спросил Бобби.

Почему они задают мне эти вопросы? Какое это имеет отношение к тому, что взрослые люди видели и чувствовали меня?

— Две минуты на машине, но двадцать минут пешком, — смущенно объяснил я. — Почему вы спрашиваете?

— Айвен, — Оливия засмеялась, — ну что ты! Ты прекрасно знаешь, что если вы с другом разлучились, ты обязан его найти. Двадцать минут пешком — ничто по сравнению с тем, что ты сделал, чтобы добраться до своего предыдущего друга. — И она опять засмеялась.

— Да что с вами? — Я беспомощно всплеснул руками. — Я пытался выяснить, сможет ли Элизабет меня увидеть. И, вы знаете, я был сбит с толку. Такого раньше никогда не случалось.

— Не волнуйся, Айвен, — улыбнулась Опал, и, когда она заговорила снова, голос у нее был как мед. — Это действительно очень редкое явление. Но такое бывало.

Все опять разинули рты.

Опал поднялась, собрала бумаги и приготовилась покинуть собрание.

— Куда ты уходишь? — удивленно спросил я. — Ты ведь еще не сказала, что мне делать.

Опал сняла фиолетовые очки и посмотрела на меня своими шоколадными глазами:

— Айвен, это вовсе не чрезвычайная ситуация. И я не могу тебе ничего посоветовать. Тебе просто надо верить, что, когда придет время, ты примешь правильное решение.

— Какое решение? О чем? — спросил я, чувствуя себя еще более озадаченным.

Опал улыбнулась:

— Когда настанет время, узнаешь. Удачи!

С этим словами она ушла, оставив всех в смущении. Их озадаченные лица отбили у меня охоту спрашивать совета у кого-либо из них.

— Прости, Айвен, я была бы так же растерянна, как и ты, — сказала Гортензия, вставая и расправляя складки на сарафане. Она крепко обняла меня и поцеловала в щеку. — Мне тоже пора, иначе я опоздаю.

Я смотрел, как она торопливо идет к двери, ее светлые кудряшки подпрыгивали на каждом шагу.

— Хорошего чаепития! — крикнул я. — Попробуй тут прими правильное решение, — проворчал я себе под нос, раздумывая о словах Опал. — Правильное решение в отношении чего?

И тут меня пронзила ужасная мысль. А что, если я не смогу принять правильное решение? Что тогда? Кто-то от этого пострадает?

Глава тринадцатая

В саду за домом Элизабет тихонько оттолкнулась ногой, и качели поплыли вперед. Обхватив тонкими пальцами светло-бежевую кружку, она баюкала в руках теплый кофе. Солнце медленно садилось, и легкая прохлада постепенно выбиралась из укрытия, чтобы занять свое законное место. Элизабет посмотрела на небо, где плыли похожие на сахарную вату облака — розовые, красные, оранжевые, как на написанной маслом картине. Над видневшейся из сада горой растекалось янтарное зарево, напоминая таинственное сияние, которое исходило от одеяла Люка, когда он, укрывшись с головой, читал с фонариком. Она глубоко вдохнула холодный воздух.

«Красен закат…» — вспомнилась ей вдруг старинная поговорка.

— «…Пастух будет рад», — тихо договорила она.

Подул легкий ветерок, как будто воздух вздыхал вместе с ней. Она уже час сидела в саду. Люк, проведя день у дедушки, сейчас играл наверху со своим приятелем Сэмом. Она ждала отца Сэма, которого никогда прежде не видела: он должен был зайти за сыном. Обычно с родителями друзей Люка общалась Эдит, и перспектива болтовни о детских проблемах не вызывала у Элизабет энтузиазма.

Было без четверти десять, свет постепенно угасал. Она раскачивалась взад и вперед, сдерживая слезы, сглатывая стоявший в горле комок и отгоняя одолевавшие ее мысли. Она думала о том, что постоянно борется с миром, который грозит разрушить ее планы: с людьми, объявившимися в ее мире без приглашения, с Люком и его дурацкими выдумками, с сестрой и ее проблемами, с Поппи и ее идеями, с Джо и его кафе, с конкурентами по бизнесу. Она чувствовала, что все время борется, борется, борется. А сейчас она сидела на качелях, борясь с собственными эмоциями.

Элизабет казалось, будто она провела на ринге сотню раундов и приняла на себя каждый удар противников. Она страшно устала. У нее болели мышцы, силы были на исходе, и раны уже не заживали так быстро. С высокой стены, отделявшей ее от соседей, в сад к Элизабет спрыгнула кошка. Высоко подняв голову, она посмотрела на Элизабет блестевшими в темноте глазами. Как она уверена в себе, как полна сознания собственной значимости! Кошка вскочила на противоположную стену и исчезла в ночи. Элизабет позавидовала ее способности приходить и уходить, когда захочется, не быть никому ничего должной, даже самым близким, которые любят ее и заботятся о ней.

Элизабет оттолкнулась ногой, и качели, чуть скрипнув, двинулись назад. Гора вдалеке была, казалось, охвачена пламенем от закатившегося за нее солнца. А на другой стороне неба ждала вызова на сцену полная луна. Без умолку переговаривались между собой сверчки, последние игравшие на улице дети бежали домой. Где-то неподалеку останавливались машины, хлопали дверцы, закрывались ворота, запирались окна и задергивались шторы. А потом наступила тишина, и Элизабет снова осталась в одиночестве, чувствуя себя гостьей в собственном саду, который в темноте начинал жить другой жизнью.

Она прокручивала в памяти события прошедшего дня. Снова вернулась мыслями к визиту Сирши. Просмотрела его еще раз, потом еще и с каждым просмотром увеличивала громкость. *В конце концов, они ведь все уходят, не так ли, Лиззи?* Эта фраза повторялась, как на испорченной пластинке. Не отставала, будто тычущий в грудь палец. Все настойчивее и настойчивее. Сперва он лишь слегка касался кожи, затем стал больно царапать, проникая все глубже, пока наконец не пронзил насквозь и не добрался до сердца. Там было больнее всего. Подувший ветер обжег открытую рану.

Она крепко зажмурилась и второй раз за день расплакалась. *В конце концов, они ведь все уходят, не так ли, Лиззи?*

Фраза продолжала звучать в ушах, требуя ответа. У нее разрывалась голова. «Да!» — закричал какой-то голос внутри. Да, в конце концов, все они уходят. Все и всегда. Каждый, кому когда-то удавалось наполнить ее жизнь радостью и занять место в ее сердце, исчезал так же быстро, как кошка в ночи. Будто счастье — это всего лишь воскресное удовольствие, вроде мороженого. Ее мать поступила как солнце сегодня вечером, — ушла, забрав с собой свет и тепло, а взамен оставила холод и темноту.

Дядюшки и тетушки, которые раньше приезжали им помогать, переехали или умерли. Дружелюбные школьные учителя проявляли интерес только во время учебного года, школьные друзья выросли и тоже пытались найти себя. Всегда уходили именно хорошие люди, не боявшиеся улыбаться или любить.

Элизабет обняла колени и плакала навзрыд, как маленькая девочка, которая упала и поранила коленку. Ей хотелось, чтобы пришла мать, взяла ее на руки, отнесла в дом и, посадив на кухонный стол, заклеила пластырем ранку. А потом, как всегда, носила бы ее по комнате, пела и танцевала, пока боль не забудется, а слезы не высохнут.

Ей хотелось, чтобы Марк, ее единственная любовь, обнял ее своими большими руками, такими большими, что его объятие делало ее крошечной. Ей хотелось погрузиться в его любовь, как когда-то, а он бы покачивал ее мягко и медленно, перебирая пальцами ее волосы и нашептывая на ухо успокаивающие слова. Она верила ему, когда он их произносил. Верила, что все будет хорошо, и, лежа в его объятиях, знала, что так и будет, *чувствовала*, что так и будет.

И чем сильнее ей этого хотелось, тем сильнее она плакала, потому что понимала: рядом с ней лишь отец, который едва смотрит ей в лицо, боясь, что она напомнит ему жену, сестра, бросившая собственного сына, и племянник, который каждый день глядит на нее большими, полными надежды голубыми глазами, буквально умоляя о любви и нежности. Но где же их взять, когда ей самой их досталось в жизни так мало, что нечем поделиться.

Элизабет сидела на качелях вся в слезах, дрожа от ветра, и недоумевала, как же так случилось, что ее выбила из колеи какая-то дурацкая фраза. Эта девчонка, никогда не позволявшая словам любви вырваться наружу, потому что ей тоже редко доставались нежные поцелуи и остро не хватало тепла, с легкостью выплевывала слова, полные злости. Произнеся эту фразу, она буквально сбила сестру с ног и швырнула на землю. Как лоскут черного шелка в кабинете Элизабет.

К черту Сиршу! К черту ее и ее ненависть к жизни. К черту, потому что ей плевать на других, и на свою сестру в том числе. Кто дал ей право говорить с ней так грубо и нагло? Как она могла так бездумно бросаться оскорблениями? И голос внутри Элизабет подсказал ей, что это не было пьяной болтовней, это никогда не было пьяной болтовней. Это говорила боль.

Элизабет тоже изнемогала от боли.

— Помогите! — тихо вскрикнула она, пряча лицо в ладонях. — Помогите, помогите, помогите, — шептала она сквозь всхлипывания.

Слабый скрип раздвижной кухонной двери заставил ее резко поднять голову, которую она, обессилев, уронила на колени. В дверях стоял мужчина, и лившийся из кухни свет делал его похожим на ангела.

— Ой! — Элизабет с трудом сглотнула, сердце бешено забилось от того, что ее застали врасплох.

Она быстро вытерла глаза, пригладила растрепавшиеся волосы и встала с качелей.

— Вы, должно быть, отец Сэма. — Ее голос все еще дрожал от слез. — Я Элизабет.

Повисла тишина. Он, наверное, не мог понять, о чем думал, доверив шестилетнего сына этой женщине, которая позволяет маленькому племяннику самому открывать входную дверь в десять вечера.

— Простите, я не слышала звонка. — Она поплотнее запахнула свой вязаный жакет и сложила руки на груди. Ей не хотелось выходить на свет, не хотелось, чтобы он видел, что она плакала.

— Я уверена, Люк сказал Сэму, что вы пришли, но... — *Но что, Элизабет?* — Но я ему сейчас скажу еще раз, — пробормотала она и прошла по траве к дому, опустив голову и потирая рукой лоб, чтобы спрятать глаза.

Подойдя к кухонной двери, она зажмурилась от яркого света, но головы не подняла, не желая встречаться с мужчиной взглядом. Она увидела только синие конверсы и выцветшие голубые джинсы.

Глава четырнадцатая

Сэм, за тобой пришел папа! — прокричала Элизабет слабым голосом. Ответа не последовало, раздался лишь топот пары ножек по лестничной площадке. Она вздохнула, взглянула на свое отражение в зеркале и не узнала женщину, которую там увидела. Лицо распухло и отекло, волосы, всклокоченные ветром, были влажными, оттого что она вытирала о них мокрые от слез руки.

Заспанный Люк появился на верху лестницы, он был в пижаме с Человеком-Пауком, которую не давал стирать и прятал за своим любимым плюшевым мишкой Джорджем. Он потер кулаками глаза и смущено посмотрел на нее.

— А?

— Люк, не «а?», а «что?», — поправила его Элизабет, а потом задумалась, какое это имеет значение в ее теперешнем состоянии. — Папа Сэма все еще ждет, так что скажи ему, пожалуйста, чтобы он побыстрее спускался.

Люк в изумлении почесал затылок.

— Но… — Он замолчал и уставился на нее.

— Что «но»?

— Папа Сэма забрал его, пока ты была в са… — Он остановился, отвлекшись на что-то за плечом Элизабет.

А потом улыбнулся беззубой улыбкой.

— Ой, здравствуйте, папа Сэма! — Он не смог сдержаться и захихикал. — Сэм спустится через минуту. — Он снова засмеялся и побежал наверх.

Элизабет не оставалось ничего другого, кроме как медленно обернуться и посмотреть в лицо отцу Сэма. Глупо продолжать игнорировать его, раз уж он ждет своего сына в ее доме. Она увидела, что он в замешательстве смотрит, как Люк, хихикая, бежит вверх по лестнице. Заметно взволнованный, он повернулся к ней. Он стоял, прислонившись к косяку. Руки в задних карманах выцветших джинсов, сверху голубая футболка, а из-под голубой кепки торчат иссиня-черные волосы. Однако, несмотря на этот молодежный наряд, ей показалось, что он должен быть ее возраста.

— Не волнуйтесь, — быстро заговорила Элизабет, смущенная поведением племянника. — Люк сегодня немного взбудоражен. Простите, что застали меня в саду не в лучший момент. — Она обхватила себя руками, как будто защищаясь от кого-то. — Обычно такого со мной не бывает.

Она вытерла глаза трясущейся ладонью и быстро сцепила руки, чтобы скрыть дрожь. Переизбыток нахлынувших эмоций совсем сбил ее с толку.

— Это нормально, — ответил ей глубокий голос. — У всех у нас случаются неудачные дни.

Элизабет прикусила щеку изнутри, тщетно пытаясь вспомнить, когда же у нее был последний удачный день.

— Эдит сейчас в отъезде. Полагаю, вы раньше имели дело с ней, поэтому мы никогда и не встречались.

— А, Эдит. — Он улыбнулся. — Люк часто о ней говорит. Он ее очень любит.

— Да. — Она слабо улыбнулась, и ей стало интересно, говорил ли Люк когда-нибудь о ней. — Может быть, присядете? — Она махнула в сторону гостиной и предложила что-нибудь выпить.

Вскоре она вернулась из кухни со стаканом молока для него и чашкой эспрессо для себя. И от удивления застыла в дверях гостиной, застав его вертящимся на кожаном вращающемся кресле. Эта картина вызвала у нее улыбку.

Увидев, что она стоит в дверях, он тоже улыбнулся, прекратил вертеться и, взяв стакан у нее из рук, сел на кожаный диван. Элизабет села, как обычно, в свое кресло, такое огромное, что оно поглотило ее почти целиком, ругая себя за тайную надежду, что грязные конверсы не оставят следов на кремовом ковре.

— Простите, я не знаю вашего имени, — сказала она, стараясь, чтобы голос не звучал слишком уныло.

— Меня зовут Айвен.

Кофе застрял у нее в горле, и, закашлявшись, она забрызгала жакет.

Айвен подлетел к ней, чтобы постучать по спине. От волнения он нахмурился и с обеспокоенным видом заглянул ей в глаза.

Элизабет, чувствуя себя глупо, быстро отвела взгляд и прочистила горло.

— Не волнуйтесь, все в порядке, — пробормотала она. — Просто очень смешно, что вас зовут Айвен, потому что...

Она осеклась. Что она собиралась сказать? Рассказать незнакомцу, что у ее племянника галлюцинации? Несмотря на советы из Интернета, она все еще не была уверена, что его поведение можно считать нормальным.

— Ну, это долгая история. — Она махнула рукой, показывая, что тема закрыта. — Чем вы занимаетесь, Айвен, если, конечно, вы не против таких вопросов?

Теплый кофе наполнил ее привычным ощущением спокойствия. Она почувствовала, что возвращается к жизни, выходит из комы грусти.

— Думаю, Элизабет, можно сказать, что я занимаюсь тем, что завожу друзей.

Она понимающе кивнула:

— Как и все мы, Айвен.

Он задумался над ее словами.

— И как называется ваша компания?

В его глазах зажегся огонек.

— Это хорошая компания. Я очень люблю свою работу.

— «Хорошая компания»? — Она нахмурилась. — Мне это название незнакомо. Она располагается здесь, в графстве Керри?

161

Айвен подмигнул:

— Она располагается повсюду.

Элизабет подняла брови:

— То есть это международная компания?

Айвен кивнул и сделал большой глоток молока.

— А с кем работает ваша компания?

— С детьми, — быстро ответил он. — Кроме Оливии: она работает с пожилыми людьми. Но я работаю с детьми, понимаете, я им помогаю. То есть раньше это были только дети, а теперь, судя по всему, мы расширяемся... как мне кажется... — Он умолк, постукивая ногтем по стакану и хмуро глядя вдаль.

— Очень мило. — Элизабет улыбнулась. Это объясняло молодежный наряд и веселый характер. — Полагаю, когда вы видите никем не занятый сегмент на другом рынке, то стремитесь его занять, не так ли? Расширить компанию, увеличить доходы. Я всегда ищу способы это сделать.

— На каком рынке?

— Я имею в виду пожилых людей.

— А у них есть свой рынок? Здорово. Интересно, когда он работает. Я полагаю, по воскресеньям? Там наверняка можно выбрать несколько славных безделушек, не так ли? Отец моего предыдущего друга Барри часто покупал подержанные машины и приводил их в порядок. Его мама любила покупать занавески и шить из них одежду. Она чем-то напоминала персонажей из мюзикла «Звуки музыки», хорошо, что она тоже живет здесь, потому что, понимаете, каждое воскресенье ей хотелось «забраться на каждую гору»[1], а так как Барри был моим лучшим другом, мне тоже приходилось это делать. Так когда его можно посмотреть? Я имею в виду не фильм, а рынок.

Элизабет почти его не слышала, ее мозг переключился в думающий режим.

— У вас все в порядке? — услышала она добрый голос.

Она оторвалась от созерцания кофейной чашки и подняла глаза. Почему у него такой вид, будто это его действительно интересует? Кто он, этот незнакомец с мягким голосом, в присутствии которого она чувствует себя так спокойно? От огоньков в его голубых глазах у нее по спине пробегают мурашками, его взгляд гипнотизирует, а голос — как любимая песня, которую она хотела бы слушать без конца на полной громкости. Кто он, этот мужчина, сидящий в ее доме и задавший вопрос, который не могли задать даже члены ее семьи? *У вас все в порядке?* Ну и как? Все ли у нее в порядке? Она покрутила в руках чашку, глядя, как кофе плещется о ее края, будто море об утесы мыса Слихед. Подумав, она пришла к выводу, что, поскольку последний раз она слышала этот вопрос несколько лет назад, наверное, ответ должен быть отрицательным. Нет, у нее не все в порядке.

Она устала обнимать подушки, согреваться только благодаря одеялам и переживать романтические моменты исключительно во сне. Устала ждать, чтобы день прошел побыстрее и наступило завтра.

1 Слова из мюзикла «Звуки музыки».

Надеяться на то, что каждый следующий день будет лучше и проще. Но так никогда не получалось. Она работала, оплачивала счета и ложилась спать, хотя толком и не спала. Каждое утро груз, лежащий на ее плечах, становился все тяжелее, и каждое утро ей хотелось, чтобы скорее наступила ночь и она смогла бы вернуться в постель, обнять свои подушки и завернуться в теплые одеяла.

Она посмотрела на доброго незнакомца с голубыми глазами, наблюдавшего за ней, и увидела в этих глазах больше заботы, чем у кого-либо из ее знакомых. Ей захотелось рассказать ему о том, что с ней происходит, захотелось услышать от него, что все будет хорошо, что она не одинока, и что они все будут жить счастливо, и что... Она оборвала себя. Все эти мечты, желания и надежды имели мало общего с реальностью. Нельзя позволять себе увлекаться ими. У нее хорошая работа, и они с Люком здоровы. Больше ей ничего не надо. Она смотрела на Айвена и думала, как ответить на его вопрос. Все ли с ней в порядке?

Он отпил молока.

Ее лицо озарила улыбка, и она начала смеяться, так как у него над губой образовались молочные усы, такие большие, что доходили до носа.

— Да, Айвен, спасибо, у меня все в порядке.

Вытирая рот, он выглядел неуверенным и некоторое время изучал ее лицо. Затем спросил:

— Так вы дизайнер по интерьерам?

Элизабет нахмурилась:

— Да, а откуда вы знаете?

В глазах у Айвена заплясали огоньки.

— Я все знаю.

Элизабет улыбнулась:

— Как и все мужчины. — Она посмотрела на часы. — Не знаю, что там с Сэмом. Ваша жена подумает, что я похитила вас обоих.

— А я не женат, — быстро ответил Айвен. — Девочки, фу-у-у. — Он состроил рожу.

Элизабет засмеялась:

— Простите, я не знала, что вы с Фионой не живете вместе.

— С Фионой? — Айвен выглядел сбитым с толку.

— Мамой Сэма, — подсказала Элизабет, чувствуя себя глупо.

— А, с ней. — Айвен опять скорчил рожу. — Ни за что! — Он наклонился вперед, сидя на кожаном диване, и кожа скрипнула. Этот звук был знаком Элизабет. — Знаете, она готовит *ужасное* блюдо из курицы. Все портит соус.

Он снова сумел рассмешить ее.

— Очень необычная причина не любить кого-то, — сказала она.

Однако, как ни странно, Люк сказал то же самое, после того как ужинал у Сэма на выходных.

— В этом нет ничего необычного, если вы любите курицу, — честно ответил Айвен. — Курица — моя самая любимая. — Он улыбнулся.

Элизабет кивнула, пытаясь сдержать смех.

— Ну, моя самая любимая птица.

Так вот оно что! Она развеселилась. Люк, похоже, перенял некоторые его фразы.

— Что? — Айвен широко улыбнулся, демонстрируя блестящие белые зубы.

— Вы... — сказала Элизабет, пытаясь успокоиться и сдержать смех. Она не могла поверить, что ведет себя так с человеком, которого совсем не знает.

— Что со мной не так?

— Вы смешной. — Она улыбнулась.

— А вы красивая, — невозмутимо произнес он в ответ, и она с удивлением посмотрела на него.

Она покраснела. Что это он такое сказал? Повисло молчание. Она пыталась понять, стоит ли обижаться на его слова. Люди редко говорили такое Элизабет. Она не знала, как реагировать.

Исподтишка взглянув на Айвена, она очень удивилась, заметив, что он вовсе не выглядит растерянным или смущенным. Как будто говорит такое каждый день. «Мужчины вроде него, наверное, всегда так ведут себя», — цинично подумала она. Он был очень обаятельным. Сколько она ни смотрела на него с притворным презрением, ей не удавалось заставить себя презирать его. Этот чужой человек познакомился с ней меньше десяти минут назад, сказал ей, что она красивая, и все еще сидит у нее в гостиной, как будто он ее лучший друг, и разглядывает комнату, как будто никогда не видел ничего интереснее. Он дружелюбен, с ним легко разговаривать, его легко слушать, и, хотя он и сказал, что она красивая, несмотря на старье, в которое она одета, на покрасневшие глаза и грязную голову, ее это не смущало. Чем дольше длилось молчание, тем отчетливее она понимала, что он просто сделал ей комплимент.

— Спасибо, Айвен, — вежливо сказала она.

— И вам спасибо.

— За что?

— Вы сказали, что я смешной.

— А, да. Ну... не за что.

— Вам не часто делают комплименты, да?

После этого Элизабет следовало сразу же встать и попросить его покинуть ее гостиную, он стал слишком развязным. Однако она этого не сделала, потому что, сколько бы ни убеждала себя, что *формально*, по ее же собственным правилам, это должно ей досаждать, ничего подобного не чувствовала. Она вздохнула:

— Нет, Айвен, не часто.

Он улыбнулся:

— Что ж, давайте этот будет первым из многих.

Оттого что он так долго на нее смотрел, у нее начало подергиваться лицо.

— Сэм сегодня ночует с вами?

Айвен закатил глаза:

— Надеюсь, нет. Для мальчика, которому всего лишь шесть лет, он слишком громко храпит.

Элизабет улыбнулась:

— Про шесть лет нельзя говорить «всего лишь»... — Она замолчала и сделала глоток кофе.

Он поднял брови:

— Что вы сказали?

— Ничего, — пробормотала она. Пока Айвен осматривал комнату, Элизабет украдкой взглянула на него еще раз. Она не могла понять, сколько ему лет. Высок и хорошо сложен, мужествен, но с мальчишеским обаянием. Все это сбивало ее с толку. Она решила спросить его напрямую.

— Айвен, меня кое-что смущает. — И она глубоко вздохнула перед тем, как задать свой вопрос.

— Не стоит. Никогда не надо смущаться.

Элизабет почувствовала, что одновременно и хмурится, и улыбается. У нее на лице отразилась растерянность.

— Хорошо, — медленно сказала она. — Вы не против, если я спрошу, сколько вам лет?

— Нет, — с готовностью ответил он. — Я совсем не против.

Тишина.

— Ну?

— Сколько вам лет?

Айвен улыбнулся:

— Давайте так: один человек сказал мне, что я старый, как вы.

Элизабет засмеялась. Она так и думала. Очевидно, ни один бестактный комментарий Люка не ускользнул от Айвена.

— Тем не менее, Элизабет, дети продлевают нашу молодость. — Его голос стал серьезным, а глаза — глубокими и задумчивыми. — Моя работа состоит в том, чтобы заботиться о детях, помогать им и быть с ними рядом.

— Так вы социальный работник? — спросила Элизабет.

Айвен ненадолго задумался.

— Можете считать меня социальным работником, профессиональным лучшим другом, советником... — Он пожал плечами. — Знаете, ведь только дети точно знают, что происходит в мире. Они *видят* больше, чем взрослые, *верят* в большее, они честны и всегда, всегда скажут вам, что вас ждет.

Элизабет кивнула. Он явно любил свое дело — и как отец, и как социальный работник.

— И вот что интересно. — Он снова наклонился вперед. — Дети учатся гораздо быстрее и гораздо больше усваивают по сравнению со взрослыми. Знаете, почему так происходит?

Элизабет предположила, что этому существует какое-то научное объяснение, но покачала головой.

— Потому что они смотрят на вещи непредвзято. Они *хотят* знать, и они *хотят* учиться. Взрослые же, — он грустно покачал головой, — думают, что уже знают все. Они вырастают и вместо того, чтобы расширять кругозор, *решают,* во что им верить, а во что не верить. В подобных вещах невозможно сделать выбор: вы либо верите, либо нет. Вот почему взрослые медленнее учатся. Они более циничны, они теряют веру и хотят знать только то, что может пригодиться в повседневном существовании. Их не интересуют бесполезные вещи. Но, Элизабет, — сказал он громким шепотом, его глаза были широко раскрыты и блестели, и Элизабет задрожала, почувствовав, как по рукам у нее поползли мурашки. Ей казалось, что он делится с ней самым важным секретом в мире. Она наклонилась поближе к нему. — Именно эти лишние, бесполезные вещи и делают жизнь жизнью.

— Делают жизнь чем? — прошептала она.

Он улыбнулся:

— Жизнью.

Элизабет оторопела:

— И все?

Айвен улыбнулся:

— Что вы имеете в виду, говоря «и все»? Что еще вы можете получить, кроме жизни, о чем еще вы можете просить, кроме жизни? Это подарок. Жизнь — это *все*, и вы не проживете ее как следует, пока не поверите.

— Поверю во что?

Айвен подмигнул ей:

— Элизабет, вы сами все скоро поймете.

Элизабет очень хотелось лишних, бесполезных вещей, о которых он говорил. Хотелось блеска и радости, хотелось выпустить воздушные шары на ячменном поле и наполнить комнату волшебными розовыми пирожными. Ее глаза снова наполнились слезами, и сердце в груди глухо забилось при мысли, что сейчас она расплачется перед ним. Но ей не пришлось об этом беспокоиться, потому что он медленно встал.

— Элизабет, — ласково сказал он, — сейчас я должен вас оставить. Мне было очень приятно провести с вами время.

Он протянул ей руку.

Когда Элизабет протянула руку в ответ, он нежно взял ее и пожал, словно во сне. Она не могла произнести ни слова из-за стоявшего в горле комка.

— Удачи на завтрашней встрече! — Он ободряюще улыбнулся и вышел из гостиной.

Дверь за ним закрыл Люк, во весь голос прокричав: «Пока, Сэм!», громко засмеялся и побежал наверх.

Позже, ночью, когда Элизабет уже лежала в постели, у нее пылал лоб, нос был забит, а глаза болели от слез. Она обняла подушку и свернулась калачиком под одеялом. Шторы, как всегда, были не задернуты, и луна провела по полу серебристо-голубую дорожку света. Она видела ту же луну, на которую смотрела в детстве, те же звезды, на которых загадывала желания, и вдруг ее пронзила внезапная мысль.

Она ничего не говорила Айвену про свою завтрашнюю встречу.

Глава пятнадцатая

Элизабет вытащила из такси свой багаж и повезла его за собой в зал отлетов аэропорта Фарранфор. Теперь она действительно чувствовала, что возвращается домой, и вздохнула с облегчением. Всего за месяц она успела прижиться в Нью-Йорке куда лучше, чем за все предыдущие годы в Бале-на-Гриде. Начала заводить друзей, и, что еще важнее, у нее появилось *желание* заводить друзей.

— Хорошо, что хоть вылет не отложили, — сказал Марк, присоединяясь к маленькой очереди на регистрацию.

Элизабет улыбнулась и прислонилась лбом к его груди.

— Чтобы прийти в себя после этого отпуска, мне понадобится еще один, — пошутила она уставшим голосом.

Марк хмыкнул, поцеловал ее в макушку и пробежал рукой по ее темным волосам.

— Ты называешь поездку домой к нашим семьям отпуском? — засмеялся он. — Давай улетим на Гавайи, когда вернемся в Нью-Йорк.

Элизабет оторвала голову от его груди и саркастически подняла бровь:

— Ну конечно, Марк, только я попрошу тебя сказать об этом моему боссу. Ты же знаешь, я должна срочно доделывать проект.

Марк внимательно смотрел на ее решительное лицо:

— Нет уж, давай сама.

Элизабет вздохнула и снова уткнулась лбом ему в грудь.

— Ну, не начинай опять. — Голос ее приглушала шерстяная ткань его куртки.

— Просто выслушай меня. — Он поднял ее подбородок указательным пальцем. — Ты работаешь каждый час своей земной жизни, редко берешь выходные и постоянно находишься в стрессе. Для чего?

Она открыла рот, чтобы ответить.

— Для чего? — повторил он.

Она опять открыла рот, но он опять не дал ей ничего сказать.

— Ну, раз тебе не хочется отвечать, — он улыбнулся, — я сам отвечу для чего. Для чужих людей. Чтобы вся слава досталась им. Ты сделаешь всю работу, а слава достанется им.

— Прости, пожалуйста, — сказала Элизабет, полусмеясь. — За работу мне хорошо платят, что тебе *прекрасно* известно, и если все так и пойдет, в это время в следующем году, если мы решим остаться в Нью-Йорке, мы сможем купить тот дом, что мы видели...

— Моя дорогая Элизабет, — прервал ее Марк, — если все так пойдет, в это время в следующем году тот дом будет продан, а на его месте будет стоять небоскреб или ужасный современный бар, в котором не подают выпивку, или ресторан, в котором не подают еду, чтобы, не дай бог, не быть «как все». — Он изобразил пальцами кавычки, заставив Элизабет рассмеяться. — Любое из этих заведений ты, без сомнения, покрасишь в белый цвет, вмонтируешь в пол флуоресцентные лампы и откажешься от мебели, если она будет загромождать помещение, — поддразнил он ее. — И благодаря этому кто-то урвет свою долю известности. — Он посмотрел на нее с притворным отвращением. — Пойми, это *твои* белые стены, ничьи больше, и никто не смеет забирать это у тебя. Я хочу иметь возможность привести туда наших друзей и сказать: «Смотрите, все это сделала Элизабет. На это у нее ушло три месяца — только белые стены и никаких стульев, но я горжусь ею. Ведь у нее хорошо получилось, правда?»

Элизабет схватилась за живот от хохота.

— Я *никогда* не позволю снести тот дом. В любом случае эта работа приносит мне много денег, — объяснила она.

— Ты уже второй раз упоминаешь о деньгах. Мы неплохо живем. Зачем тебе столько? — спросил Марк.

— На черный день, — ответила Элизабет, смех затих, а улыбка сошла с ее лица, когда она вспо-

мнила о Сирше и об отце. — Ну, пусть на серый.
На серый дождливый день.

— Хорошо, что мы больше не живем в Ирландии, — сказал Марк, не замечая выражения ее лица и глядя в окно. — Иначе бы ты разорилась.

Элизабет посмотрела на дождь за стеклом и не могла не подумать о том, что эта неделя была пустой тратой времени. Не то чтобы она ждала приветственных речей и праздничных украшений на магазинах по случаю ее приезда, но ни Сиршу, ни отца, казалось, совсем не интересовало, дома она или нет, как она жила, где побывала и чем занималась все это время. Но она приехала домой вовсе не для того, чтобы делиться историями о своей жизни в Нью-Йорке, она приехала их проведать.

Отец все еще не разговаривал с ней из-за того, что она уехала и оставила его одного с Сиршей. Работа по нескольку месяцев в разных странах казалась ему страшным грехом, но совсем уехать из страны стало теперь в его глазах самым ужасным грехом из всех возможных. Перед отъездом Элизабет договорилась, что за ними обоими будут присматривать. К ее огромному огорчению, Сирша в прошлом году бросила школу, и Элизабет пришлось опять устраивать ее на работу — восьмой раз за два месяца, — теперь она укладывала продукты на полки в местном супермаркете. Кроме того, она договорилась с соседом, что он будет возить ее два раза в месяц в Килларни на консультации к психологу. Элизабет считала это гораздо важнее работы, хотя и знала, что Сирша согласилась ездить только ради того, чтобы дважды в месяц вырываться из своей клетки. Если когда-нибудь и случится такое, что Сирша решит поговорить о своих чувствах, по крайней мере, будет кому ее выслушать.

Правда, она не обнаружила никаких следов домработницы, которую наняла для отца. Дом был грязным, сырым, в нем плохо пахло даже после того, как она два дня пыталась его отскрести. В итоге Элизабет сдалась, поняв, что никакие чистящие средства не вернут этому месту его блеск. Уходя, мать забрала его с собой.

Сирша уехала с фермы и поселилась с группой каких-то непонятных молодых людей, с которыми она познакомилась в палаточном лагере на музыкальном фестивале. Казалось, эти ребята с длинными волосами и бородами только и делали, что сидели у старой башни, валялись на траве, бренчали на гитаре и распевали песни о самоубийстве.

За время своего пребывания дома Элизабет удалось застать сестру всего два раза. Первая встреча была очень короткой. В день приезда ей позвонили из единственного магазина женской одежды в Бале-на-Гриде. Они поймали Сиршу на краже футболок. Элизабет поехала туда, долго извинялась, заплатила за футболки, и как только они вышли на улицу, Сирша направилась к холмам. Вторая их встреча была достаточно продолжительной для того, чтобы Элизабет одолжила Сирше денег и договорилась пообедать с ней на следующий день, однако обедать Элизабет пришлось в одиночестве. Но, по крайней мере, она была рада видеть, что Сирша наконец немного прибавила в весе. Лицо округлилось, а одежда уже не висела на ней, как раньше. Возможно, на нее хорошо повлияла самостоятельная жизнь.

В ноябре жизнь в Бале-на-Гриде замирает. Молодежь учится в школах и колледжах, туристы сидят по домам или ездят в более теплые страны, в кафе и ресторанах тихо и малолюдно, некоторые закрываются, остальные пытаются выжить. Городок становится мрачным, холодным и унылым, к тому же нет цветов, которые летом хоть как-то оживляют улицы. Кажется, будто жители покинули его. Но Элизабет была рада, что приехала. Возможно, ее маленькой семье было на нее наплевать, но она теперь точно знала, что не может жить, не заботясь о них.

Очередь, в которой стояли Марк и Элизабет, постепенно двигалась. Перед ними был только один человек, и уже скоро они освободятся. Успеют на свой рейс в Дублин, а оттуда отправятся в Нью-Йорк.

У Элизабет зазвонил телефон, и у нее упало сердце.

Марк резко обернулся:

— Не отвечай.

Элизабет достала телефон из сумки и посмотрела на определившийся номер.

— Элизабет, не отвечай! — Его голос был строгим и твердым.

— Это ирландский номер. — Элизабет прикусила губу.

— Не надо, — нежно сказал он.

— Но ведь могло что-то слу... — звонки прекратились.

СЕСИЛИЯ АХЕРН

Марк улыбнулся, на лице у него было написано облегчение.

— Молодец!

Элизабет слабо улыбнулась, и Марк снова повернулся лицом к стойке регистрации. Телефон зазвонил снова.

Номер был тот же.

Марк разговаривал с женщиной за стойкой, смеялся и был, как и всегда, обаятелен. Элизабет крепко стиснула телефон в руке и смотрела на высвечивающийся на экране номер, пока он не пропал и звонки не прекратились.

Раздался сигнал, означающий, что на автоответчик поступило сообщение.

— Элизабет, дай свой паспорт. — Марк повернулся к ней. Лицо у него вытянулось.

— Я просто проверяю сообщения, — быстро сказала Элизабет и, прижав телефон к уху, стала искать в сумке документы.

— Здравствуйте, Элизабет, это Мэри Флэерти из родильного отделения больницы Килларни. Вашу сестру Сиршу привезли со схватками. Это на месяц раньше, чем ожидалось, как вы знаете, так что Сирша хотела, чтобы мы позвонили вам и сообщили об этом на случай, если вы захотите к ней приехать...

Дальше Элизабет не слышала. Она стояла окаменев. Схватки? У Сирши? Она ведь не была беременна. Элизабет прослушала сообщение еще раз, надеясь, что эта Мэри Флэерти просто ошиблась номером, и не обращая внимания на просьбы Марка достать паспорт.

— Элизабет! — Громкий голос Марка прервал ее размышления. — Дай паспорт. Ты всех задерживаешь.

Элизабет обернулась и увидела, что из очереди на нее смотрят рассерженные лица.

— Простите, — прошептала она, дрожа всем телом.

— Что случилось? — спросил Марк, сердитое выражение исчезло с его лица, сменившись озабоченностью.

— Извините, — позвала их девушка за стойкой регистрации. — Вы летите этим рейсом? — спросила она как можно вежливее.

— Эээ... — Элизабет в замешательстве потерла глаза, перевела взгляд с лежавшего на стойке и уже зарегистрированного билета Марка на его лицо, затем снова на билет. — Нет, нет, я не могу. — Она отступила назад, выйдя из очереди. — Простите. — Она повернулась к стоявшим в очереди людям, лица которых уже смягчились. — Простите, пожалуйста.

Она посмотрела на все еще стоявшего в очереди Марка, который выглядел таким... таким разочарованным. Не тем, что она не едет, нет, он был разочарован в *ней самой*.

— Сэр! — Девушка за стойкой окликнула его, протягивая билет.

Он рассеянно взял его и медленно вышел из очереди.

— Что случилось?

— Сирша, — слабым голосом ответила Элизабет, к горлу постепенно подкатил комок. — Ее отвезли в больницу.

— Опять перепила? — Его озабоченность моментально испарилась.

Элизабет долго и напряженно думала, как ответить на этот вопрос, и стыд и смущение от того, что она не знала о беременности сестры, взяли верх и заставили ее солгать.

— Да, наверное. Хотя я не уверена. — Она покачала головой, как бы пытаясь стряхнуть мучившие ее мысли.

Марк опустил плечи.

— Слушай, ей в очередной раз промоют желудок, и все. Ничего нового, Элизабет. Давай ты зарегистрируешься, и мы обсудим это в кафе.

Элизабет покачала головой:

— Нет, Марк, нет. Мне надо ехать.

— Элизабет, это, скорее всего, пустяки, — улыбнулся он. — Сколько таких звонков ты получаешь в год, и всегда одно и то же.

— Может быть, сейчас это не пустяки, Марк.

Марк отнял руку от ее лица:

— Не дай ей сделать это с тобой.

— Что сделать?

— Заставить тебя жить ее жизнью.

— Не будь смешным, Марк, она моя сестра, она *моя жизнь*. Я должна о ней позаботиться.

— Даже несмотря на то что она никогда ничего не делает для тебя? Даже несмотря на то что ее совсем не волнует, есть ты рядом или нет?

Она как будто получила удар в живот.

— Нет, но ведь у меня есть ты, и ты заботишься обо мне. — Она попыталась разрядить обстановку, стараясь, как всегда, сделать всех счастливыми.

— Но ты же мне не даешь ничего сделать. — От гнева и боли глаза у него потемнели.

— Марк, — Элизабет попыталась засмеяться, но не смогла, — я обещаю прилететь ближайшим рейсом. Мне просто нужно узнать, что произошло. Ну, посмотри сам. Будь это твоя сестра, ты бы наверняка уже ехал из аэропорта к ней, у тебя и в мыслях бы не было заводить этот глупый разговор.

— Тогда что же ты тут все еще стоишь? — холодно спросил он.

Тут Элизабет охватил гнев и сами собой хлынули слезы. Она подняла свой чемодан и пошла прочь от Марка. Вышла из аэропорта и помчалась в больницу.

Она вернулась в Нью-Йорк, как и обещала ему. Прилетев через два дня после него, забрала свои вещи из их квартиры, подала на работе заявление об уходе и вернулась в Бале-на-Гриде. Ее сердце разрывала такая боль, что она почти не могла дышать.

Глава шестнадцатая

Элизабет было тринадцать лет, шли ее первые недели в средней школе. Средняя школа находилась дальше, чем начальная, и это означало, что надо вставать раньше. Кроме того, занятия заканчивались позже, и вечером она возвращалась домой в темноте. Она очень мало времени проводила с одиннадцатимесячной Сиршей. Раньше школьный автобус доезжал до фермы, теперь же он останавливался в конце длинной дороги, ведущей к их дому, и ей приходилось долго идти одной до калитки, где ее никто не встречал. Была зима, темнота по утрам и вечерам будто покрывала землю черным бархатом. Элизабет уже в третий раз за эту неделю возвращалась домой, сражаясь с сильным ветром и дождем, форменная юбка задиралась и била по ногам, а спина сгибалась под тяжестью набитого книгами ранца.

Теперь она сидела в пижаме у огня, пытаясь согреться, и делала домашнее задание, одновременно следя за Сиршей, которая ползала по полу, засовывая все, до чего могли дотянуться ее толстенькие ручки, в свой слюнявый рот. Отец был на кухне, разогревал тушеные овощи, выращенные на ферме. Они ели их каждый день. Овсянка на завтрак, тушеные овощи на ужин. Изредка бывали толстые куски говядины или свежая рыба, пойманная отцом. Элизабет любила такие дни.

Сирша что-то лопотала, размахивая руками и глядя на Элизабет, довольная, что старшая сестра дома. Элизабет улыбнулась ей и вернулась к урокам. Схватившись за диван, Сирша подтянулась и встала на ноги. Она медленно переступала с ноги на ногу, раскачиваясь взад и вперед, потом повернулась к Элизабет.

— Давай, Сирша, давай, ты сможешь! — Элизабет отложила ручку и сосредоточила все внимание на сестре. Каждый день Сирша предпринимала попытки пересечь комнату, чтобы дойти до стола Элизабет, но неизменно приземлялась на попу. Элизабет решила, что должна непременно присутствовать при этом, должна увидеть, как Сирше наконец удастся совершить свой первый переход. Она хотела сочинить об этом песню или танец, как сделала бы мать, если бы все еще была с ними.

Сирша выдохнула через рот, от чего на губах у нее образовались пузыри, и заговорила на собственном таинственном языке.

— Да, — Элизабет кивнула, — иди к Элизабет. — И она протянула к ней руки.

Сирша медленно отпустила диван и двинулась вперед с решительным выражением лица. Она отходила от дивана все дальше и дальше, и Элизабет, затаив дыхание, старалась не закричать от радости, чтобы не напугать сестру. Сирша не отрывала от нее глаз. Элизабет никогда не забудет этот взгляд, такая в нем застыла решимость. Наконец она дошла до Элизабет, та подхватила ее на руки и закружила по комнате, покрывая поцелуями, а Сирша смеялась и пускала пузыри.

— Папа, папа! — позвала Элизабет.

— Что? — раздраженно крикнул он.

— Быстрее иди сюда, — ответила Элизабет, помогая Сирше поаплодировать самой себе.

Брендан появился в дверях с озабоченным видом.

— Папа, Сирша пошла! Смотри! Сделай это еще раз, Сирша, пройдись для папочки! — Она поставила сестру на пол, чтобы та повторила свой подвиг.

Брендан рассердился:

— Господи, я думал, что-то важное. Я думал, с тобой что-то стряслось. Не надо мне с этим надоедать. — И он вернулся на кухню.

Когда Сирша посмотрела наверх, чтобы во второй раз продемонстрировать своей семье, какая она умная, и увидела, что папа ушел, лицо ее вытянулось, и она шлепнулась на пол.

В тот день, когда Люк впервые пошел, Элизабет была на работе. Эдит позвонила ей во время совещания, и Элизабет не могла разговаривать, так что она узнала обо всем, только вернувшись домой. Вспоминая об этом сейчас, она поняла, что отреагировала почти как отец, и в который раз возненавидела себя за это. Теперь, став взрослой, она поняла его реакцию. Дело не в том, что его это не волновало, как раз наоборот, — волновало слишком сильно. Сперва они начинают ходить, а потом улетают прочь.

Оптимизм вселяло то, что, раз Элизабет однажды уже удалось помочь сестре пойти, она непременно поможет ей встать на ноги еще раз.

Элизабет вдруг проснулась и замерла от страха, все еще во власти приснившегося кошмара. Она замерзла. Луна кончила свое дежурство в этом полушарии и отправилась дальше, освобождая место солнцу. Солнце по-отечески наблюдало за Элизабет, оберегая ее сон. Серебристо-голубой свет на одеяле сменила желтая дорожка. Она приподнялась на локтях. На часах было 4:35 утра, и Элизабет окончательно проснулась. Одеяло, закрутившееся вокруг ног, наполовину сползло на пол. Она спала беспокойно, сны начинались и не имели конца, сменялись новыми, переплетаясь между собой и образуя странный сплав лиц, мест и слов. Она чувствовала себя обессиленной.

Оглядывая комнату, она ощутила, как в ней закипает раздражение. Несмотря на то что два дня назад она убрала дом сверху донизу, начистив все до блеска, ее охватило непреодолимое желание сделать это заново. Вещи лежали не на своих местах, и она все время замечала это краем глаза. Она потерла нос, который зачесался от досады, и скинула одеяло.

Элизабет немедленно приступила к уборке. Нужно было разложить на кровати двенадцать подушек: шесть рядов по две подушки, обычные сзади, вытянутые и круглые — впереди. Все из разного материала — от кроличьего меха до замши — и разных оттенков — бежевого, кремового и кофейного. Разобравшись с кроватью, она убедилась, что одежда весит в нужном порядке — гамма переходила от темных цветов слева к ярким справа, хотя в ее гардеробе было мало цветных вещей. Когда она надевала хоть что-то цветное, то на улице ей казалось, что она вспыхивает неоновыми огнями. Затем Элизабет прошлась пылесосом по полу, вытерла пыль и до блеска натерла зеркала, выровняла три маленьких полотенца для рук, висевшие в ванной, потратив несколько минут на то, чтобы все полоски оказались параллельны друг другу. Краны блестели, но она продолжала яростно начищать их, пока не уперлась в свое отражение в кафеле. К половине седьмого она закончила уборку гостиной и кухни и, чувствуя, что беспокойство пошло на убыль, села в саду с чашкой кофе и стала проглядывать свои бумаги, чтобы подготовиться к утренней встрече. Этой ночью она спала три часа.

Бенджамин Уэст беззвучно скрежетал зубами от раздражения, пока его босс мерил шагами пол строительного вагончика и разглагольствовал с сильным нью-йоркским акцентом.

— Видишь ли, Бенджди, мне просто…

— Бенджамин, — перебил он.

— …Тошно, — продолжил босс, не обращая на него внимания, — слышать от всех одну и ту же чушь. Это они хотят сделать в современном стиле, то — в духе минимализма. И на хрен это ар-деко, Бенджи!

— Это...

— Я хочу сказать, со сколькими компаниями мы здесь встречались? — Он перестал расхаживать и посмотрел на Бенджамина.

Тот полистал ежедневник и сказал:

— Э-э, с восьмью, не считая той женщины, которой в пятницу пришлось срочно уйти, Элизабет...

— Не важно, — оборвал его босс, — наверняка она такая же, как и остальные.

Он махнул рукой и уставился через окно на стройплощадку. Тоненькая серая косичка повернулась вслед за головой.

— Ну, через полчаса у нас с ней еще одна встреча, — напомнил Бенджамин, посмотрев на часы.

— Отмени! Что бы она ни сказала, мне все равно. Она так же консервативна, как и все остальные. Над сколькими гостиницами мы с тобой вместе работали, Бенджи?

Бенджамин вздохнул:

— Во-первых, Бенджамин, а во-вторых, мы много работали вместе, Винсент.

— Много. — Босс кивнул самому себе. — Именно. А сколько мест, где мы с тобой работали, выглядели так же чудесно? — Он вытянул руку, указывая на расстилавшийся за окном пейзаж. Бенджамин с безразличным видом повернулся в кресле и с трудом заставил себя взглянуть на шумную и грязную стройплощадку. Конечно, это было красиво, но он бы предпочел увидеть там уже готовую новенькую гостиницу, а не холмы и озера. Он в Ирландии уже два месяца, а окончание строительства гостиницы запланировано на август, то есть еще через три месяца. Бенджамин родился в Хакстоне, штат Колорадо, но жил в Нью-Йорке, считая, что навсегда спасся от клаустрофобии, которую способен вызвать маленький город. Похоже, он ошибался.

— Ну? — Винсент закурил сигару и теперь посасывал ее кончик.

— Прекрасный вид, — сказал Бенджамин со скучающим видом.

— Чертовски прекрасный вид, и я не позволю какому-нибудь супер-пупер дизайнеру по интерьерам заявиться сюда и превратить наш будущий отель в заурядную городскую гостиницу, которых мы уже настроили миллионы.

— А чего ты хочешь, Винсент? — Последние два месяца Бенджамин слышал только то, чего он *не* хотел.

Винсент, одетый в блестящий серый костюм, подошел к портфелю, вынул из него папку и бросил ее на стол перед Бенджамином.

— Посмотри на эти газетные статьи. Это место — просто золотая жила. Я хочу того, чего хотят люди. А люди не хотят просто средненькую гостиницу. Она должна быть романтичной, веселой, артистичной, без этих шизоидных современных заморочек. И если еще хоть кто-нибудь придет сюда все с теми же дерьмовыми идеями, я сам займусь дизайном отеля. — Раскрасневшись, он отвернулся к окну и затянулся.

Спектакли Винсента давно надоели Бенджамину.

— Я хочу настоящего художника, — продолжил Винсент, — бредящего лунатика. Творческого, своеобразного человека. Я устал от всех этих, в офисных костюмах, которые говорят о цветовых оттенках так, будто это секторные диаграммы, и которые никогда в жизни не брали в руки кисть. Я хочу Ван Гога…

Его прервал стук в дверь.

— Кто это? — угрюмо спросил Винсент, лицо его все еще было красным после гневной тирады.

— Наверное, Элизабет Эган пришла на нашу встречу.

— По-моему, я велел тебе ее отменить.

Бенджамин проигнорировал эту реплику и подошел к двери, чтобы впустить Элизабет.

— Здравствуйте, — сказала она, входя. За ней шла Поппи с фиолетовыми волосами, вся забрызганная краской и сгибающаяся под тяжестью папок, из которых вываливались образцы коврового покрытия и тканей.

— Здравствуйте, я Бенджамин Уэст, руководитель проекта. Мы встречались в пятницу. — Он пожал Элизабет руку.

— Да, простите, тогда мне пришлось уйти, — твердым голосом сообщила она, не глядя ему в глаза. — Уверяю вас, такое случается не часто. — Она повернулась к стоящей за ней девушке, которая уже совсем выбилась из сил.

— Это Поппи, моя помощница. Надеюсь, вы не будете возражать, если она примет участие в нашей встрече.

Поппи, сражаясь с папками, пожала Бенджамину руку, вследствие чего несколько папок упали на пол.

— Вот черт, — громко сказала она, и Элизабет с грозным видом повернулась к ней.

Бенджамин рассмеялся.

— Все нормально. Давайте я помогу.

— Мистер Тэйлор, — громко сказала Элизабет, пересекая комнату с протянутой рукой, — рада еще раз встретиться с вами. Я хотела бы извиниться за то, что произошло на прошлой встрече.

Винсент внимательно осмотрел ее черный костюм и затянулся сигарой. Он не пожал ей руку и отвернулся к окну.

Бенджамин помог Поппи донести папки до стола и заговорил, чтобы разрядить напряжение:

— Почему бы нам не присесть?

Элизабет с пылающим лицом медленно опустила руку и шагнула к столу. Вдруг ее голос стал выше на октаву.

— Айвен!

Поппи нахмурилась и оглядела комнату.

— Ничего страшного, — сказал ей Бенджамин. — Люди все время путают мое имя. Меня зовут Бенджамин, мисс Эган.

— Да нет, я не вам. — Элизабет засмеялась. — Я говорю о мужчине, сидящем в кресле, рядом с вами. — Она подошла к столу. — Что вы здесь делаете? Я не знала, что вы связаны с гостиницей. Я думала, вы работаете с детьми.

Винсент поднял брови и молча смотрел, как она кивает и вежливо улыбается. Он захохотал, и это был искренний смех, закончившийся отрывистым кашлем.

— С вами все в порядке, мистер Тэйлор? — участливо спросила Элизабет.

— Да, мисс Эган, все в порядке. Все в полном порядке. Рад встрече с вами. — Он протянул ей руку.

Пока Поппи с Элизабет раскладывали бумаги, Винсент вполголоса сказал Бенджамину:

— Может быть, эта не так уж и далека от того, чтобы отрезать себе ухо.

Дверь в вагончик открылась, и вошла секретарша с подносом, уставленным кофейными чашками.

— Что ж, было приятно снова встретиться с вами. До свидания, Айвен! — крикнула Элизабет, когда дверь за женщиной закрылась.

— Ну что, он ушел? — сухо спросила Поппи.

— Не волнуйтесь, — тихо смеясь, сказал Бенджамин Поппи, с восхищением наблюдая за Элизабет. — Она чудесно вписывается в образ. Вы подслушивали за дверью, не так ли?

Поппи в замешательстве посмотрела на него.

— Не бойтесь, это не грозит неприятностями, — он засмеялся, — но вы же слышали наш разговор, да?

Поппи задумалась на мгновение, а затем медленно кивнула, все еще сильно смущаясь.

Бенджамин захихикал и бросил взгляд в сторону.

— Я так и думал. Умная женщина, — размышлял он вслух, наблюдая за поглощенной беседой с Винсентом Элизабет.

Они оба были явно захвачены разговором.

— Элизабет, вы мне нравитесь, правда, — искренне говорил Винсент. — Мне нравится ваша эксцентричность.

Элизабет нахмурилась.

— Понимаете, ваши причуды... Это отличительная черта гениев, а мне нравится, когда у меня в команде работают гении.

Она кивнула, совершенно сбитая с толку.

— Но, — продолжил Винсент, — ваши идеи не слишком убедительны. По правде сказать, они совершенно неубедительны. Мне они не нравятся.

Повисло молчание.

Элизабет неловко заерзала в кресле.

— Хорошо. — Она попыталась сохранить деловой тон. — Что именно у вас на уме?

— Любовь.

— Любовь? — медленно повторила Элизабет.

— Да, любовь. — Он откинулась в кресле, сложив руки на животе.

— У вас на уме любовь, — холодно сказала Элизабет, посмотрев на Бенджамина и ища подтверждения.

Бенджамин пожал плечами.

— Ну, *мне самому* наплевать на любовь, — сказал Винсент. — Я женат уже двадцать пять лет, — добавил он в качестве объяснения. — Но ирландская публика хочет именно любви. Где эта штука? — Он пошарил по столу и подвинул Элизабет папку с газетными вырезками.

Бегло просмотрев их, Элизабет заговорила, и Бенджамин услышал разочарование в ее голосе.

— А, я поняла. Вы хотите *тематическую* гостиницу.

— Вы говорите так, будто это что-то вульгарное, — отмахнулся он.

— Да, я убеждена, что тематические гостиницы — это вульгарно, — твердо сказала Элизабет. Она не могла поступиться принципами даже ради такой работы, как эта.

Бенджамин и Поппи посмотрели на Винсента, ожидая ответного удара. Как на теннисном матче.

— Элизабет, — сказал Винсент, уголки его губ расползлись в улыбке, — вы красивая женщина, уверен, вам это известно. Любовь не тема. Это атмосфера, настроение.

— Понимаю, — ответила Элизабет, хотя выражение ее лица свидетельствовало об обратном. — Вы хотите создать в гостинице ауру любви.

— Именно! — сказал Винсент с довольным видом. — Но это не то, чего хочу я, это то, чего хотят *они*. — И он постучал пальцем по газете.

Элизабет откашлялась и заговорила, словно обращаясь к ребенку:

— Мистер Тэйлор, сейчас июнь, «дурацкий сезон», как мы его называем, когда не о чем писать. Пресса представляет искаженную картину общественного мнения. Она не отражает подлинных желаний ирландцев. Стремление к тому, что удовлетворяет лишь нужды прессы, было бы большой ошибкой.

Винсент отнюдь не выглядел убежденным.

— Послушайте, гостиница расположена в прекрасном месте с чудесными видами, на краю красивого городка с огромным количеством доступных уличных развлечений. Я хотела перенести пейзаж внутрь, сделать его частью интерьера. Используя натуральные земляные оттенки, например темно-зеленые, коричневые, и камень, мы сможем...

— Все это я уже не раз слышал. — Винсент снова затянулся. — Я не хочу, чтобы гостиница сливалась с горами. Я хочу, чтобы она выделялась на их фоне. Я не хочу, чтобы гости чувствовали себя какими-то хоббитами, спящими на холмике, заросшем травой и покрытом грязью. — Он сердито затушил сигару в пепельнице.

Она упустила его, подумал Бенджамин. Очень жаль: она действительно старалась. Он смотрел, как выражение ее лица смягчилось, когда работа ускользнула от нее.

— Мистер Тэйлор, — быстро сказала она, — вы еще не слышали *все* мои идеи. — Она хваталась за соломинки.

Винсент что-то проворчал и посмотрел на свой усыпанный бриллиантами «ролекс».

— У вас есть тридцать секунд.

На двадцать из них она застыла, но, в конце концов, собралась с духом и с явной неохотой произнесла:

— Поппи, расскажи ему о своих предложениях.

— Да! — От радости Поппи подпрыгнула и протанцевала к Винсенту, стоявшему у другого конца стола. — Итак, я представляю себе наполненные водой матрацы в форме сердец, горячие ванны, бокалы с шампанским на прикроватных тумбочках. Я представляю себе, как романтизм переплетается с ар-деко. Буйство, — она с помощью рук изобразила буйство, — насыщенных красных и бордовых оттенков, которые создадут впечатление, что вы находитесь в устланном бархатом чреве. Повсюду свечи. Смесь французского будуара с...

Пока Поппи тараторила, а Винсент оживленно кивал, жадно ловя каждое ее слово, Бенджамин повернулся и посмотрел на Элизабет, которая сидела, подперев голову, и морщилась от каждой высказанной Поппи идеи. Они обменялись скептическими взглядами по поводу своих коллег.

А затем улыбнулись друг другу.

Глава семнадцатая

О господи, о господи! — радостно визжала Поппи, направляясь все тем же танцующим шагом к машине Элизабет. — Я бы хотела поблагодарить Дэмиена Херста за то, что он вдохновил меня, Эгона Шиле, — она смахнула с глаза воображаемую слезинку, — Бэнкси и Роберта Раушенберга за то, что их работы помогли моему творческому уму развиться, постепенно раскрываясь, как почка, и за то...

— Прекрати, — прошипела Элизабет сквозь зубы. — Они все еще на нас смотрят.

— Нет, не смотрят, что за мания преследования! — Ликование Поппи сменилось раздражением. Она повернулась, чтобы взглянуть на вагончик.

— Поппи, не оборачивайся. — Элизабет говорила с ней как с ребенком.

— Почему? Они не смо... Ой, нет, смотрят. До свидаааания! спааасибо! — Она неистово замахала руками.

— Ты что, хочешь потерять заказ? — пригрозила Элизабет, отказываясь оборачиваться. Ее слова произвели на Поппи тот же эффект, что и на Люка, когда она пригрозила отобрать у него плейстейшн. Поппи сразу перестала подпрыгивать, и они в молчании дошли до машины. Элизабет чувствовала, как две пары глаз прожигают ей спину.

— Не могу поверить, что мы получили эту работу, — выдохнула Поппи, прижав руку к сердцу, когда они сели в автомобиль.

— Я тоже, — проворчала Элизабет, затем защелкнула ремень безопасности и завела мотор.

— Что с тобой, ворчунья? Как будто мы *не* получили работу, — спросила Поппи, устраиваясь на пассажирском сиденье.

Элизабет задумалась. На самом деле работу получила вовсе не она, а Поппи. Это была победа, которая таковой не ощущалась. И почему там оказался Айвен? Он сказал Элизабет, что работает с детьми, а какое отношение гостиница имела к детям? Он даже не задержался, чтобы все толком объяснить, а просто вышел, как только принесли напитки, не попрощавшись ни с кем, кроме нее. Она стала размышлять над этим. Может, он занимается бизнесом вместе с Винсентом и она вошла во время важной встречи, что, вероятно, и объясняло грубость и нервозность Винсента. Ну, в любом случае она должна была об этом знать, и она рассердилась на Айвена за то, что он не предупредил ее вчера вечером. Ей нужно было подготовиться, она ненавидела провалы.

Расставшись с крайне возбужденной Поппи, она отправилась к Джо, чтобы выпить кофе и подумать.

— Элизабет, привет! — закричал Джо. Трое клиентов, мирно сидевших за столиками, подпрыгнули от его внезапного крика.

— Пожалуйста, кофе, Джо.

— Для разнообразия?

Улыбка вышла вымученной. Она выбрала столик у окна, выходящего на главную улицу, и села к нему спиной. Она не любила наблюдать за людьми, и ей нужно было подумать.

— Прошу прощения, мисс Эган. — Мужской голос с американским акцентом заставил ее вздрогнуть.

— Мистер Уэст, — сказала она, с удивлением поднимая голову.

— Пожалуйста, зовите меня Бенджамином. — Он улыбнулся и показал на стул рядом с ней. — Не возражаете, если я к вам присоединюсь?

Элизабет сдвинула бумаги и освободила ему место.

— Хотите что-нибудь выпить?

— Кофе был бы в самый раз.

Элизабет взяла чашку, подняла ее и сказала хозяину:

— Джо, два фраппучино[1] с манго, пожалуйста.

В глазах у Бенджамина зажегся огонек.

1 Ф р а п п у ч и н о — кофе, предлагаемый в сети кафе «Старбакс».

— Вы шутите, я думал, здесь такое не подают... — Он не договорил. Его прервал Джо, поставив на стол две кружки кофе с молоком. — А-а, — закончил он разочарованно.

Она стала рассматривать Бенджамина. Выглядел он ужасно. Густые черные волосы колечками вились вокруг его головы, иссиня-черная щетина росла от верха волосатой груди до самых скул. На нем были старые джинсы, все в пятнах, потертая джинсовая куртка, рыжие ботинки на толстой подошве с налипшими комьями земли, от которых осталась дорожка от входной двери до стола, а под столом у ног образовалась кучка засохшей грязи. Черная грязь скопилась и под его ногтями, и, когда он положил руки на стол перед Элизабет, ей захотелось отвернуться.

— Поздравляю с удачей, — сказал Бенджамин с искренней радостью. — Все получилось отлично. Вы блестяще это провернули. За вас! Вы в таких случаях говорите «Слоньте!», да? — Он поднял вверх кофейную кружку.

— Простите? — холодно спросила Элизабет.

— Слоньте! Это неправильно? — спросил он озабоченно.

— Нет, — сказала она. — То есть правильно, но я не о том. — Она покачала головой. — Я не «провернула это», как вы говорите, мистер Уэст. Получить этот контракт не было таким уж неожиданным везением.

Загорелая кожа Бенджамина слегка порозовела.

— О, я совсем не то имел в виду, и, пожалуйста, зовите меня Бенджамин. Мистер Уэст — как-то уж слишком официально. — Он неловко поерзал на стуле. — Ваша помощница, Поппи... — он посмотрел в сторону, подбирая слова, — она очень талантлива, у нее масса невероятных идей, а у Винсента, в общем, такой же подход к делу. Иногда он чересчур увлекается, и его нужно слегка сдерживать. Понимаете, моя работа — следить, чтобы все строилось вовремя и в рамках бюджета, так что я собираюсь поступить как обычно: убедить Винсента, что у нас нет денег на идеи Поппи.

У Элизабет сердце упало.

— В таком случае он решит нанять дизайнера, который будет ему по карману. Мистер Уэст, вы что, пришли сюда уговаривать меня отказаться от этой работы? — холодно спросила она.

Бенджамин вздохнул.

— Во-первых, Бенджамин, — снова подчеркнул он. — А во-вторых, ничего подобного, я вовсе не уговариваю вас отказаться. — Он сказал это так, что она почувствовала себя дурой. — Послушайте, я пытаюсь помочь вам. Я вижу, что вам не по душе замысел в целом, и, честно говоря, не думаю, что он придется по вкусу местным жителям.

Он широким жестом обвел кафе, и Элизабет попыталась представить себе, как Джо отправляется на воскресный обед в бархатное чрево. Нет, здесь этот номер не пройдет.

Бенджамин продолжал:

— Мне не безразличны проекты, которыми я занимаюсь, и, по-моему, это очень перспективная гостиница. Я не хочу, чтобы она выглядела как «Мулен Руж» в Лас-Вегасе.

Элизабет почувствовала, что сползает со стула.

— Итак, — настойчиво сказал он, — я пришел сюда, потому что мне нравятся ваши идеи. Они изысканные и в то же время практичные, но не суперсовременные и могут привлечь широкий круг людей. Замысел Винсента и Поппи слишком специфический, он сразу отпугнет три четверти клиентов. Но не могли бы вы чуть-чуть добавить красок? Я согласен с Винсентом, вашей концепции не повредит, если дизайн будет меньше походить на Хоббитанию и больше на современную гостиницу. У людей не должно складываться впечатление, что им придется идти пешком до вершин Макгилликадди-Рикс, чтобы бросить кольцо в жерло Роковой горы.

Элизабет почувствовала себе оскорбленной.

— Как вам кажется, — продолжал он, игнорируя ее реакцию, — вам удастся поработать с Поппи? Ну, в смысле смягчить немного ее идеи...

Элизабет приготовилась к еще одной хитрой атаке, но, похоже, он действительно хотел помочь ей. Она прочистила горло, в чем на самом деле не было необходимости, и от смущения потеребила полу своего пиджака. Взяв себя в руки, она сказала:

— Ну, я рада, что мы одного мнения в этом вопросе, но... — Она жестом попросила Джо принести ей еще кофе и попыталась представить себе, как могли бы сочетаться ее натуральные оттенки с яркими цветами Поппи.

На предложение Джо принести и ему вторую кружку кофе Бенджамин энергично замотал головой. Перед ним еще первая стояла нетронутой.

— Вы пьете много кофе, — заметил он, когда Джо поставил перед ней третью кружку.

— Это помогает думать, — сказала она, делая глоток.

На мгновение наступила тишина.

И вдруг Элизабет оживилась:

— У меня появилась идея.

— Ого, быстро сработало, — улыбнулся Бенджамин.

— Что? — нахмурилась Элизабет.

— Я сказал...

— Ладно, — не слушая, перебила его Элизабет, захваченная потоком мыслей, — предположим, что мистер Тэйлор прав: легенда живет и люди видят это место как обиталище любви и все такое прочее. — Она состроила гримасу, явно не разделяя такое мнение. — Однако существует рынок, требованиям которого мы должны соответствовать, и тут вполне подойдут идеи Поппи, но мы сведем их к минимуму. Например, используем в номерах для новобрачных, а также в каких-нибудь укромных уголках, разбросанных тут и там... А в остальном попробуем мое оформление, в которое, что ж, можно действительно добавить чуть больше красок.

Бенджамин улыбнулся:

— Я поговорю с Винсентом. Слушайте, когда я сказал, что вам удалось провернуть это, я вовсе не имел в виду, что у вас нет таланта. Я говорил лишь о вашем сумасшедшем спектакле. — И он покрутил грязным пальцем у виска.

Хорошее настроение Элизабет улетучилось.

— Что, простите?

— Ну, — Бенджамин широко улыбнулся, — когда вы изобразили, что видите привидение.

Элизабет безучастно смотрела на него.

— Тот мужчина за столом, с которым вы разговаривали. Уже забыли?

— Айвен? — неуверенно спросила Элизабет.

— Точно, так его звали! — Бенджамин щелкнул пальцами и со смехом откинулся на стуле. — Точно, Айвен, очень, очень пассивный партнер.

Брови Элизабет поползли вверх.

— Партнер?

Бенджамин засмеялся еще громче.

— Ну да, так и есть, только не говорите, что я вам сказал, ладно? Мне будет очень неловко, если он узнает.

— Не беспокойтесь, — сухо ответила потрясенная Элизабет. — Когда я встречусь с ним, не скажу ни слова.

— Как и он, — захихикал Бенджамин.

— Ну, это мы еще посмотрим, — раздраженно заметила Элизабет. — Хотя вчера вечером мы виделись и он действительно ничего мне не сказал.

Бенджамин, казалось, был поражен:

— Не думаю, что такие вещи разрешены в компании «Тэйлор констракшнз». Любовные связи на работе строго осуждаются. С другой стороны, никогда не знаешь, может, именно благодаря Айвену вам и поручили этот проект. — Он устало потер глаза и перестал смеяться. — Подумать только, что в наши дни приходится делать, чтобы получить заказ!

У нее отвисла челюсть.

— Но раз вы на это идете, значит, очень любите свою работу. — Он с восхищением посмотрел на нее. — Не думаю, что я так смог бы. — Его плечи снова затряслись.

Рот Элизабет раскрылся еще шире. Он что, обвиняет ее в том, что она спала с Айвеном, чтобы получить работу? Она онемела.

— Было очень приятно с вами встретиться, — сказал Бенджамин, поднимаясь. — Я рад, что мы уладили проблему «Мулен Руж». Я обговорю все с Винсентом и позвоню, как только будут новости. У вас есть мой телефон? — спросил он.

Он полез в нагрудный карман и вытащил оттуда текущую шариковую ручку, которая уже оставила в низу кармана синее пятно, схватил салфетку и неряшливо нацарапал на ней свое имя и телефон.

— Это мобильный и рабочий. — Он протянул ей салфетку и подвинул к ней текущую ручку с куском другой салфетки, мокрой от его пролившегося кофе. — Вы мне дадите свой? Тогда мне не нужно будет искать его в бумагах.

Элизабет, все еще сердитая и оскорбленная, тем не менее потянулась к сумочке, достала кожаную визитницу и вынула одну из своих визиток с золотым обрезом. Сейчас не время с ним разбираться, ей нужна эта работа. Ради Люка и ради своего бизнеса она будет держать язык за зубами.

Бенджамин слегка покраснел.

— А, хорошо. — Он убрал рваную салфетку и текущую ручку и взял визитку. — Думаю, так лучше.— И протянул ей руку.

Она взглянула на его ладонь с синими чернильными пятнами и грязными ногтями и тут же подсунула под себя руки.

Когда он ушел, смущенная Элизабет посмотрела вокруг, пытаясь понять, видел ли кто-нибудь еще то, что видела она. Джо встретился с ней взглядом и подмигнул, как будто бы они с ней знали какой-то секрет. После работы она собиралась забрать Люка от Сэма и, хотя знала, что Айвен и мать Сэма больше не живут вместе, рассчитывала его там увидеть.

Чтобы высказать ему все, что она об этом думает, разумеется.

Глава восемнадцатая

Ошибка номер один — прийти на переговоры Элизабет со строителями. Не следовало так поступать. Это подпадает под то же правило, которое запрещает ходить в школу с нашими маленькими друзьями, и я должен был сообразить, что школа Люка эквивалентна работе Элизабет. Я был готов пинать себя за это ногами. На самом деле я так и поступил, но Люк решил, что это очень смешно, и начал обезьянничать, в результате ноги его покрылись синяками. Поэтому я перестал.

Выйдя из вагончика, я пошел обратно к дому Сэма, где находился Люк. Сел на траву в саду за домом, и стал смотреть, как мальчики борются друг с другом, надеясь, что дело не кончится слезами, и предался своему любимому развлечению — размышлениям.

На сей раз это были весьма полезные размышления, потому что я кое-что понял. Например, я понял, что пошел утром на переговоры, повинуясь интуиции. Я не представлял себе, чем мое присутствие может помочь Элизабет, но должен был следовать своим побуждениям и просто решил, что она меня не увидит. Наша встреча с ней накануне вечером была совершенно неожиданной, больше похожей на сон, на следующее утро я даже подумал, что это плод моего воображения. Так и вижу ваши иронические улыбки.

Я был так счастлив, что она меня увидела! Когда я заметил, что она качается на качелях с совершенно потерянным, несчастным видом, то понял, что если ей суждено когда-нибудь увидеть меня, то именно сейчас. Я просто это почувствовал. Я знал, что ей нужно меня увидеть, и приготовился к тому, что когда-нибудь это произойдет. Но я не был готов к той дрожи, которая охватила меня, когда наши взгляды встретились. Это было странно, потому что последние четыре дня я наблюдал за Элизабет и привык к ее лицу, знал его вдоль и поперек, мог отчетливо представить его себе даже с закрытыми глазами, знал о крошечной родинке на левом виске, знал, что одна скула немного выше другой, что верхняя губа короче нижней, что по линии волос растет нежный пушок. Да, я все это знал, но насколько иначе выглядят люди, когда по-настоящему посмотришь им в глаза! Они вдруг оказываются совершенно другими. Если вы спросите моего мнения, то я считаю, что глаза действительно являются окнами души.

Никогда прежде я не испытывал ничего подобного, но списал все на нервы, потому что никогда раньше не оказывался в такой ситуации. Ведь у меня никогда не было друзей возраста Элизабет, и я волновался. Это был совершенно новый для меня опыт, но мне сразу же захотелось его продолжить.

Я редко смущаюсь и беспокоюсь. Но когда я ждал Люка в саду у Сэма, я беспокоился очень сильно. И это смущало меня, а оттого что я пребывал в смущении, беспокойство мое усиливалось. Я очень надеялся, что у Элизабет не возникло из-за меня проблем, и тем же вечером, когда мы с солнцем играли в прятки, попробовал это выяснить.

Солнце пыталось скрыться за домом Сэма и оставить меня в тени. Но я передвигался по саду вслед за ним и занимал последние освещенные участки, пока они совсем не исчезли. Мама Сэма принимала ванну после занятий танцевальными упражнениями под видеозапись у себя в комнате, что было весьма увлекательным зрелищем, и, когда раздался звонок, дверь открыл Сэм. Ему строго-настрого запретили открывать дверь кому-либо, кроме Элизабет.

— Здравствуй, Сэм, — услышал я из холла. — Папа дома?

— Нет, — ответил Сэм. — Он на работе. Мы с Люком играем в саду.

Раздался звук приближающихся шагов, стук каблуков по деревянному полу, а затем, когда она вышла в сад, я услышал ее рассерженный голос.

— Ах, так он на работе, да? — воскликнула Элизабет, стоя у дома и глядя на меня сверху вниз.

— Ну да, — ответил сбитый с толку Сэм и побежал дальше играть с Люком.

В том, как Элизабет стояла с грозным видом у выхода в сад, было что-то настолько трогательное, что я улыбнулся.

— Вам что-то кажется смешным, Айвен?

— Много чего, — ответил я, усаживаясь на последний освещенный солнцем участок. Думаю, в прятки я тогда у солнца выиграл. — Когда люди попадают под фонтаны брызг из-под машин, их как будто щекочут вот тут. — Я показал на свой бок. — Крис Рок, Эдди Мерфи в фильме «Полицейский из Беверли-Хиллз-2» и...

— О чем вы говорите? — нахмурилась она, подходя ближе.

— О смешном, о чем же еще?

— Что это вы делаете? — Она подошла еще ближе.

— Пытаюсь вспомнить, как плести венки из ромашек. На Опал они смотрелись красиво. — Я посмотрел на нее снизу вверх. — Опал — мой босс, и венок из ромашек был у нее на голове. Трава совершенно сухая, если вы хотите присесть. — Я продолжал срывать ромашки.

Чтобы устроиться на траве, Элизабет потребовалось некоторое время. Она явно чувствовала себя как на иголках. Смахнув невидимую пылинку со своих широких брюк и стараясь сидеть на ладонях, чтобы не осталось пятен от травы, она внимательно посмотрела на меня.

— Элизабет, что-то случилось? Я вижу, что-то не так.

— Как вы проницательны!

Я уловил сарказм в ее словах.

— Спасибо. Это часть моей работы, но с вашей стороны очень мило сделать мне комплимент.

— Нам с вами надо выяснить одно, мягко говоря, недоразумение.

— Надеюсь, смешное. — Я зацепил один стебелек за другой. — Вот, пожалуйста, еще одна смешная вещь — смешные недоразумения. Они досаждают, но все равно вызывают смех. Как и многое в жизни, полагаю, или даже как сама жизнь. Жизнь — это смешное недоразумение. Мммм...

Она озадаченно посмотрела на меня.

— Айвен, я пришла высказать вам все, что думаю. Сегодня после вашего ухода я поговорила с Бенджамином, и он сообщил мне, что вы их партнер. Еще он обвинил меня кое в чем, но об этом я даже не хочу говорить. — Она просто кипела от ярости.

— Вы пришли высказать мне все, что думаете, — повторил я, глядя на нее. — Очень красивая фраза. Знаете, думать — самая сильная способность тела. То, что придумает мозг, тело выполнит. Так что высказать мне все, что вы думаете... что ж, спасибо, Элизабет. Забавно, что люди всегда хотят высказать все тем, кто им не нравится, когда на самом деле это должно предназначаться тем, кого они любят. Вот и еще одна смешная вещь. Но высказать все, что вы думаете... Каким подарком это было бы для меня! — Я затянул последний стебелек и расправил гирлянду. — Взамен я подарю вам браслет из ромашек. — И я надел браслет ей на руку.

Она сидела на траве. Не пошевелилась, ничего не сказала, просто смотрела на браслет. Потом улыбнулась, а когда заговорила, ее голос был тихим.

— Кто-нибудь когда-нибудь сердился на вас дольше пяти минут?

Я посмотрел на часы.

— Да, вы — с десяти утра до настоящего момента.

Она засмеялась.

— Почему вы не рассказали мне, что работаете с Винсентом Тэйлором?

— Потому что я с ним не работаю.

— Но Бенджамин сказал, что работаете.

— Кто такой Бенджамин?

— Руководитель проекта. Он сказал, что вы пассивный партнер.

Я улыбнулся.

— Наверное, так и есть. Элизабет, он просто пошутил. У меня нет ничего общего с этой компанией. Я настолько пассивен в отношении нее, что вообще в их делах не участвую и не говорю ни слова.

— Не говорите ни слова? С этой вашей стороной я еще не сталкивалась, — улыбнулась она. — Так вы никак не связаны с проектом?

— Элизабет, я работаю с людьми, а не со зданиями.

— Тогда что имел в виду Бенджамин? — Она была сбита с толку. — Странный он, этот Бенджамин Уэст. И какие дела вы обсуждали с Винсентом? Какое отношение к гостинице могут иметь дети?

— Вы очень любопытны, — засмеялся я. — С Винсентом Тэйлором мы не говорили ни о каких делах. Хотя это хороший вопрос — какое отношение к гостинице *должны*, по вашему мнению, иметь дети?

— Совершенно никакого, — засмеялась Элизабет и резко замолчала, испугавшись, что обидела меня. — Вы считаете, что гостиница должна быть рассчитана на присутствие детей и им должно быть там хорошо.

Я улыбнулся.

— А вам не кажется, что все и везде должны стараться, чтобы детям было хорошо?

— Могу привести парочку исключений из этого правила, — едко сказала Элизабет, посмотрев на Люка.

Я знал, что она подумала о Сирше и об отце, а может, и о себе самой.

— Завтра я предложу Винсенту сделать нечто вроде комнаты для игр или детской площадки... — Она умолкла. — Я никогда раньше не занималась дизайном для детей. Чего, черт побери, хотят дети?

— Вы легко справитесь, Элизабет. Вы сами когда-то были ребенком. Чего вам хотелось?

Ее карие глаза потемнели, и она отвела взгляд в сторону:

— Теперь все по-другому. Дети не хотят того, чего хотела я. Времена изменились.

— Не так уж сильно они изменились. Дети всегда хотят одного и того же, потому что всем им нужно одно и то же, нечто важное и основное.

— Например?

— Ну, почему бы вам не рассказать мне, чего хотели вы, а я скажу вам, хотят ли этого дети сейчас.

Элизабет весело рассмеялась:

— Вы всегда играете в игры, Айвен?

— Всегда, — улыбнулся я. — Рассказывайте.

Пристально всматриваясь мне в глаза, она какое-то время боролась с собой, раздумывая, рассказывать или нет, и, наконец, глубоко вздохнула.

— Когда я была маленькой, каждую субботу по вечерам мы с мамой сидели за кухонным столом и писали цветными карандашами на красивой бумаге полный список того, чем будем заниматься завтра. — От воспоминаний ее глаза засветились. — Каждый субботний вечер я приходила в такое возбуждение от наших планов на воскресенье, что прикрепляла список к стене у себя в комнате и заставляла себя ложиться спать пораньше, чтобы скорее наступило утро. — Ее улыбка погасла. — Но все это нельзя поместить в комнату для игр. А теперь детям нужны плейстейшн, иксбокс и все такое прочее.

— Почему бы вам не рассказать мне, что было в этих субботних списках?

Она посмотрела вдаль.

— Всякие абсолютно невыполнимые мечты. Мама обещала мне, что ночью мы будем лежать в поле на спине, ловить падающие звезды и загадывать все, что захотим. Лежать в огромных ваннах, наполненных до краев лепестками вишни, пробовать на вкус грибной дождь, крутиться на городских оросительных приспособлениях, которыми в парках поливают газон, ужинать на пляже при свете луны, а потом танцевать на песке. — Элизабет засмеялась от этих воспоминаний. — Когда произносишь вслух, все это звучит так глупо, правда? Но моя мать была веселой и смелой, необузданной и легкомысленной, даже, может быть, слегка эксцентричной. Ей всегда хотелось чего-то нового, что можно увидеть, попробовать или открыть для себя.

— Все это, наверно, было так весело, — сказал я, испытывая благоговение перед ее матерью. — Попробовать на вкус грибной дождь! Да это в сто раз лучше телескопа из рулончиков от туалетной бумаги.

— О, не знаю. — Элизабет посмотрела в сторону и тяжело вздохнула. — Мы никогда так ничего из этого и не сделали.

— Но я уверен, вы миллион раз проделывали все это мысленно, — возразил я.

— Ну, кое-что мы все-таки сделали вместе. Сразу после того, как родилась Сирша, она привела меня на луг, постелила одеяло и достала корзинку для пикника. Мы ели свежий черный хлеб, все еще обжигающе горячий после печи, с домашним клубничным вареньем. — Элизабет закрыла глаза. — Я до сих пор помню запах и вкус. — Она с удивлением покачала головой. — Но она решила устроить пикник там, где паслись наши коровы.

Так что пикник проходил в окружении этих любопытных животных.

Мы оба рассмеялись.

— Именно тогда она сказала мне, что уходит. Ей было тесно в нашем городке. Она так не говорила, но наверняка чувствовала. — Голос Элизабет задрожал, и она замолчала. Она смотрела, как Люк и Сэм бегают друг за другом по саду, но не видела их, слушала их радостные крики и ничего не слышала. Она отрешилась ото всего.

— Впрочем, — ее голос вновь стал серьезным, и она откашлялась, — это все к делу не относится. И к гостинице не имеет никакого отношения. Даже не знаю, зачем я заговорила об этом.

Элизабет явно была смущена. Готов поспорить, что она никогда в жизни не произносила всего этого вслух, так что помолчал какое-то время, пока она разбиралась со своими мыслями.

— У вас с Фионой хорошие отношения? — спросила она, по-прежнему не глядя на меня.

— С Фионой?

— Да, с женщиной, на которой вы не женаты. — Она улыбнулась впервые за долгое время и, казалось, успокоилась.

— Фиона со мной не разговаривает, — ответил я, все еще не понимая, почему она думает, что я отец Сэма. Придется поговорить об этом с Люком. Мне было неловко, оттого что меня принимают за другого.

— У вас с ней все кончилось плохо?

— У нас ничего и не начиналось, поэтому нечему было кончаться, — честно ответил я.

— Понимаю. — Она посмотрела на меня и засмеялась. — Тем не менее кое-что хорошее из этого получилось. — Она отвернулась и стала наблюдать, как играют Сэм с Люком. Она имела в виду Сэма, но мне показалось, что смотрела она на Люка, и я был этому рад.

Мы оба собрались уходить, и Элизабет повернулась ко мне:

— Айвен, я никому не говорила того, что рассказала вам. — Она сглотнула. — Никогда. Не знаю, с чего меня потянуло на откровения.

— Знаю, — улыбнулся я. — Спасибо, что вы высказали мне так много всего, что думаете. Полагаю, это заслуживает еще одного браслета из ромашек.

Ошибка номер два. Надевая второй браслет ей на запястье, я почувствовал, что отдаю частичку своего сердца.

Глава девятнадцатая

Потом, уже после того, как я подарил Элизабет браслеты из ромашек... и свое сердце, я узнал о ней гораздо больше. Я понял, что она похожа на одного из тех моллюсков, которые прилипают к камням на пляже в Фермое. Когда смотришь на него, видно, что держится он не слишком крепко, но стоит до него дотронуться, как он, сопротивляясь, намертво вцепляется в поверхность камня. Вот и Элизабет была приветливой и открытой, пока никто не подходил близко — тут она сразу становилась напряженной и защищалась изо всех сил. Конечно, она открылась мне в тот день в саду Сэма, однако назавтра, когда я зашел к ней, вела себя так, будто сердится на меня за то, что сама рассказала. Но в этом была вся Элизабет — сердилась на каждого, включая саму себя. И еще она, конечно, испытывала неловкость. Ведь Элизабет нечасто говорила о себе, за исключением тех случаев, когда рассказывала клиентам о своей компании.

Теперь, когда Элизабет начала меня видеть, мне стало сложно проводить время с Люком, и она уж точно забеспокоилась бы, если бы я постучал в ее розовую дверь и спросил, выйдет ли Люк поиграть. У нее был пунктик насчет того, что друзья должны быть ровесниками. Но, главное, Люк ничего не имел против моего возраста. Он все время играл с Сэмом, а если звал меня поиграть с ними, то это раздражало Сэма, который, конечно же, меня не видел. Я не хотел мешать Люку играть с Сэмом и сомневаюсь, что Люка волновало, появлюсь я или нет, потому что, понимаете, я был там не из-за него, и, думаю, он это знал. Я уже говорил вам, что дети всегда понимают, что происходит на самом деле, иногда даже раньше вас самих.

Что же касается Элизабет, то, думаю, она лишилась бы рассудка, если бы я заявился к ней в гостиную в двенадцать ночи. Новый вид дружбы означал установку новых границ. Мне следовало быть деликатным, реже приходить, но все равно быть рядом в нужные моменты. Как это и происходит при дружбе между взрослыми людьми.

Мне определенно не нравилось, что Элизабет считает меня отцом Сэма. Не знаю, с чего и как это началось, и, хотя я даже ни слова не сказал, все так и тянулось. Я никогда не обманываю своих друзей, никогда, и много раз пытался объяснить ей, что я вовсе не отец Сэма. Так вот, когда я в очередной раз завел об этом речь, произошел следующий разговор.

— Откуда вы родом, Айвен?

Это было вечером, когда Элизабет пришла с работы. У нее только что состоялась встреча с Винсентом Тэйлором по поводу оформления гостиницы, и, судя по ее словам, она просто пришла к нему и сказала, что поговорила с Айвеном и что мы оба считаем, что гостинице необходима детская площадка, которая позволила бы родителям проводить еще больше времени наедине в романтической обстановке. Винсент смеялся так громко и долго, что в итоге согласился. Она все еще пребывала в растерянности, не понимая, что смешного он нашел в ее словах. Я объяснил, что Винсент понятия не имеет, кто я такой, поэтому и смеялся, но она покачала головой и обвинила меня в скрытности. В любом случае благодаря этому она была в хорошем настроении и даже готова поболтать. Я все ждал, когда же она начнет задавать мне вопросы (не касающиеся моей работы, количества сотрудников и годового оборота — всем этим она нагоняла на меня страшную тоску).

Наконец она спросила, откуда я родом, и я радостно ответил:

— Из Яизатнафа.

Она нахмурилась:

— Знакомое название, я его уже когда-то слышала. Где это находится?

— За миллионы миль отсюда.

— Все находится за миллионы миль от Балена-Гриде. Яизатнаф. — Она попробовала каждый звук на вкус. — А что это значит? Это же не ирландский и не английский, верно?

— Это торобоанский.

— Торобоан? — повторила она, поднимая брови. — Айвен, честное слово, вы иногда ничем не отличаетесь от Люка. Я думаю, большинство своих фразочек он позаимствовал у вас.

Я тихо засмеялся.

— На самом деле, — Элизабет наклонилась вперед, — я не хотела говорить раньше, но мне кажется, Люк вас уважает.

— Правда? — Я был польщен.

— Ну да, потому что... ну... — Она подбирала слова. — Пожалуйста, не подумайте, что мой племянник сумасшедший или что-то вроде того, но на прошлой неделе он придумал себе друга. — Она нервно засмеялась. — Этот друг несколько дней ужинал вместе с нами, они играли в салочки в саду, они вообще играли во все, что только можно, — от футбола до компьютера, даже в карты, представляете? Но самое смешное, что его звали Айвен.

Видя мое замешательство, она густо покраснела и решила загладить свою бестактность:

— То есть ничего смешного тут нет. Просто я подумала, что он, вероятно, восхищается вами и воспринимает вас как образец мужского поведения. — Она умолкла. — В любом случае Айвен исчез. Он ушел от нас. Сам собой. Вы не представляете, что это был за кошмар. Мне говорили, что воображаемые друзья могут задерживаться на целых три месяца. — Она состроила гримасу. — Но, слава богу, все позади. Я даже отметила в календаре этот день. И все-таки довольно странно, что он ушел, как раз когда появились вы. Думаю, вы его спугнули... — Она засмеялась, но, взглянув на мое смущенное лицо, замолчала и вздохнула: — Айвен, почему говорю только я?

— Потому что я слушаю.

— Что ж, я все сказала, так что, может, теперь послушаем вас? — парировала она.

Я засмеялся. Она всегда злилась, когда чувствовала себя глупо.

— У меня есть теория.

— Ну, так поделитесь ею со мной для разнообразия. Если она не предполагает, что нас с племянником следует отправить в серое бетонное здание с решетками на окнах, под надзор монахинь.

Я в ужасе посмотрел на нее.

— Продолжайте, — засмеялась она.

— Кто сказал, что Айвен исчез?

Элизабет выглядела шокированной.

— Никто не говорил, что он исчез, и, если уж на то пошло, он вообще никогда не появлялся.

— Люк считает, что появлялся.

— Люк его выдумал.

— Может, и нет.

— Ну, я его не видела.

— Вы видите меня.

— Какое вы имеете отношение к *невидимому* другу Люка?

— Может быть, я *и есть* друг Люка, только я не люблю, когда меня называют невидимым. Это не политкорректно.

— Но я же вас вижу.

— Именно. Так что я не понимаю, почему люди упорно продолжают говорить «невидимый».

Если кто-то меня видит, значит, я, несомненно, видимый. Подумайте вот о чем: случалось ли так, чтобы друг Люка Айвен и я когда-нибудь находились в одной комнате в одно и то же время?

— Ну, он мог бы быть здесь прямо сейчас, насколько я понимаю, ел бы оливки или что-нибудь в этом роде. — Она засмеялась, потом вдруг остановилась, увидев, что я больше не улыбаюсь. — Что вы такое говорите, Айвен?

— Элизабет, все очень просто. Вы сказали, что Айвен исчез, когда появился я.

— Да.

— Не кажется ли вам, что это значит, что я и есть Айвен, просто теперь и вы стали меня видеть?

Элизабет возмутилась:

— Нет, потому что вы реальный человек со своей реальной жизнью, у вас есть жена, ребенок, и вы...

— Элизабет, я не женат на Фионе.

— Ну, тогда бывшая жена, не в том дело.

— Я никогда не был на ней женат.

— Я вовсе не собираюсь вас осуждать.

— Нет, я хочу сказать, что Сэм не мой сын. — Это прозвучало настойчивее, чем мне хотелось. Дети понимают такие вещи гораздо лучше. Взрослые же все только усложняют.

Лицо у Элизабет смягчилось, она протянула руку и накрыла ею мою. У нее были изящные руки с нежной кожей и длинными тонкими пальцами.

— Айвен, — мягко сказала она, — у нас с вами есть кое-что общее. Люк тоже не мой сын. — Она улыбнулась. — Но это замечательно, что вы всё равно хотите видеться с Сэмом.

— Нет, нет, Элизабет, вы не понимаете. Я *никто* для Фионы, и я *никто* для Сэма. В отличие от вас они не видят меня, они даже не знают о моем существовании, вот что я пытаюсь вам сказать. Я для них невидим. Меня не видит никто, кроме вас с Люком.

Глаза Элизабет наполнились слезами, и она сильнее сжала мою руку.

— Я понимаю.

Голос ее дрожал. Она положила вторую руку на мою и крепко ее сжала. Она боролась со своими мыслями. Я видел, что она хочет что-то сказать, но не может. Ее карие глаза встретились с моими, и после некоторого молчания на ее лице появилось такое выражение, будто она нашла то, что искала, и она сразу смягчилась.

— Айвен, вы даже не представляете, насколько мы с вами похожи, и слышать ваши слова — такое *облегчение*, потому что, знаете, я ведь тоже иногда чувствую себя невидимой для всех. — В ее голосе звучала печаль. — Я чувствую, что никто меня не знает, никто не видит, какая я на самом деле... кроме вас.

Она выглядела такой расстроенной, что я обнял ее. Но я был страшно разочарован, оттого что она совершенно неправильно меня поняла. Ситуация более чем необычная, потому что мои отношения с друзьями возникают не по моей инициативе и должны работать не на меня. И никогда раньше я не выбирал себе друзей сам.

Но когда ночью я лежал один и обрабатывал полученную за день информацию, я осознал, что Элизабет, как ни странно, единственная из моих друзей, кто наконец-то, в первый раз за всю мою жизнь, полностью меня понял.

Для любого, кто хоть раз с кем-то по-настоящему сблизился, пусть всего на пять минут, это важно. Впервые я ощущал, что мы не из разных миров и что некий человек — человек, который мне *нравится* и которого я *уважаю*, который завладел частичкой моего сердца, — думает и воспринимает жизнь так же, как я.

В общем, полагаю, вы прекрасно понимаете, что я чувствовал той ночью.

Я больше не был одинок. Более того, мне казалось, будто я парю в воздухе.

Глава двадцатая

Погода изменилась неожиданно. За последнюю неделю июня солнце выжгло траву, высушило землю и привело за собой тысячи пчел, которые кружили всюду и всех раздражали. Вечером в субботу все кончилось. Небо потемнело, на нем появились облака. Но это типично для Ирландии: невыносимая жара — и через мгновение штормовой ветер. Вполне предсказуемая непредсказуемость.

Лежа в постели и натянув одеяло до подбородка, Элизабет дрожала от холода. Отопление включено не было, и, хотя это следовало бы сделать, она из принципа отказывалась включать его летом. Ветер обрывал и разбрасывал листья по всему городу. Деревья качались, и на стенах ее спальни плясали обезумевшие тени. Казалось, будто совсем рядом огромные волны с грохотом разбиваются об утесы. Двери в доме потрескивали и дрожали. В саду со скрипом раскачивались качели. Все пришло в бурное хаотичное движение, где не было ни намека на ритм или порядок.

Элизабет думала об Айвене. Она пыталась понять, почему ее тянет к нему и почему каждый раз, стоит ей открыть рот, она выбалтывает ему свои самые главные секреты. Она размышляла о том, почему его появление в доме доставляет ей радость и почему ей нравится о нем думать. Элизабет любила одиночество и не стремилась к общению, но с Айвеном все было наоборот. Ей пришло в голову, что, может быть, следует немного притормозить из-за Фионы, которая жила неподалеку. Не будет ли их близость с Айвеном, пусть это и просто дружба, неприятна Сэму и, главное, Фионе? Ведь Элизабет всегда могла рассчитывать на нее, когда надо было с кем-то оставить Люка.

Как обычно, Элизабет старалась не придавать этим мыслям значения. Она пыталась сделать вид, что все идет как всегда, что ничего не изменилось и ее стены не дали трещину, впустив незваного гостя. Она не хотела, чтобы это произошло, ей не справиться с новым поворотом событий.

В конце концов, она сосредоточилась на том единственном предмете, который оставался неизменным и неподвижным в резких порывах ветра. В ответ луна присматривала за ней, пока она не забылась беспокойным сном.

— Кукареку!

Элизабет удивленно приоткрыла один глаз. Комната была ярко освещена. Она медленно открыла второй и увидела, что солнце вернулось и низко висит на безоблачном голубом небе, хотя деревья все еще неистово плясали, устроив диско-теку в задней части сада.

— Кукареку!

Вот опять. Нетвердо держась на ногах после сна, она подошла к окну. На траве в саду стоял Айвен и, сложив руки рупором, кричал:

— Кукареку!

Смеясь, Элизабет прикрыла рот рукой и рас-пахнула окно. В комнату ворвался ветер.

— Айвен, что вы делаете?

— Это ваш будильник! — прокричал он. Ветер вырвал конец фразы и унес куда-то на север.

— Вы сошли с ума! — закричала она.

В дверях спальни появился испуганный Люк:

— Что случилось?

Элизабет знаком велела Люку подойти к окну, и он успокоился, увидев Айвена.

— Привет, Айвен! — закричал Люк.

Айвен посмотрел наверх, улыбнулся и, чтобы помахать Люку, отпустил кепку, которую придер-живал на голове. Кепка тут же исчезла, сорван-ная порывом ветра. Они хохотали, наблюдая, как он гоняется за ней по всему саду, стремительно бросаясь из стороны в сторону, когда ветер ме-нял направление. В конце концов с помощью упавшей ветки он сбил кепку с дерева, где она застряла.

— Айвен, что ты там делаешь? — закричал Люк.

— Сегодня день Джинни Джоу! — объявил Айвен.

— Что это? — спросил у Элизабет сбитый с толку Люк.

— Понятия не имею. — Она пожала плечами.

— Айвен, а что такое день Джинни Джоу? — закричал Люк.

— Спускайтесь — и я покажу вам! — ответил Айвен. Его свободная одежда развевалась на ветру.

— Мы не одеты, мы в пижамах! — захихикал Люк.

— Ну, тогда одевайтесь! Просто накиньте на себя что-нибудь, сейчас шесть утра, вас никто не увидит!

— Пошли! — возбужденно сказал Люк Элизабет, слезая с подоконника. Он выбежал из ее комнаты и через минуту вернулся: одна нога в штанине спортивных брюк, свитер наизнанку, кроссовки — не на ту ногу.

Элизабет засмеялась.

— Пошли скорее! — сказал он, запыхавшись.

— Успокойся, Люк.

— Нет. — Люк распахнул дверцы гардероба Элизабет. — Одевайся. Это же день Джинни Джоу! — закричал он, улыбаясь беззубой улыбкой.

— Но, Люк, — смущенно спросила Элизабет, — куда мы пойдем?

Она хотела, чтобы ее подбодрил шестилетний ребенок.

Люк пожал плечами:

— Может, туда, где весело?

Элизабет задумалась, но, заметив оживление в глазах Люка, почувствовала, как в ней просыпается любопытство, и послала здравый смысл к черту. Надев спортивный костюм, она выбежала вместе с Люком на улицу.

В лицо ей, не давая вздохнуть, ударил теплый ветер.

— Быстрее в бэтмобиль! — скомандовал Айвен, встречая их у входной двери.

Люк радостно захихикал.

Элизабет застыла:

— Куда?

— В машину, — объяснил Люк.

— Куда мы едем?

— Просто поезжайте, а я скажу вам, где остановиться. Это сюрприз.

— Нет, — сказала Элизабет, как будто ничего нелепее она в жизни не слышала. — Я никогда не сажусь в машину, если не знаю точно, куда еду.

— Вы делаете это каждое утро, — мягко сказал Айвен.

Она пропустила это мимо ушей.

Люк придержал дверь для Айвена, и, когда они уселись, Элизабет, ощущая страшный дискомфорт, отправилась в путешествие к неизвестной цели. На каждом повороте ее одолевало желание повернуть назад, но она продолжала ехать, удивляясь самой себе.

Проехав двадцать минут по петляющим дорогам, взволнованная Элизабет, следуя указаниям Айвена, остановилась на краю поля, которое, на ее взгляд, практически ничем не отличалось от других, мимо которых они уже проехали. Различие было в одном: отсюда открывался вид на блестящую поверхность Атлантического океана. Но она не обратила на пейзаж никакого внимания и с досадой рассматривала в зеркало брызги грязи на своей сияющей машине.

— Ого, что это? — Люк протиснулся между передними сиденьями и показал на что-то за лобовым стеклом.

— Люк, друг мой, — радостно объявил Айвен, — вот, смотри, это и есть Джинни Джоу.

Элизабет подняла глаза. Перед ней покачивались на ветру сотни парашютиков: белые пушинки одуванчиков ловили солнечный свет и как видение наплывали на сидящих в машине людей.

— Похоже на фей, — изумленно сказал Люк.

Элизабет поморщилась.

— Феи, — с неодобрением сказала она. — Что за книги ты читаешь? Это семена одуванчиков.

Айвен разочарованно посмотрел на нее:

— И почему я знал, что вы именно это и скажете? Что ж, по крайней мере, я уговорил вас сюда приехать. А это уже кое-что.

Элизабет с удивлением взглянула на него. Он никогда раньше так с ней не говорил.

— Люк, — Айвен повернулся к нему, — они еще называются ирландской маргариткой или одуванчиком лекарственным, но это не просто семена одуванчика, большинство *нормальных* людей в Ирландии, — тут он сердито посмотрел на Элизабет, — называют их Джинни Джоу. Они разносят по ветру желания, их надо поймать, загадать желание, а затем отпустить, чтобы они смогли доставить его по назначению.

Элизабет фыркнула.

— Ничего себе, — прошептал Люк. — Но почему люди это делают?

Элизабет засмеялась:

— Узнаю своего мальчика.

Айвен не обратил на нее внимания.

— Сотни лет назад ирландцы ели зеленые листья одуванчиков, потому что в них очень много витаминов, — объяснил он. — Это помогало от самых разных болезней, поэтому люди воспринимали одуванчик как символ удачи и загадывали желания, ловя пушинки.

— А желания сбывались? — с надеждой спросил Люк.

Элизабет сердито посмотрела на Айвена — он забивал ребенку голову пустыми надеждами.

— Только те, что доставлены должным образом, так что кто знает? Запомни, Люк, даже почта иногда теряется.

Люк понимающе кивнул.

— Ладно, тогда пошли их ловить.

— Вы идите, а я подожду в машине, — сказала Элизабет, глядя прямо перед собой.

Айвен вздохнул:

— Элиза....

— Я подожду здесь, — твердо сказала она, включая радио и усаживаясь поудобнее, чтобы показать, что она не сдвинется с места.

Люк выбрался из машины, и она повернулась к Айвену.

— Мне кажется, стыдно морочить Люку голову таким враньем. — Она кипела от злости. —

Что вы ему скажете, когда ничего из того, что он загадает, не сбудется?

— Откуда вы знаете, что не сбудется?

— Потому что у меня есть здравый смысл. Которого вам, судя по всему, не хватает.

— Вы правы, у меня его совсем нет. Я не хочу верить в то, во что верят остальные. У меня есть *свои* мысли, которым меня никто не учил, и я почерпнул их не из книг. Я учусь на собственном опыте, а вы, вы так боитесь попробовать что-нибудь новое! Смотрите, а то так и останетесь со своим здравым смыслом, и ничего, кроме здравого смысла, у вас не будет.

Чтобы не взорваться, Элизабет устремила взгляд в окно и стала считать до десяти. Она ненавидела всю эту чушь и, в отличие от него, считала, что только из книг ее и можно выудить, а книги эти пишут и читают люди, которые всю свою жизнь проводят в поисках чего-нибудь — *чего угодно,* — чтобы спастись от скуки, царящей в их реальной жизни. Люди, которым хочется верить, что у всего на свете, кроме одной очевидной причины, есть еще какие-то, совершенно не очевидные.

— Знаете, Элизабет, одуванчик также известен как любовное растение. Говорят, если сдуть семена на ветру, то он отнесет вашу любовь любимому. Если, загадывая желание, дуть на этот пушистый шарик и сдуть все семена, ваше желание сбудется.

Элизабет смущенно нахмурилась.

— Хватит молоть чепуху, Айвен.

— Очень хорошо. Сегодня мы с Люком будем ловить Джинни Джоу. Мне казалось, что вам всегда хотелось поймать желание, правда? — спросил Айвен.

Элизабет посмотрела в сторону.

— Я знаю, что вы задумали, Айвен, но ничего не выйдет. Я рассказала вам о своем детстве, что далось мне нелегко. И я это сделала не затем, чтобы вы превратили все в игру, — прошипела она.

— Это не игра, — тихо сказал Айвен и вышел из машины.

— Для вас все игра, — резко ответила Элизабет. — Скажите, откуда вы столько знаете про семена одуванчиков? В чем смысл всех этих дурацких сведений?

Айвен наклонился к ней через открытую дверь и тихо сказал:

— Ну, по-моему, он вполне очевиден: если вы доверяете семечку нести по ветру ваши желания, то вам стоит точно знать, откуда оно взялось и куда отправится дальше.

Дверь захлопнулась.

Элизабет смотрела, как они оба бегут к полю.

— Ну, раз так, то откуда взялся ты, Айвен? — спросила она вслух. — И куда и когда отправишься дальше?

Глава двадцать первая

Элизабет наблюдала, как Люк и Айвен бегают в высокой траве, подпрыгивая и бросаясь вниз, чтобы поймать семена одуванчиков, которые плыли в воздухе, как крохотные воланчики.

— Я поймал! — услышала она возглас Люка.

— Загадывай желание! — радостно крикнул Айвен.

Люк зажал парашютик в ладошке и крепко зажмурился.

— Хочу, чтобы Элизабет вышла из машины и тоже стала ловить Джинни Джоу! — прокричал он. Он поднял пухленькую руку, медленно разжал пальчики и выпустил пушинку. Ветер тотчас ее подхватил и унес вдаль.

Айвен вопросительно взглянул в сторону Элизабет.

Люк тоже смотрел на машину, чтобы увидеть, сбудется ли его желание.

Элизабет видела с надеждой обращенное к ней
личико, но не могла решиться выйти из машины,
она не желала способствовать тому, чтобы Люк
поверил в сказки, которые есть не что иное, как
просто модное название обмана. Она не сделает
этого! Люк опять побежал по полю, вытянув руки
вперед. Он поймал белую пушинку, крепко зажал
ее в кулаке и громким голосом прокричал то же
самое желание.

В груди у нее что-то сжалось, дыхание участилось. Они оба смотрели на нее с такой надеждой, что ей стало не по себе. «Почему бы не
поиграть? — пыталась она убедить себя. — Все,
что от меня требуется, — это выйти из машины».
Но для нее это значило гораздо больше. Это значило укрепить в маленькой головке веру в мечты,
которые никогда не осуществятся. Принести
в жертву сиюминутному веселью всю дальнейшую
жизнь, которая будет полна разочарований. Она
так крепко сжала руль, что костяшки пальцев побелели.

А Люк продолжал радостно прыгать, ловя следующую пушинку. Он повторил свое желание во
весь голос, добавив:

— Пожалуйста, пожалуйста, пожалуйста, Джинни Джоу! — С поднятой рукой он походил на ста-
тую Свободы. Потом он отпустил парашютик.

Айвен никак не реагировал. Он просто неподвижно стоял посреди поля и наблюдал за происходящим. Элизабет он казался чрезвычайно привле-
кательным. Она заметила растущее разочарование
и досаду на лице Люка, когда тот поймал очередную

пушинку, яростно сжал ее между ладонями и отпустил, стараясь изо всех сил подбросить повыше.

Он начинал терять веру, и ей не хотелось оказаться тем человеком, по вине которого это произойдет. Она глубоко вздохнула и потянулась к ручке двери. Люк просиял и принялся еще активнее ловить пушинки. Когда она шла по полю, фуксии бешено танцевали, словно зрители, размахивающие красными и фиолетовыми флагами, приветствуя вышедшего на поле игрока.

Брендан Эган медленно ехал на своем тракторе и чуть не съехал в кювет от того, что увидел на дальнем поле. Помимо сияющего моря и солнца он увидел две темные фигуры, танцующие на фоне зелени. Одна из них была женщиной, ветер растрепал ее длинные темные волосы, так что они закрывали шею и лицо. Она что-то радостно кричала и подпрыгивала вместе с маленьким мальчиком, стараясь поймать плывущие по ветру пушинки одуванчиков.

Брендан остановил трактор, у него перехватило дыхание. Он уже видел это когда-то и теперь смотрел во все глаза, в растерянности, замирая от страха, как будто ему явилось привидение. Его всего трясло, он с изумлением и испугом наблюдал за танцами в поле, пока раздавшиеся сзади автомобильные гудки не заставили его очнуться и поехать дальше.

В воскресенье в половине седьмого утра Бенджамин ехал из Килларни, наслаждаясь морским видом. Неожиданно он заметил стоящий посереди дороги трактор и нажал на тормоз. В кабине сидел старый человек с белым, как бумага, лицом и смотрел вдаль. Бенджамин проследил за его взглядом. Он широко улыбнулся, увидев, как Элизабет Эган танцует с каким-то мальчиком в поле, полном одуванчиков. Она смеялась и радостно кричала, прыгая из стороны в сторону. На ней был спортивный костюм, волосы не были, как обычно, туго стянуты назад, а свободно развевались на ветру. Он и не думал, что у нее есть сын, и смотрел, как она поднимает его в воздух, помогая поймать что-то, а потом, кружа, опускает на землю. Маленький светловолосый мальчик смеялся от удовольствия, и Бенджамин улыбнулся, наслаждаясь этой картиной. Он мог бы смотреть на нее все утро, но раздавшиеся сзади гудки заставили его вздрогнуть, и, когда трактор запустил мотор и двинулся вперед, они оба медленно поползли по дороге, продолжая наблюдать за Элизабет.

Выдумать воображаемого друга и танцевать в поле в половине седьмого утра в воскресенье... Бендждамин не смог удержаться от смеха, одновременно восхищаясь ее весельем и жизнерадостностью. Казалось, ее не волновало, что о ней могут подумать что-то не то. Проехав очередной поворот петляющей дороги, он смог еще лучше ее рассмотреть. На лице Элизабет застыло выражение полного счастья. Она выглядела совершенно другой женщиной.

Глава двадцать вторая

Когда они втроем ехали обратно в город, у Элизабет от восторга кружилась голова. Последние два часа они провели, гоняясь за тем, что, по настоянию Айвена, следовало называть Джинни Джоу. Потом, усталые и запыхавшиеся, они, вдыхая утренний морской воздух, упали все вместе в высокую траву. Элизабет не могла вспомнить, когда она последний раз так смеялась. На самом деле она подозревала, что *вообще* никогда в своей жизни не смеялась так много.

Айвен был полон неиссякаемой энергии, в нем бурлила страсть ко всему новому и захватывающему. Элизабет очень давно не испытывала такого восторга, это было что-то не из взрослой жизни. У нее не замирало сердце от предвкушения будущих открытий с тех пор, как она перестала быть ребенком, и она уже много лет не ждала ничего так сильно, чтобы казалось, что она взорвется прямо здесь и сейчас, если этого не произойдет.

Общение с Айвеном вернуло ей все эти ощущения. С ним время летело невероятно быстро, носились ли они по полю или просто сидели вместе в тишине, как это часто случалось. Когда он был рядом, ей всегда хотелось, чтобы время замедлило свой бег, а когда уходил, ей хотелось, чтобы он остался. В то утро она поймала много парашютиков и среди многочисленных желаний загадала, чтобы весь этот день они провели вместе, втроем с Люком, и чтобы ветер продолжал дуть, продлевая эти мгновения.

Она сравнивала это для себя с детским увлечением, таким сильным, почти всепоглощающим, но в ее чувстве к Айвену, помимо этого, была глубина. Она понимала, что в Айвене ее привлекает все: то, как он говорит, как одевается, какие слова находит, его внешнее простодушие, хотя было очевидно, что он очень образован и проницателен. Он всегда говорил правильные вещи, даже когда она не хотела их слышать. Мрак в конце туннеля рассеялся, и ей вдруг удалось увидеть, что же там *дальше*. Приходя к ней, он приносил с собой ясность и краски жизни. Он был воплощением надежды, и она понимала, что у нее, может, и не будет все сказочно, чудесно или волшебно, но все еще может быть очень хорошо. Этого ей было больше чем достаточно.

Она постоянно думала о нем, снова и снова прокручивая в голове их разговоры. Она задавала ему вопрос за вопросом, и, отвечая, он всегда был открыт и честен, однако потом, позже, лежа в постели, она понимала, что знает о нем не больше, чем раньше. Но чувствовала, что они очень похожи. Два одиноких человека, летящих по ветру, как пушинки одуванчика, и несущих желания друг друга.

Конечно, ее пугали собственные чувства. Конечно, это противоречило всем ее принципам, но, как она ни старалась, она ничего не могла поделать с тем, что ее сердце билось чаще, когда он касался ее, и не могла не искать его, если думала, что он где-то поблизости. Хотела она того или нет, но он полностью завладел ее мыслями. Он оказывался в ее объятиях, хотя она их не раскрывала, и заходил к ней без приглашения, но она была не в состоянии противиться и каждый раз открывала ему дверь.

Он буквально притягивал ее, ей нравилось его молчание и его слова, нравилось чувство, которое он пробуждал в ней. Она все больше влюблялась в него.

Утром в понедельник Элизабет вошла в кафе Джо упругой походкой, напевая ту же песенку, что и всю последнюю неделю. В половине девятого утра кафе уже было заполнено туристами, зашедшими позавтракать перед возвращением в автобус, который через несколько часов доставит их в следующий городок. В зале стоял гул, звучала немецкая речь. Джо бегал вокруг, собирал грязную посуду, относил ее на кухню и выносил оттуда тарелки с традиционным ирландским завтраком, приготовленным его женой.

Элизабет жестом попросила его принести кофе, и он коротко кивнул, показав, что понял ее, но сегодня не располагает временем для сплетен. Она поискала глазами свободное место, и сердце ее забилось быстрее, когда в дальнем углу она заметила Айвена. Улыбка сама собой расцвела у нее на лице, и, пробираясь к нему между столами, Элизабет поняла, что невероятно взволнована. Она была ошеломлена встречей с ним.

— Здравствуйте, — выдохнула она, заметив, что голос у нее изменился, и ненавидя себя за это.

— Доброе утро, Элизабет, — улыбнулся он. Его голос тоже был другим.

Они оба почувствовали это, почувствовали *что-то*, и пристально посмотрели друг на друга.

— Я занял вам стол.

— Спасибо.

Улыбки.

— Что будешь на завтрак? — спросил Джо, подойдя к столику с ручкой и блокнотом в руках.

Обычно Элизабет не завтракала, но то, как Айвен просматривал меню, навело ее на мысль, что для разнообразия она может опоздать на работу на несколько минут.

— Джо, можно второе меню?

Джо уставился на нее.

— Зачем тебе второе меню?

— Посмотреть, — заявила она.

— А что не так с тем, которое лежит на столе? — мрачно спросил он.

— Ладно, ладно, — сдалась она и придвинулась поближе к Айвену, чтобы вместе с ним что-нибудь выбрать.

Джо посмотрел на нее с подозрением.

— Пожалуй, я возьму ирландский завтрак, — сказал Айвен, облизывая губы.

— Я буду то же самое, — сказала Элизабет Джо.

— То же самое — что и кто?

— Ирландский завтрак.

— Хорошо, значит, один ирландский завтрак и кофе.

— Нет. — Элизабет наморщила лоб. — Два ирландских завтрака и два кофе.

— Едим за двоих, да? — спросил Джо, оглядывая ее с ног до головы.

— Нет! — воскликнула Элизабет, и, когда Джо отошел, она с извиняющимся видом повернулась к Айвену: — Простите, он иногда странно себя ведет.

Джо поставил на стол две чашки кофе и поспешил прочь, чтобы обслужить другой столик.

— Сегодня здесь оживленно. — Элизабет почти не отводила от него взгляда.

— Разве? — спросил он, тоже не сводя с нее глаз.

По телу Элизабет пробежала дрожь.

— Мне нравится, когда город такой. Когда в него возвращается жизнь. Я не знаю, каков ваш Яизатнаф, но здесь иногда начинает тошнить оттого, что все время видишь одни и те же лица. А когда много туристов, обстановка меняется, среди толпы всегда можно укрыться.

— Почему вы хотите спрятаться?

— Айвен, меня знает весь город. Они знают историю моей семьи лучше, чем я сама.

— Я не прислушиваюсь к тому, что говорят в городе. Мне важно, что говорите вы.

— Я знаю. Летом город напоминает дерево, красивое и сильное, — попыталась она объяснить. — Но зимой, без листьев, оно стоит обнаженным, ему нечем прикрыться и негде найти уединение. Мне всегда кажется, что я у всех на виду.

— Вам не нравится здесь жить?

— Да нет. Просто этот город хочется иногда встряхнуть, дать ему настоящий пинок под зад. Я сижу здесь каждое утро и мечтаю полить эти улицы кофе, чтобы их разбудить и расшевелить.

— Так почему бы вам это не сделать?

— Что вы имеете в виду?

Айвен поднялся с места.

— Элизабет Эган, идите за мной и захватите свой кофе.

— Но…

— Никаких «но», просто пойдемте. — С этими словами он вышел из кафе.

Озадаченная, она последовала за ним с чашкой в руках.

— Ну? — спросила она, делая глоток.

— Ну, я думаю, вам давно пора влить в этот город порцию кофеина, — объявил Айвен, оглядывая пустую улицу.

Элизабет безучастно посмотрела на него.

— Давайте же. — Он слегка постучал пальцем по ее чашке, и кофе с молоком выплеснулся через край и брызнул на тротуар.

— Ой, — сказал он.

Элизабет засмеялась:

— Вы такой глупый, Айвен.

— Почему это я глупый? Вы же сами предложили. — Он снова постучал по чашке, на этот раз сильнее, и на землю выплеснулось чуть ли не все ее содержимое. Элизабет вскрикнула и отскочила, чтобы кофе не попал ей на туфли.

Несколько человек в кафе уставились на них из окна.

— Давайте же, Элизабет!

Это было нелепо, абсурдно, глупо и совершенно по-детски. В этом не было никакого смысла, но, вспомнив вчерашнее веселье в поле, как она смеялась и как остаток дня словно летала, она захотела снова испытать это чувство. И, наклонив кружку, Элизабет выплеснула кофе на тротуар. Образовалась лужица, которая затем растеклась по трещинам в каменных плитах, и кофе медленно заструился вниз по улице.

— Да ну, это даже насекомых не разбудит, — поддразнивал ее Айвен.

— Ну, хорошо, тогда отойдите. — Она подняла бровь. Айвен отступил, а Элизабет вытянула руку с чашкой и закружилась на месте. Кофе брызнул, как будто из фонтана.

Джо высунулся из-за двери и поинтересовался:

— Элизабет, что это ты делаешь? Я сварил плохой кофе? — Он выглядел озабоченным. — Ты выставляешь меня в дурном свете перед посетителями. — Он кивнул в сторону туристов, собравшихся у окна и с интересом наблюдавших за ней.

Айвен засмеялся.

— Думаю, нам нужна еще чашка кофе, — объявил он.

— Еще чашка? — изумленно спросила Элизабет.

— Ладно, пусть будет так, — ответил Джо, медленно пятясь.

— Простите, а что она делает? — спросил один из туристов у Джо, когда тот вернулся в кафе.

— А, это… — замялся Джо. — Это у нас в Бале-на-Гриде такой обычай. Каждый понедельник мы просто… э-э… — Он снова посмотрел на Элизабет, которая смеялась и кружилась на месте, расплескивая кофе. — Понимаете, нам нравится разбрызгивать кофе на улице. Это, э-э-э… — он увидел, как кофе брызнул на ящик с цветами, — хорошо для цветов.

Мужчина с интересом поднял брови и весело улыбнулся.

— В таком случае еще пять чашек кофе для меня и моих друзей.

Джо застыл в нерешительности, но, когда ему протянули деньги, лицо его озарила широкая улыбка.

— Сию минуту!

Вскоре к Элизабет присоединились пятеро незнакомцев, которые пританцовывали рядом с ней, радостно что-то выкрикивая, и лили кофе на тротуар. Они с Айвеном засмеялись еще громче и отошли от туристов, а те поглядывали друг на друга в смущении от глупого ирландского обычая, но явно находили его забавным.

Элизабет в изумлении смотрела на город. Владельцы магазинов вышли на улицу, привлеченные суматохой рядом с заведением Джо. Открывались окна, и оттуда выглядывали любопытные лица. Машины, замедлявшие ход, чтобы посмотреть, в чем дело, мешали движению, едущие за ними раздраженно сигналили. За несколько минут сонный город проснулся.

— Что-то не так? — спросил Айвен, вытирая выступившие от смеха слезы. — Почему вы больше не смеетесь?

— Айвен, для вас нет ничего несбыточного? Ничего, что существует только в наших мыслях и мечтах? — Похоже, он мог осуществить все, что угодно. Ну, почти все. Она заглянула в его голубые глаза, и сердце ее бешено застучало.

Он пристально посмотрел на нее и шагнул вперед. Он выглядел очень серьезным и казался старше, как если бы за последние несколько секунд увидел и узнал что-то новое. Он мягко дотронулся до ее лица и медленно наклонился к ней.

— Нет, — прошептал он и поцеловал ее в губы так нежно, что у нее подкосились ноги. — *Все* должно сбываться.

Джо выглянул из окна и засмеялся, глядя, как туристы танцуют и расплескивают кофе у дверей кафе. Заметив Элизабет на той стороне улицы, Джо придвинулся поближе к окну. Она стояла, высоко подняв голову и закрыв глаза, на ее лице застыло выражение абсолютного счастья. Волосы, обычно собранные сзади, были распущены и развевались на легком утреннем ветерке. Казалось, она наслаждается лучами солнца, освещающими ее лицо.

Джо готов был поклясться, что узнал в этом лице ее мать.

Глава двадцать третья

Айвен и Элизабет не сразу сумели оторваться друг от друга, но когда это наконец произошло, Элизабет почти вприпрыжку направилась к своему офису. Она чувствовала, что еще чуть-чуть — и взлетит. Напевая и стараясь не отрываться от земли, она столкнулась с миссис Брэкен, которая стояла в дверном проеме своего магазинчика, пристально разглядывая туристов на другой стороне улицы.

— Господи Иисусе! — Элизабет испуганно отскочила назад.

— Сын Бога принес себя в жертву и умер на кресте, чтобы слово Божье распространилось и чтобы дать тебе лучшую жизнь, так что не поминай его всуе, — выпалила миссис Брэкен. Она кивнула в направлении кафе: — Что это иностранцы там делают, а?

Элизабет прикусила губу, чтобы не засмеяться:

— Понятия не имею. Почему бы вам к ним не присоединиться?

— Мистер Брэкен не одобрил бы такой суматохи. — Должно быть, она уловила что-то в голосе Элизабет, потому что резко вскинула голову, прищурила глаза и внимательно посмотрела на нее. — Ты сегодня выглядишь иначе.

Элизабет не обратила на нее внимания и, увидев, как Джо с виноватым видом вытирает кофе с тротуара, все-таки засмеялась.

— Ты бываешь в башне? — Миссис Брэкен явно порицала такое поведение.

— Конечно, миссис Брэкен. Я ведь занимаюсь оформлением гостиницы, помните? И кстати, я заказала ткани, они должна прийти через три недели, и у нас будет два месяца на то, чтобы все сделать. Как вы думаете, здесь можно будет найти кого-нибудь еще нам в помощь?

Миссис Брэкен с подозрением сощурилась:

— У тебя волосы распущены.

— И что? — спросила Элизабет, входя в магазин тканей.

— А мистер Брэкен всегда говорил: «Остерегайтесь женщин, радикально изменивших прическу».

— Я бы не сказала, что распустить волосы — это радикальное изменение.

— Элизабет Эган, уж для кого-кого, а для тебя распустить волосы — это радикальная перемена. Кстати, — она быстро сменила тему, не давая Элизабет вставить ни слова, — у нас проблема с заказом, который пришел сегодня.

— Что-то не так?

— Ткань *яркая*. — Миссис Брэкен сказала это так, будто речь шла о каком-то неприличном заболевании, и, широко раскрыв глаза, произнесла еще выразительнее: — *Красная*.

Элизабет улыбнулась:

— Это малиновый, а не красный, и что плохого в том, чтобы добавить немного цвета?

— Она еще говорит, «что плохого в том, чтобы добавить немного цвета»! — Голос миссис Брэкен взлетел на октаву. — До прошлой недели твой мир был коричневым. Это все влияние башни. Парень из Америки, не так ли?

— Ох, только не надо про башню, — оборвала ее Элизабет. — Я за всю неделю видела там одни рушащиеся стены.

— Правильно, рушащиеся стены, — сказала миссис Брэкен, пристально ее разглядывая. — А сносит их парень из Америки.

Элизабет закатила глаза:

— До свидания, миссис Брэкен. — И она побежала наверх, к себе в офис.

На входе ее приветствовала пара ног, торчавших из-под стола Поппи. Это были мужские ноги. Коричневые вельветовые штаны и коричневые ботинки перемещались по сложной кривой из стороны в сторону.

— Элизабет, это вы? — раздался голос.

— Да, Гарри, — улыбнулась Элизабет. Странно, но люди, которые обычно ее раздражали, сегодня казались удивительно милыми.

— Я тут затягиваю гайки на кресле. Поппи сказала, что на прошлой неделе оно выкинуло номер.

— Так и было, Гарри, спасибо.

— Нет проблем.

Ноги исчезли под столом, и он попытался вылезти. Ударившись головой об стол, он, наконец, поднялся, похожие на макароны волосы на его лысеющей голове были зачесаны набок.

— Вот, пожалуйста, — сказал он, держа в руке гаечный ключ. — Больше оно не должно крутиться само по себе. Забавно, что это с ним было? — Он проверил кресло еще раз, а затем посмотрел на Элизабет с тем же выражением лица, с которым осматривал кресло. — Ты выглядишь иначе.

— Ничуть, я все та же, — сказала она, идя к своему кабинету.

— Волосы. Они распущены. Я всегда говорил, что лучше, когда у женщины распущены волосы, и...

— Спасибо, Гарри. Это все? — твердо сказала Элизабет, заканчивая разговор.

— А, ну да, верно. — Он покраснел и, махнув рукой, пошел вниз, наверняка чтобы посплетничать с миссис Брэкен о распущенных волосах Элизабет.

Элизабет села за стол и попыталась сосредоточиться, но вдруг поняла, что осторожно прикасается пальцами к губам, вспоминая поцелуй Айвена.

— Так, — сказала Поппи, входя к Элизабет и ставя ей на стол копилку. — Ты это видишь?

Элизабет кивнула, глядя на маленькую свинку. В дверях появилась Бекка.

— У меня созрел план, — сказала Поппи. — Каждый раз, как начнешь петь эту чертову песню, будешь класть в свинью деньги.

Элизабет изумленно подняла брови.

— Поппи, ты сама ее сделала? — Она внимательно присмотрелась к свинке из папье-маше.

Поппи попыталась спрятать улыбку.

— Вчера у меня было время вечером. Но, серьезно, Элизабет, поверь, это уже не просто раздражает, — умоляющим тоном произнесла она. — Ты даже Бекку достала.

— Бекка, я тебя правда достала?

Бекка покраснела и быстро ретировалась, чтобы не быть вовлеченной в спор.

— Отличная поддержка, — проворчала Поппи.

— А кому достанутся деньги? — спросила Элизабет.

— Свинье. Она собирает на новый свинарник. Напевай свою песню и помогай свинье, — сказала Поппи, тыча копилкой прямо в лицо изумленной Элизабет.

Элизабет изо всех сил старалась не рассмеяться:

— А ну вон отсюда!

Несколько минут спустя, когда они расселись по местам и вернулись к работе, в кабинет Элизабет ворвалась Бекка, стукнула свиньей об стол и сказала:

— Плати!

— Я опять напевала? — удивленно спросила Элизабет.

— Да, — прошипела Бекка, потеряв терпение, и повернулась на каблуках.

Днем она привела к Элизабет посетительницу.

— Здравствуйте, миссис Коллинз, — вежливо сказала Элизабет, у которой от волнения засосало под ложечкой. Миссис Коллинз держала гостиницу, в которой Сирша жила последние несколько недель. — Садитесь, пожалуйста. — Она показала на кресло перед собой.

— Спасибо. — Миссис Коллинз села. — И зовите меня Маргарет. — Она осмотрела комнату с видом испуганного ребенка, которого вызвали в кабинет директора школы, и сжала кулаки на коленях, как будто боясь к чему-нибудь прикоснуться. Блузка на ней была застегнута до самого подбородка.

— Я пришла по поводу Сирши. К сожалению, мне не удалось передать ей ваши записки и телефонные сообщения за последние несколько дней, — смущенно сказала Маргарет, теребя край блузки. — Она не возвращалась в гостиницу уже три дня.

— А, — сказала Элизабет, пытаясь скрыть неловкость. — Спасибо, что сообщили, Маргарет, но не стоит беспокоиться. Думаю, она скоро мне позвонит. — Ей надоело узнавать обо всем последней и получать информацию о своей сестре от посторонних людей. Несмотря на то что ее внимание отвлекал Айвен, Элизабет как могла пыталась не упускать Сиршу из виду. Слушание было назначено через несколько недель, но Элизабет не могла ее нигде найти. «Нигде» подразумевало паб, дом отца и гостиницу.

— Ну, на самом деле речь не об этом. Просто, понимаете, сейчас самый разгар сезона. Через город проезжает много туристов, которые ищут, где бы остановиться, так что нам нужна комната Сирши.

— Да. — Элизабет откинулась в кресле. — Разумеется. Это абсолютно понятно. Я могу заехать после работы за ее вещами.

— В этом нет необходимости, — любезно улыбнулась Маргарет, а потом крикнула: — Мальчики!

В кабинет вошли двое подростков, сыновья Маргарет. У каждого в руке было по чемодану.

— Я взяла на себя смелость собрать ее вещи, — продолжила Маргарет, улыбка была все еще приклеена к ее лицу. — Так что теперь мне нужна только плата за три дня, и все будет улажено.

Элизабет застыла:

— Маргарет, думаю, вы понимаете, что все свои счета Сирша оплачивает сама. То, что я ее сестра, не означает, что я должна за нее платить. Она скоро вернется, я уверена.

— О, конечно, Элизабет, — улыбнулась Маргарет, демонстрируя розовое пятно от губной помады на зубах. — Но поскольку в настоящее время моя гостиница единственная, где Сирша может останавливаться, думаю, вы учте…

— Сколько? — резко спросила Элизабет.

— Пятнадцать за ночь, — любезно ответила Маргарет.

Элизабет порылась в кошельке и вздохнула:

— Знаете, Маргарет, кажется, у меня совсем нет налич….

— Меня вполне устроит чек, — пропела та.

Выписав Маргарет чек, Элизабет в первый раз за несколько дней перестала думать об Айвене и вернулась к переживаниям по поводу Сирши. Прямо как в старые времена.

В десять вечера в южной части Манхэттена Элизабет с Марком стояли у огромного черного окна бара, расположенного на сто четырнадцатом этаже, оформление которого Элизабет недавно закончила. Шло открытие клуба «Зоопарк», и весь этаж был посвящен звериной тематике: нарисованные следы животных, покрытые мехом диваны и подушки с хаотичными вкраплениями зелени и бамбука. Интерьер олицетворял все то, что она ненавидела в дизайне, однако ей были даны инструкции, которых пришлось придерживаться. Это был большой успех, все отлично проводили время, а живое выступление барабанщиков, отбивающих ритмы джунглей, и непрерывный гул веселых разговоров создавали атмосферу праздника. Элизабет и Марк чокнулись шампанским и посмотрели на море небоскребов, редкие огоньки, обозначающие здания, как фигуры на шахматной доске, и море желтых такси внизу.

— За твой очередной успех, — провозгласил Марк.

Элизабет с гордостью улыбнулась. «Мы так далеко от дома», — думала она, разглядывая вид за окном и ловя в стекле отражение гудящей у нее за спиной вечеринки. Она заметила, что сквозь толпу пробирается Генри Хакала, владелец заведения.

— Элизабет, вот вы где! — Он приветственно протянул к ней руки. — Что звезда вечера делает в углу, вдалеке от всех? — спросил он.

— Генри, это Марк Лисон, мой друг. Марк, это Генри Хакала, владелец клуба «Зоопарк», — представила она мужчин друг другу.

— Так это вы задерживали мою девушку допоздна каждый вечер, — шутливо сказал Марк, пожимая Генри руку.

Генри рассмеялся:

— Она спасла мне жизнь. Представляете? Сделать все это за три недели!

Он обвел рукой ярко оформленную комнату: стены выкрашены под зебру, с диванов свисают медвежьи шкуры, деревянный пол покрыт узором под леопарда, в хромированных горшках стоят огромные растения, а барная стойка обита бамбуком.

— Сроки были сжатыми, и я знал, что она справится, но не думал, что так блестяще. — Он с благодарностью посмотрел на Элизабет. — Сейчас начнутся речи. Я хочу сказать пару слов, назвать имена нескольких инвесторов, — пробормотал он вполголоса. — Поблагодарить всех вас, фантастических людей, которые так здорово потрудились. Так что никуда не уходите, Элизабет, через минуту все взгляды будут обращены на вас.

— О, — Элизабет покраснела, — пожалуйста, не надо.

— Поверьте, после моего выступления у вас будет несколько сотен предложений, — сказал он и пошел к микрофону, увитому лианами.

— Простите, мисс Эган. — К ней подошел один из работников бара. — Вас просят подойти к телефону снаружи у главной стойки.

Элизабет нахмурилась:

— Меня? К телефону? Вы уверены?

— Вы же мисс Эган, правильно?

Сбитая с толку, она кивнула. Кто мог звонить ей сюда?

— Это девушка. Говорит, она ваша сестра, — тихо объяснил он.

— О, — у нее упало сердце, — Сирша?

— Да, точно, — ответил молодой человек с видимым облегчением. — Я не был уверен, что правильно запомнил.

Ей показалось, что музыка заиграла громче, барабанная дробь била ей прямо по голове, а меховые узоры слились в одно расплывчатое пятно. Сирша никогда ей не звонила, должно быть, произошло что-то ужасное.

— Элизабет, не ходи, — настойчиво сказал Марк. — Передайте, пожалуйста, что мисс Эган сейчас занята, — попросил он бармена. — Это твой вечер, вот и наслаждайся им, — тихо добавил он, глядя в глаза Элизабет.

— Нет, нет, не надо, — запинаясь, проговорила Элизабет. В Ирландии сейчас три часа ночи, почему Сирша звонит так поздно? — Я подойду к телефону, спасибо, — сказала она молодому человеку.

— Элизабет, сейчас начнется речь, — предупредил ее Марк, когда шум в комнате начал стихать и все стали собираться вокруг микрофона. —

Это нельзя пропустить, — прошипел он. — Это *твой* момент.

— Нет, нет, я не могу! — Ее охватила дрожь, и, оставив его, она направилась к телефону.

— Алло? — сказала она несколько секунд спустя с явным беспокойством в голосе.

— Элизабет? — Было слышно, что Сирша всхлипывает.

— Сирша, это я. Что случилось? — Сердце Элизабет билось с глухим стуком.

Генри начал свою речь, и в клубе наступила тишина.

— Я просто хотела… — Сирша умолкла.

— Что ты хотела? С тобой все в порядке? — поспешно спросила Элизабет.

В зале рокотал голос Генри:

—…И наконец, я хочу поблагодарить великолепную Элизабет Эган из компании «Морган дизайнз» за то, что она так чудесно все здесь оформила за столь короткое время. Она создала нечто совершенно не похожее на то, что мы видим сейчас повсюду, сделав «Зоопарк» самым популярным и модным клубом в городе. Люди будут становиться в очередь, чтобы попасть сюда, и это ее заслуга. Она сейчас стоит где-то там сзади. Элизабет, помаши нам, покажись им всем, чтобы они смогли украсть тебя у меня.

В наступившей тишине все смотрели по сторонам, ища глазами дизайнера.

— О, — эхом разнесся голос Генри. — Ну, она стояла там секунду назад. Наверно, кто-то уже перехватил ее и заказывает ей новый проект.

Все засмеялись.

Элизабет посмотрела в зал и увидела, как стоящий в одиночестве с двумя бокалами шампанского Марк пожимает плечами в ответ на вопросительные взгляды людей и смеется. Делает вид, что смеется.

— Сирша! — Голос Элизабет дрогнул. — Пожалуйста, скажи мне, что случилось. У тебя опять какие-то проблемы?

Тишина. Вместо тихих всхлипываний, которые Элизабет только что слышала, голос Сирши снова окреп.

— Нет, — отрывисто сказала она. — Нет, я в порядке. Все в порядке. Наслаждайся своей вечеринкой. — И она отключилась.

Элизабет вздохнула и медленно положила трубку.

Генри закончил свое выступление, и снова раздались удары барабанов, разговоры и напитки потекли рекой.

Ни у нее, ни у Марка не было настроения веселиться.

Элизабет ехала по дороге, ведущей к ферме отца, она видела в окне его огромную фигуру. Бросив все, она ушла с работы пораньше и искала Сиршу. Никто не видел ее уже несколько дней, даже, как ни странно, владелец паба.

Объяснить людям, как добраться до стоявшей далеко на отшибе фермы, всегда было сложной задачей. Ведущая к ней дорога даже не имела названия, что не удивляло Элизабет: это была дорога, которую люди забывали. Чтобы найти ферму, новым почтальонам и молочникам всегда требовалось несколько дней, политики никогда не заезжали сюда с агитацией, дети никогда не приходили по праздникам за сладостями. Ребенком Элизабет пыталась убедить себя, что мать просто заблудилась и не смогла отыскать дорогу домой. Она даже поделилась своей теорией с отцом, который в ответ улыбнулся ей так слабо, что это едва походило на улыбку, и сказал:

— Знаешь, Элизабет, а ты не так уж далека от истины.

Это было единственным объяснением (если его вообще можно так назвать), которое она получила. Они никогда не обсуждали исчезновение матери: соседи и приезжавшие в гости родственники замолкали, когда Элизабет оказывалась рядом. Никто не рассказал ей, что произошло, а она не спрашивала. Она не хотела, чтобы повисло неловкое молчание или чтобы отец выскочил из дома, услышав имя матери. Если отсутствие упоминаний о матери гарантировало всеобщее счастье, то Элизабет, как обычно, была счастлива всем угодить.

В любом случае она не была уверена, что действительно хочет знать правду. Тайна куда приятнее. Ложась вечером в постель, она мысленно сочиняла истории, где мать оказывалась в потрясающих экзотических странах, и засыпала, представляя себе, как та ест бананы и кокосы на необитаемых островах и отправляет Элизабет послания в бутылке. Каждое утро она осматривала в отцовский бинокль береговую линию, не покачивается ли что-нибудь на волнах.

Согласно другой теории, мать стала кинозвездой в Голливуде. Элизабет чуть ли не прижималась носом к экрану во время воскресных сериалов в ожидании большого дебюта матери. Но потом она устала искать, надеяться, придумывать и в конце концов совсем перестала задумываться о ее судьбе.

Фигура в окне бывшей комнаты Элизабет не исчезла. Обычно отец ждал ее в саду. Элизабет уже многие годы не заходила в дом. Подъехав, она подождала несколько минут, но, не увидев ни отца, ни Сирши, вышла из машины, медленно толкнула калитку — от скрипа петель у нее по телу побежали мурашки — и неуверенной походкой пошла на высоких каблуках по каменным плитам. Сорняки высовывались из трещин, чтобы посмотреть на незнакомку, вторгшуюся в их владения.

Элизабет дважды постучала в заляпанную краской зеленую дверь, но тут же отдернула руку, словно обжегшись. Ответа не последовало, но она знала, что в спальне справа от входа кто-то есть. Она толкнула дверь. Внутри царило безмолвие. В нос ей ударил знакомый запах плесени, когда-то олицетворявший все то, что она считала домом, и Элизабет на несколько секунд замерла. Постояла, чтобы справиться с чувствами, которые пробудил в ней этот запах, и только потом вошла в дом.

Откашлялась.

— Привет!

Ответа не было.

— Привет! — повторила она громче. Ее взрослый голос был неуместен в доме ее детства.

Элизабет пошла на кухню, надеясь, что отец услышит ее и выйдет навстречу. У нее не было ни малейшего желания заходить в свою комнату. Стук высоких каблуков по каменному полу эхом разносился по дому — еще один непривычный здесь звук. Войдя на кухню, объединенную со столовой, она затаила дыхание. Ничего не изменилось, и в то же время все было другим. Запахи, часы на каминной полке, кружевная скатерть, ковер, кресло у камина, красный чайник на зеленой плите, занавески. Все было на своих местах, но постарело и выцвело от времени, оставаясь, однако, частью этого дома. Как будто здесь никто не жил, с тех пор как Элизабет уехала. Может быть, никто и не жил здесь *по-настоящему*.

Некоторое время она стояла посередине комнаты, пристально рассматривая орнамент на стене, протянула руку, чтобы прикоснуться к нему, но лишь скользнула пальцами вдоль стены, не дотрагиваясь. Все как прежде. Ей казалось, что она попала в музей, где сохранились даже звуки плача, смеха, ссор, любви и навсегда повисли в воздухе, как табачный дым.

Ну все, хватит, ей надо поговорить с отцом, выяснить, где Сирша, а для этого придется зайти в свою комнату. Она медленно повернула медную ручку, которая все так же болталась, как и в ее детстве. Элизабет открыла дверь, но входить не стала. Она смотрела прямо на отца, который, не шевелясь, сидел в кресле у окна.

Глава двадцать четвертая

О на не сводила глаз с его затылка, стараясь не вдыхать стоявший в комнате запах, но он застрял у нее в горле, мешая дышать.

— Привет... — хрипло сказала она.

Он не пошевелился.

У нее замерло сердце.

— Привет! — Она услышала в своем голосе панические нотки.

Потеряв голову, она бросилась к нему. Упала на колени и внимательно всмотрелась ему в лицо. Он не шевелился и не отрываясь смотрел прямо перед собой. Сердце у нее забилось быстрее.

— Папочка! — Слово вырвалось само и прозвучало как-то по-детски, но Элизабет поняла, что это не просто от страха, оно действительно что-то для нее значило. Она протянула руку, дотронулась до его лица, другую положила ему на плечо. — Папа, это я, что с тобой? Скажи хоть что-нибудь. — Ее голос дрожал.

Он моргнул, и она вздохнула с облегчением. Медленно повернувшись, он взглянул на нее.

— А, Элизабет. Я не слышал, как ты вошла. — Голос звучал как будто из другой комнаты. Он обрел какую-то мягкость, вся суровость из него ушла.

— Я звала тебя, — мягко сказала она. — Разве ты не видел, как я ехала по дороге?

— Нет, — удивленно сказал он, поворачиваясь к окну.

— Тогда на что же ты смотрел? — Она тоже повернулась к окну, и у нее перехватило дыхание. Этот вид — дорожка, садовая калитка и длинная лента дороги — поразил ее, и она застыла в таком же столбняке, что отец. В ту же секунду к ней вернулись надежды и желания из прошлого. На подоконнике стояла фотография матери, которой раньше там никогда не было. Элизабет думала, что после того, как мать ушла, отец вообще уничтожил все ее фотографии.

Лицо на подоконнике лишило ее дара речи. Прошло так много времени с тех пор, как она последний раз видела мать, ее облик в памяти стерся и потускнел. Она стала неясным воспоминанием, больше похожим на ощущение, чем на зримый образ. Увидеть ее снова было шоком. Элизабет словно смотрела на себя в зеркало. Вновь обретя способность говорить, она потрясенно спросила:

— Папа, что с тобой?

Он не повернул головы, не моргнул, просто посмотрел вдаль и ответил незнакомым голосом:

— Я видел ее, Элизабет.

— Видел кого? — Но она уже знала кого.

— Грайне, твою мать. Я видел ее. По крайней мере, мне так кажется. Это все было так давно, что я не уверен. Даже достал фотографию, чтобы вспомнить. Чтобы, когда она пойдет по дороге, я смог узнать ее.

Элизабет задохнулась от удивления:

— Где ты ее видел, папа?

Его голос стал выше, в нем слышалась неуверенность.

— В поле.

— В поле? В каком поле?

— В волшебном поле. — Его глаза заблестели, как будто он видел это снова. — В поле грез, как его называют. Она выглядела такой счастливой, танцевала и смеялась, как всегда. Она ни на день не постарела. — Он выглядел смущенным. — Но ведь она должна была постареть, правда? Она должна выглядеть старше, как и я.

— Папа, ты уверен, что это была она? — Элизабет всю трясло.

— Ну да. Она летала по ветру, как одуванчик, солнце освещало ее, как будто она ангел. Конечно, это была она.

Он сидел в кресле выпрямившись, руки лежали на подлокотниках, и он выглядел спокойнее, чем когда бы то ни было.

— С ней был ребенок, но не Сирша. Нет, Сирша уже выросла, — напомнил он самому себе. — Кажется, это был мальчик. Маленький паренек со светлыми волосами, как сын Сирши… — Его густые, похожие на гусениц брови в первый раз нахмурились.

— Когда ты ее видел? — спросила Элизабет. Осознав, что это ее, а не мать отец видел в поле, она испытала одновременно и страх, и облегчение.

— Вчера. — Он улыбнулся, вспоминая. — Вчера утром. Она скоро придет ко мне.

Глаза Элизабет наполнились слезами.

— Папа, ты сидишь здесь со вчерашнего дня?

— Да, но мне тут хорошо. Она скоро придет, и я хочу вспомнить ее лицо. Понимаешь, я иногда не могу его вспомнить.

— Папа, — голос Элизабет понизился до шепота, — с ней в поле больше никого не было?

— Нет, — улыбнулся Брендан. — Только она и мальчик. Он тоже выглядел очень счастливым.

— Послушай. — Элизабет взяла его за руку, ее собственная рука казалась такой детской по сравнению с его огрубевшими пальцами. — Это я была в поле вчера. Папа, это я ловила пушинки одуванчиков с Люком и одним мужчиной.

— Нет. — Он покачал головой и сердито посмотрел на нее. — Не было там никакого мужчины. С Грайне не было мужчины. Она скоро вернется домой.

— Папа, клянусь тебе, это были я, Люк и Айвен. Может быть, ты ошибся. — Она сказала это так мягко, как только могла.

— Нет! — закричал он, и Элизабет вздрогнула. Он посмотрел на нее с неприязнью. — Она возвращается домой, ко мне! — Он пристально посмотрел на нее. — Убирайся! — выкрикнул он и махнул рукой, сбросив ее маленькую руку со своей.

— Почему? — Ее сердце бешено заколотилось. — Папа, за что?

— Ты лгунья! — выкрикнул он. — Я не видел в поле никакого мужчины. Ты знаешь, что она здесь, и скрываешь от меня, — прошипел он. — Ты носишь костюмы и сидишь за столом, ты ничего не знаешь о танцах в поле. Ты лгунья, оскверняющая этот дом. Убирайся, — тихо повторил он.

Потрясенная, она тихо смотрела на него.

— Папа, я встретила мужчину, красивого, чудесного мужчину, который учит меня всем этим вещам, — начала объяснять она.

Он пододвинулся к ней, так что они почти соприкоснулись носами.

— Убирайся! — закричал он.

Она вскочила на ноги, из глаз хлынули слезы, тело охватила дрожь. Комната завертелась у нее перед глазами, и она вдруг увидела все, чего видеть не хотела: старые плюшевые мишки, куклы, книги, письменный стол, то же, что и раньше, покрывало на диване. Она бросилась к двери, не желая, не имея больше сил на это смотреть. Трясущимися руками она нащупала задвижку. Крики отца, приказывавшего ей убираться, становились все громче и громче.

Она толкнула дверь и выбежала в сад, полной грудью вдохнув свежий воздух. Стук в окно заставил ее обернуться. Она увидела отца, сердито махавшего рукой, словно показывая, чтобы она убиралась и из сада тоже. Она толкнула калитку и оставила ее открытой, не желая слышать ее скрипа.

Элизабет мчалась дороге, изо всех сил давя на газ, не глядя в зеркало заднего вида, испытывая острое желание больше никогда не видеть это место, больше никогда не ездить по этой дороге разочарований.

Она больше никогда не станет оглядываться назад.

Глава двадцать пятая

—Ч то случилось? — раздался голос из раздвижной двери кухни. Элизабет, подперев голову руками, тихо сидела за кухонным столом, совсем как озеро Макросс[1] в спокойный день.

— Господи Иисусе, — прошептала Элизабет, не поднимая головы, но удивляясь тому, что Айвен всегда умудрялся появляться тогда, когда она меньше всего его ждала, но больше всего в нем нуждалась.

— Иисус? У вас с ним какие-то проблемы? — Он вошел на кухню.

Элизабет посмотрела вверх:

— На самом деле проблемы у меня сейчас с его отцом.

Айвен сделал еще шаг по направлению к ней. Он умел переступать границы, но это никогда не выглядело угрожающе или назойливо.

1   Озеро Макросс — одно из озер в национальном
    парке Килларни.

— Я часто это слышу.

Элизабет вытерла глаза скомканной салфеткой со следами туши для ресниц.

— Вы когда-нибудь бываете на работе?

— Я все время на работе. Вы позволите? — Он показал на стул напротив нее.

Она кивнула.

— Все время? Так это для вас работа? И я всего лишь еще один безнадежный случай, с которым вам сегодня нужно справиться? — саркастически спросила она, смахивая салфеткой слезу, скатившуюся уже до середины щеки.

— Элизабет, в вас нет ничего безнадежного. Однако вы тот еще случай, я уже говорил вам, — серьезно сказал он.

Она засмеялась:

— Случай, страдающий нервным расстройством.

Айвен погрустнел. Она опять его не поняла.

— Так это ваша форменная одежда? — Она показала на его наряд.

Айвен с удивлением посмотрел на себя.

— Вы носите эту одежду каждый день, с тех пор как я увидела вас в первый раз, — улыбнулась она. — Так что либо это форма, либо вы совсем не признаете гигиену, либо у вас не хватает воображения.

Глаза Айвена расширились.

— О, Элизабет, мне вполне хватает воображения. Может, лучше поговорим о том, почему вы такая грустная?

— Нет, мы всегда говорим только обо мне и моих проблемах, — ответила Элизабет. — Давайте для разнообразия побеседуем о вас. Что вы сегодня делали? — спросила она, пытаясь встряхнуться. Казалось, с того момента, когда она утром поцеловала Айвена на главной улице, прошло несколько месяцев. Она думала об этом весь день, волновалась из-за того, что их видели, но, как ни странно, в городе, где жители узнают обо всем быстрее, чем программы новостей, никто ничего не сказал ей о таинственном мужчине.

Она хотела снова поцеловать Айвена, боялась своего желания, пыталась избавиться от него, но не могла. В Айвене было что-то такое чистое, такое детское, хотя он выглядел сильным и опытным. Он действовал на нее как наркотик: знаешь, что прикасаться к нему нельзя, но когда видишь его, устоять невозможно, и зависимость только усиливается. Когда днем на нее навалилась усталость, воспоминание об этом поцелуе взбодрило ее, и беспокойство исчезло. Все, чего она сейчас хотела, — это чтобы момент, когда тревоги отступают, повторился.

— Что я сегодня делал? — Айвен покрутил пальцами и стал размышлять вслух: — Ну, я сегодня хорошенько разбудил Бале-на-Гриде, поцеловал очень красивую женщину, а остаток дня был не в состоянии делать ничего другого, кроме как думать о ней.

Его пронзительные голубые глаза согрели Элизабет, и лицо ее оживилось.

— А потом я не смог перестать думать, — продолжил Айвен. — Так что я сидел и весь день думал.

— О чем?

— Кроме красивой женщины?

— Кроме, — улыбнулась Элизабет.

— Вам не понравится.

— Я переживу.

Айвен выглядел неуверенно.

— Ладно, если вы действительно хотите знать, — он вздохнул, — я думал о «Добывайках»1.

Элизабет нахмурилась:

— Что?

— О «Добывайках», — повторил Айвен с задумчивым видом.

— О детской передаче? — спросила Элизабет с досадой. Она приготовилась к нашептыванию нежной чепухи, как в кино, а не к такому скучному разговору совсем не о любви.

— Да, — сказал Айвен, не замечая ее тона. — Я долго и серьезно думал о, так сказать, коммерческой стороне их деятельности. — В его голосе звучало возмущение. — И пришел к выводу, что они ничего не добывали. Они крали. Они определенно крали, и все знали об этом, но никто никогда ни слова не сказал. И разве они когда-нибудь что-нибудь возвращали? Я не помню, чтобы Пигрин Клок хоть раз что-нибудь вернул Отдавайкам, а вы? — Он откинулся назад и сложил руки на груди. — И о них еще делают фильмы — о кучке

---

1   «Добывайки» — детский телесериал по романам Мэри Нортон о маленьких хитрых существах, живущих под полом и таскающих у хозяев дома разные мелкие предметы, главным образом еду.

воришек, в то время как мы... Мы не делаем ничего, кроме добра, но нас до сих пор считают плодом человеческого воображения. — Он скорчил гримасу и изобразил пальцами кавычки. — «Невидимые»! Да бросьте!..

Элизабет смотрела на него с изумлением.

Повисло долгое молчание.

Айвен какое-то время разглядывал кухню, потом сердито потряс головой и снова повернулся к Элизабет:

— Что?

Молчание.

— Ладно, все это не имеет значения. — Он махнул рукой. — Я же сказал, что вам не понравится. Хватит о моих проблемах. Прошу вас, скажите, что случилось?

Элизабет вздохнула. Вопрос о Сирше отвлек ее от непонятного разговора о Добывайках.

— Сирша пропала. Джо, человек, который в курсе всего в Бале-на-Гриде, сказал мне, что она ушла с людьми, с которыми общалась в последнее время. Он узнал об этом от родственника одного парня из этой компании. Ее нет уже три дня, и никто не знает, куда они отправились.

— О! — удивленно воскликнул Айвен. — А я тут разболтался о своих проблемах. Вы сообщили в полицию?

— Пришлось, — грустно сказала она. — Я чувствовала себя доносчицей, но иначе нельзя, ведь она может не явиться на судебное слушание через несколько недель, а я почти уверена, что так и будет. Теперь надо найти адвоката, который представлял бы ее в суде. Конечно, это будет выглядеть не лучшим образом, но ничего не поделаешь. — Она устало потерла лицо.

Он взял ее руки в свои.

— Она вернется, — уверенно сказал он. — Может быть, не к слушанию, но вернется. Поверьте мне. Не надо волноваться. — Его тихий голос был твердд.

Элизабет заглянула в его голубые глаза в поисках правды.

— Я вам верю, — сказала она.

Но в глубине души ей было страшно. Элизабет боялась поверить Айвену, боялась поверить безоглядно, потому что тогда ее надежды взовьются высоко к небу и будут реять на флагштоке у всех на виду. Там они встретят бури и грозы, которые истреплют их, разорвут в клочья и уничтожат.

Она вдруг подумала, что не сможет больше жить с незадернутыми шторами в спальне, снова глядеть на дорогу в ожидании чьего-то возвращения. Она очень устала, и ей хотелось закрыть глаза.

Глава двадцать шестая

Когда на следующее утро я вышел из дома Элизабет, то решил сразу же пойти к Опал. На самом деле я решил это раньше. Кое-что из сказанного ею задело меня за живое, фактически все, сказанное ею, задело меня за живое. Когда я был с ней, я сам себе напоминал ежа: обидчивый и колючий, все чувства обострены. Смешно, я ведь считал, что все чувства у меня обострены уже давно: я же профессиональный лучший друг, как же иначе, — но оказалось, одного чувства я еще никогда не испытывал. Я не знал, что такое любовь. Конечно, я любил всех своих друзей, но не так, совсем не так, чтобы сердце ухало и замирало в груди, как когда я смотрел на Элизабет, не так, чтобы я хотел быть с ними все время, как хотел быть с ней. И я хотел быть с ней не потому, что это было нужно *ей*, — я понял, что это нужно мне. Любовь пробудила во мне массу эмоций и ощущений, о существовании которых я даже не подозревал.

Я откашлялся, проверил, как выгляжу, и прошел в кабинет Опал. У нас в Яизатнафе нет дверей — никто здесь не умеет их открывать, но есть и другая причина: двери служат преградами, это массивные и неприветливые штуковины, с их помощью можно пускать или не пускать людей в свою жизнь, а у нас другая позиция. Мы выбрали открытую планировку, чтобы создать дружескую атмосферу. Но в последнее время я пришел к выводу, что розовая дверь Элизабет с улыбающимся почтовым ящиком — самая дружелюбная дверь, какую я видел. В результате вся дверная теория полетела к черту, и я еще многое стал подвергать сомнению.

Опал приветствовала меня, не подняв головы:
— Проходи, Айвен.

Она сидела за письменным столом, одетая, как всегда, в фиолетовое, ее многочисленные косички были собраны вместе и усыпаны блестками, так что при каждом движении сверкали. На стенах кабинета висели сотни рамок с фотографиями детей со счастливыми улыбками на лицах. Фотографиями были заставлены все полки, кофейный столик, буфет, каминная доска и подоконник. Куда бы я ни посмотрел, везде бесконечные ряды фотографий людей, с которыми Опал когда-то работала и дружила. Единственной свободной поверхностью в комнате был ее стол, где стояла всего одна рамка. Эта рамка годами стояла там лицом к Опал, так что никому не удавалось увидеть саму фотографию. Мы знали, что, если спросить, она скажет нам, кто на ней изображен, но никто никогда не позволял себе задать такой вопрос. О чем не нужно знать, о том не нужно и спрашивать. Некоторые просто не понимают этого. Можно много общаться с людьми, разговаривать с ними *о важном,* но не затрагивать ничего слишком личного. Понимаете, существует некая граница, как бы невидимое поле вокруг человека, и точно знаешь, что не надо туда заходить, не надо переступать черту. В разговорах с Опал — и, если на то пошло, с кем бы то ни было — я никогда не вторгался в это личное пространство.

«Элизабет была бы в ужасе от этой комнаты», — подумал я, глядя вокруг. Она сразу бы все убрала, протерла и отполировала до больничного блеска. Даже солонка, перечница и сахарница образовывали равносторонний треугольник в центре ее стола. Она все время передвигала вещи на дюйм вправо или влево, туда и обратно, пока они не переставали ее раздражать. Забавно, но иногда она возвращала вещи на те же места, где они стояли изначально, и убеждала себя, что это ее устраивает. Это о ней многое говорило.

Но почему я начал думать об Элизабет? Нет, я о ней думать и не переставал. Я неожиданно вспоминал о ней в ситуациях, не имевших к ней никакого отношения, и она становилась частью сценария. Я постоянно размышлял о том, что бы она подумала или почувствовала, что бы она сделала или сказала, если бы была в этот момент со мной. А все потому, что если отдаешь кому-то частичку своего сердца, то этот человек начинает полностью занимать твои мысли и ни для чего другого уже не остается места.

Так или иначе, но я вдруг обнаружил, что стою у стола и еще не произнес ни слова с тех пор, как вошел.

— Как ты узнала, что это я? — наконец заговорил я.

Опал подняла голову и улыбнулась одной из тех улыбок, которые придают ей вид человека, знающего все.

— Я ждала тебя. — Ее губы были накрашены фиолетовой помадой под цвет мантии и напоминали две подушечки. Я тут же вспомнил, что чувствовал, когда целовал Элизабет.

— Но я не назначал встречу, — запротестовал я. Я знал, что обладаю интуицией, но Опал была в этом гораздо сильнее меня.

Она снова улыбнулась:

— Чем могу тебе помочь?

— Я думал, ты узнаешь об этом и не спрашивая меня, — поддразнил я ее, садясь в вертящееся кресло и думая о вертящемся кресле на работе Элизабет, потом о самой Элизабет, о том, что чувствовал, когда держал ее в объятиях, смеялся с ней и слышал ее быстрое дыхание во сне прошлой ночью.

— Помнишь платье, которое было на Гортензии на последнем собрании?

— Да.

— Не знаешь, где она его взяла?

— А что, ты тоже такое хочешь? — спросила Опал, и глаза ее заблестели.

— Да, — ответил я, нервно теребя руки. — То есть нет, — быстро сказал я и сделал глубокий

276

вдох. — Я просто хотел бы знать, где можно достать другую одежду. — Все, я это произнес.

— Костюмерная находится двумя этажами ниже, — объяснила Опал.

— Я не знал, что у нас есть костюмерная, — удивленно сказал я.

— Она всегда была там, — сказала Опал, прищурившись. — Можно спросить, зачем тебе это надо?

— Не знаю. — Я пожал плечами. — Просто, Элизабет, видишь ли, эээ, она *отличается* от всех остальных моих друзей. Она обращает внимание на такие вещи, понимаешь?

Она медленно кивнула.

Я почувствовал, что следует еще кое-что объяснить. Молчать было как-то неловко.

— Понимаешь, Элизабет мне сегодня сказала, что я ношу эту одежду либо потому, что это форма, либо потому, что я не признаю гигиены или же мне не хватает воображения. — Я вздохнул. — Ты же понимаешь, воображение — последнее, чего мне не хватает.

Опал улыбнулась.

— И я знаю, что с гигиеной у меня все в порядке, — продолжил я. — А потом я подумал о варианте с форменной одеждой. — Я осмотрел себя сверху донизу. — И знаешь, может быть, она права.

Опал поджала губы.

— Одна из особенностей Элизабет состоит в том, что она тоже носит форменную одежду. Одевается в черное: изо дня в день одни и те же скучные костюмы, косметика напоминает маску, а волосы всегда убраны назад. В общем, *ничего* не остается свободным. Она все время работает и воспринимает это очень серьезно. — Потрясенный, я поднял на Опал глаза, неожиданно кое-что осознав. — Опал, мы с ней абсолютно похожи.

Опал молчала.

— И все это время я называл ее йынчуксом.

Опал весело засмеялась.

— Я хотел научить ее веселиться, по-другому одеваться, перестать носить маску, изменить жизнь так, чтобы найти счастье, а как я это могу сделать, если сам абсолютно такой же, как она?

Опал слегка кивнула:

— Айвен, я понимаю. Ты тоже учишься у Элизабет, я вижу. Она вытаскивает на свет кое-что в тебе, а ты показываешь ей совершенно иной образ жизни.

— В субботу мы ловили Джинни Джоу, — тихо сказал я, соглашаясь с ней.

Опал открыла стоящий за ней шкаф и улыбнулась:

— Я знаю.

— О, хорошо, они прибыли! — радостно сказал я, увидев в шкафу банку с Джинни Джоу.

— Один твой тоже прибыл, Айвен, — серьезно сказала Опал.

Я почувствовал, что краснею, и сменил тему:

— Знаешь, вчера ночью ей удалось проспать шесть часов безмятежным сном. Такое случилось впервые.

Выражение лица Опал не смягчилось.

— Айвен, это она тебе сказала?

— Нет, я наблюдал за ней... — Я умолк. — Слушай, Опал, я провел там ночь. Я только обнимал ее, пока она не заснула, в этом нет ничего такого. Она сама попросила меня. — Я старался, чтобы мои слова звучали убедительно. — И если ты попытаешься вспомнить, то и с другими друзьями я себя всегда так веду. Я читаю им сказки на ночь, сижу с ними, пока они не уснут, а иногда даже сплю рядом на полу. Никакой разницы.

— Правда никакой?

Я не ответил.

Опал взяла авторучку с огромным фиолетовым пером, опустила глаза и стала писать своим каллиграфическим почерком.

— Как ты думаешь, сколько еще времени тебе понадобится на работу с ней?

Это меня задело. Сердце заколотилось. Раньше ни о чем подобном Опал меня никогда не спрашивала. Ни для кого это никогда не было вопросом времени, все должно было развиваться естественно. Иногда необходимо провести с кем-то всего лишь один день, а иногда три месяца. И никогда раньше мы не устанавливали для этого сроки.

— Почему ты спрашиваешь?

— О, — она нервничала и суетилась, — я просто поинтересовалась. Из любопытства... Айвен, лучше тебя у меня тут никого нет, и я хочу, чтобы ты помнил, что есть очень много людей, которым ты нужен.

— Знаю, — сказал я довольно резко. Я никогда не слышал, чтобы тон Опал становился таким недоброжелательным и окрашивал воздух в синий и черный цвет, и мне это совсем не понравилось.

— Отлично, — сказала она слишком уж веселым тоном. — Можешь занести это в исследовательскую лабораторию по пути в костюмерную? — И она протянула мне банку с Джинни Джоу.

Конечно, я взял у нее банку. Внутри были три Джинни Джоу: одна Люка, вторая Элизабет, а третья моя. Они лежали на дне банки, отдыхая после путешествия по ветру.

— Пока, — сказал я и вышел из кабинета. Я чувствовал себя так, будто мы только что поспорили, хотя ничего подобного не было.

Я шагал по коридору, плотно прижимая крышку банки, чтобы Джинни Джоу не вылетели на свободу. Когда я вошел в лабораторию, по ней метался Оскар с застывшим на лице выражением паники.

— Открывай вольер! — крикнул он мне, пробегая мимо двери с вытянутыми вперед руками, белый халат на нем развевался, делая его похожим на персонажа мультфильма.

Я поставил банку в безопасное место и поспешил к вольеру. Оскар бежал прямо на меня, но в последний момент прыгнул в сторону, обманув преследовавший его сноп огня, так что он на полной скорости влетел прямо в клетку.

— Ха! — радостно захохотал Оскар, повернув ключ и помахав им перед вольером. На лбу у него блестели капельки пота.

— Что это за чудище породила земля? — спросил я, подходя ближе.

— Осторожно! — закричал Оскар, и я отпрыгнул назад. — Ты не прав, это не земля его породила. — Он промокнул лоб носовым платком.

— Что значит «не земля»?

— Ну, не земля, — ответил он. — Айвен, ты что, никогда не видел падающую звезду?

— Конечно видел. — Я обошел вольер со всех сторон. — Но не так близко.

— Конечно, — добавил Оскар сладким голосом. — Вы просто видите их издалека, такие красивые и яркие, танцующие по небу, и загадываете желания, но, — его тон изменился и стал неприятным, — вы забываете об Оскаре, которому приходится собирать ваши желания со звезд.

— Прости, Оскар, я действительно забыл об этом. Я не думал, что звезды так опасны.

— Почему? — огрызнулся Оскар. — Ты думал, что горящий за миллион миль от тебя астероид, который видно с Земли, просто прилетит и поцелует меня в щечку? Но кого это волнует?! Что ты принес? О, отлично, банка с Джинни Джоу. Как раз то, что нужно после огненного шара! — громко крикнул он в сторону вольера.

В ответ огненный шар сердито подпрыгнул.

Я отошел подальше.

— Что за желание он нес? — Мне трудно было поверить, что этот горящий световой шар мог кому-то чем-то помочь.

— Забавно, что ты спросил, — сказал Оскар, показывая, что это совсем не забавно. — Конкретно этот нес желание гоняться за мной по лаборатории.

— Это сделал Томми? — спросил я, стараясь сдержать смех.

— Могу только предполагать, — ворчливо сказал Оскар. — Но на самом деле жаловаться на него нельзя, потому что это было двадцать лет назад, когда Томми еще ничего не знал и только начинал работать.

— Двадцать лет назад? — удивленно спросил я.

— Столько ему потребовалось, чтобы долететь сюда, — объяснил Оскар, открыв банку и достав оттуда одну Джинни Джоу с помощью какого-то странного инструмента. — В конце концов, это за миллионы световых лет отсюда. Я подумал, полет должен был занять как раз около двадцати лет.

Я оставил Оскара изучать Джинни Джоу и пошел в костюмерную. Там как раз снимали мерки с Оливии.

— Здравствуй, Айвен, — сказала она, удивившись.

— Привет, Оливия, что ты делаешь? — спросил я, наблюдая за тем, как портниха измеряет ее тонкую талию.

— С меня снимают мерки для платья, Айвен. Бедная миссис Кромвелл скончалась прошлой ночью, — грустно сказала она. — Похороны будут завтра. Я присутствовала на таком количестве похорон, что мое единственное черное платье износилось.

— Сочувствую тебе, — сказал я, зная, как Оливии нравилась миссис Кромвель.

— Спасибо, Айвен, но нельзя стоять на месте. Сегодня утром в хоспис привезли одну даму, которой нужна моя помощь, и сейчас мне нужно сосредоточиться на ней.

Я понимающе кивнул.

— А что тебя привело сюда?

— Мой новый друг, Элизабет, женщина, которая обращает внимание на мою одежду.

Оливия захихикала.

— Вы хотите футболку другого цвета? — спросила портниха, снимавшая мерку. Она достала из ящика красную футболку.

— Э-э… нет. — Я переминался с ноги на ногу и осматривал полки, идущие с пола до потолка. На каждой было написано чье-то имя, и я увидел имя Гортензии под рядом красивых платьев. — Я ищу что-нибудь гораздо… наряднее.

Оливия подняла брови.

— В таком случае, Айвен, с тебя надо снять мерку для костюма.

Мы договорились, что мне сошьют темно-синий костюм, а к нему голубую рубашку и галстук, потому что это были мои любимые цвета.

— Что-нибудь еще, или это все? — спросила Оливия, и в глазах у нее зажегся озорной огонек.

— На самом деле… — Я понизил голос и посмотрел вокруг, чтобы убедиться, что портниха не услышит нас. Оливия наклонила голову поближе ко мне. — Я хотел спросить, не сможешь ли ты научить меня танцевать ирландский степ?

Глава двадцать седьмая

Элизабет не отрываясь смотрела на оштукатеренную стену. Она чувствовала себя в тупике. Стена не вызывала у нее никаких мыслей. Было девять часов утра, и строительную площадку уже заполнили мужчины в касках, сползающих джинсах, клетчатых рубашках и ботинках на толстой подошве. Они сновали туда-сюда по площадке, перетаскивая на спине какие-то материалы и напоминая армию муравьев. Их крики, свист, смех и песни раскатывались громким эхом по пустым помещениям гостиницы, достигая зоны, отведенной под детские игры.

Здесь были пока лишь выбеленные, бесцветные стены, а уже через несколько недель будут резвиться дети. Может, ей следовало сделать стены звуконепроницаемыми? Она совершенно не понимала, как оформить комнату так, чтобы на детских личиках появлялись улыбки, когда они будут входить сюда, волнуясь и хныча из-за того, что им

284

какое-то время придется провести без родителей. Она знала все о кушетках, плазменных экранах, мраморных полах и всевозможных видах дерева. Она могла создать шикарные, вызывающие, изысканные интерьеры, роскошные, великолепные комнаты. Но все это не вызовет интереса у ребенка, и она знала, что способна на большее, чем просто несколько конструкторов, пазлов и набитых сухими бобами подушек.

Она знала, что может нанять дизайнера по декорированию стен, пригласить для этой работы местных художников или даже попросить совета у Поппи, но Элизабет любила все делать сама. Она любила с головой погружаться в работу и терпеть не могла просить о помощи. Выпустить кисть из рук было в ее глазах признаком поражения.

Она выставила в ряд на полу десять банок с основными цветами, сняла с них крышки и положила рядом кисти. Затем расстелила в центре комнаты лист белой бумаги и, удостоверившись, что джинсы, которые она носила только на стройке, не коснутся грязного пола, села по-турецки и стала старательно рассматривать стену. Но не могла думать ни о чем, кроме Сирши.

Спустя какое-то время Элизабет попыталась понять, как долго она вот так сидит. Она смутно помнила, как сюда входили строители, брали свои инструменты и в замешательстве наблюдали за тем, как она не отрываясь смотрит на белую стену. Ей казалось, что у нее что-то вроде творческого кризиса. Идей не было, картинка не складывалась, и как у писателя от бездействия в ручке засыхают чернила, так и у нее кисти останутся чистыми. В голове у нее… одна пустота. Как будто ее мысли отражались от этой скучной оштукатуренной стены, которая, наверное, думала то же самое о ней.

Она почувствовала чье-то присутствие и обернулась. В дверях стоял Бенджамин.

— Простите, я бы постучал, но, — он поднял руки, — двери нет.

Элизабет приветливо ему улыбнулась.

— Восхищаетесь моей работой?

— Это сделали вы? — Она повернулась к стене.

— Думаю, это мое лучшее произведение, — ответил он, и оба в молчании уставились на стену.

Элизабет вздохнула:

— Это ничего мне не говорит.

— Да? — Он шагнул в комнату. — Вы даже представить себе не можете, как сложно создать произведение искусства, которое вообще ничего не говорило бы. Всегда найдется какая-нибудь интерпретация, но в этом случае… — он пожал плечами, — ничего. Никакого послания.

— Признак истинного гения, мистер Уэст.

— Бенджамин, — поморщился он. — Я продолжаю настаивать, пожалуйста, зовите меня Бенджамин, а то я чувствую себя похожим на своего учителя математики.

— Хорошо, но вы можете продолжать звать меня мисс Эган.

Когда она опять повернулась к стене, он заметил, что уголки ее губ поднялись в улыбке.

— Как вы думаете, есть ли какая-то вероятность, что детям понравится эта комната в таком виде? — с надеждой спросила она.

— Хм. — Бенджамин стал размышлять вслух. — Особенно весело им будет играть с торчащими из плинтуса гвоздями. Я не знаю, — признался он. — Вы не у того спрашиваете. Для меня дети — существа с другой планеты. У нас с ними не много точек пересечения.

— Как и у меня, — виновато пробормотала Элизабет, думая о своей неспособности наладить хорошие отношения с Люком, как это получилось у Эдит. Хотя, после того как она познакомилась с Айвеном, она стала проводить с племянником больше времени. То утро в поле было для нее огромным шагом вперед, однако, оставаясь с Люком наедине, она все равно не позволяла себе дурачиться вместе с ним. Это Айвен на миг выпустил на волю затаившегося в ней ребенка.

Бенджамин сел на корточки, упершись для равновесия рукой в грязный пол.

— Ну, в это я никогда не поверю. У вас же есть сын, не так ли?

— О нет, у меня нет... — начала она и запнулась. — Это мой племянник. Я усыновила его, но дети — последнее, что я понимаю в этом мире. — Сегодня слова как-то сами собой срывались у нее с языка. Где та Элизабет, которая умела вести разговор, не выбалтывая подробностей своей жизни? В душе у нее как будто открылись шлюзы, и ей не удавалось сдержать то, что рвалось наружу против ее воли.

— Ну, кажется, вы хорошо понимали, чего он хотел в воскресенье утром, — мягко сказал Бенджамин, взглянув на нее по-другому. — Я проезжал мимо и видел, как вы танцевали в поле.

Элизабет вытаращила глаза, смуглая кожа у нее на щеках порозовела.

— Вы и, судя по всему, весь город. Но это была идея Айвена.

Бенджамин засмеялся:

— Айвен не дает вам скучать?

Элизабет задумалась, но Бенджамин не стал ждать ответа.

— По-моему, вы должны просто сидеть тут, как вы это и делаете, и пытаться поставить себя на место детей. Обратитесь к своему безудержному воображению. Если бы вы были ребенком, чем бы вы захотели заняться, оказавшись в этой комнате?

— Кроме того, чтобы выбраться отсюда и побыстрей вырасти?

Бенджамин поднялся с пола.

— Как долго вы планируете пробыть в нашем мегаполисе? — поспешно спросила Элизабет. Она не хотела отпускать его, бессознательно оттягивая момент, когда ей придется признаться себе, что впервые в жизни у нее нет ни малейшего представления о том, что надо делать.

Бенджамин, почувствовав ее желание поговорить, снова опустился на пол, и Элизабет с трудом отмахнулась от представшей перед ее мысленным взором картины — миллионы ползущих по нему пылевых клещей.

— Я хочу уехать, как только будет вбит последний гвоздь, а стены покрыты последним слоем краски.

— Вы явно без памяти влюбились в наши места, — саркастически заметила Элизабет. — Неужели вас не впечатляют панорамные виды графства Керри?

— Да, виды хороши, но я уже провел среди этих видов полгода и теперь не отказался бы от чашки хорошего кофе, от магазинов числом более одного, где можно купить одежду, и от удовольствия прогуляться по улицам, где прохожие не таращились бы на меня так, как будто я сбежал из зоопарка.

Элизабет рассмеялась.

Бенджамин поднял руку.

— Я не хочу никого обидеть, нет-нет, Ирландия — прекрасная страна, просто я не поклонник маленьких городов.

— Как и я... — От этой мысли улыбка Элизабет увяла. — Так откуда же вы все-таки сбежали?

— Из Нью-Йорка.

Элизабет покачала головой:

— Но у вас не нью-йоркский выговор.

— Да, вы меня поймали. Я из города Хэкстон, штат Колорадо, о котором вы наверняка много слышали. Он известен массой вещей.

— Например?

Он поднял брови:

— Абсолютно ничем. Это маленький город в большой пыльной низине, старый добрый город фермеров с населением в тысячу человек.

— Вам там не нравилось?

— Не нравилось, — твердо ответил он. — Можно сказать, я страдал там от клаустрофобии, — добавил он с улыбкой.

— Я знаю, каково это, — кивнула Элизабет. — Похоже на Бале-на-Гриде.

— Да, немного напоминает ваш город. — Бенджамин посмотрел в окно, он явно слегка расслабился. — Все машут тебе, когда ты идешь мимо. Они понятия не имеют, кто ты такой, но машут.

До сих пор Элизабет этого не осознавала. Она мысленно увидела своего отца в поле: на голове закрывающая лицо кепка, а рука, поднятая под прямым углом, приветствует проезжающие мимо машины.

— Они машут в полях и на улицах, — продолжил Бенджамин. — Фермеры, старушки, дети, подростки, новорожденные и серийные убийцы. Я тоже теперь так делаю. — Он подмигнул ей. — Могут даже помахать, подняв над рулем всего лишь указательный палец, когда ты переходишь дорогу. Если не контролировать себя, то, черт возьми, уезжая, будешь махать коровам.

— А коровы, скорее всего, помашут вам в ответ.

Бенджамин громко рассмеялся.

— Вы когда-нибудь думали о том, чтобы уехать?

— Я не просто думала. — Элизабет помрачнела. — Я уехала, и тоже в Нью-Йорк, но у меня есть обязательства здесь, — быстро сказала она, глядя в сторону.

— Ваш племянник, да?

— Да, — тихо ответила она.

— Ну, когда покидаешь маленький город, в этом есть одна хорошая вещь. Все будут без вас скучать. Те, кто остались, непременно заметят ваше отсутствие.

Они пристально посмотрели друг другу в глаза.

— Пожалуй, вы правы, — сказала она. — Хотя это некоторый парадокс. Мы оба перебрались в огромный, шумный, многолюдный город только затем, чтобы отгородиться от людей и почувствовать себя в одиночестве.

— Ха! — Бенджамин смотрел на нее не мигая.

Она знала, что он сейчас не видит ее, потерявшись в собственных мыслях. Несколько секунд он и правда выглядел потерянным.

— Так это или нет, — очнулся он, — но в любом случае было очень приятно поговорить с вами, мисс Эган.

Она улыбнулась этому обращению.

— Лучше я пойду и оставлю вас дальше смотреть на стену. — Он повернулся к двери. — А, кстати...

Элизабет почувствовала подступающую тошноту.

— Я нисколько не рискую смутить вас, поскольку предлагаю это совершенно невинно: может быть, вы согласитесь как-нибудь встретиться со мной вне работы? Я был бы рад для разнообразия пообщаться с человеком, мыслящим так же, как и я.

— Конечно. — Ей понравилось это неформальное приглашение. Никаких пустых ожиданий.

— Может, вы знаете, куда здесь можно пойти. Полгода назад, только приехав, я поинтересовался у Джо, где находится ближайший суши-бар.

Я успел лишь сказать ему, что это сырая рыба, и он тут же отправил меня к озеру, в часе езды от города, велев спросить там человека по имени Том.

Элизабет рассмеялась, и этот звук, ставший для нее в последние дни привычным, эхом разнесся по комнате.

— Это его брат, рыбак.

— В общем, мы еще встретимся.

Он вышел, и Элизабет осталась наедине со своей проблемой. Вспомнив слова Бенджамина, что надо использовать воображение и поставить себя на место ребенка, она закрыла глаза и мысленно услышала детские крики, смех, плач и ссоры. Громкий стук игрушек, топот бегущих ножек, звук падающего тела, напряженная тишина, а затем рев. Она представила себя ребенком, сидящим в одиночестве в этой комнате, не зная никого вокруг, и неожиданно поняла, чего бы ей тогда хотелось.

Друга.

Она открыла глаза и заметила визитную карточку, лежащую на полу около нее. Кто-то, должно быть, пробрался в комнату, когда она сидела с закрытыми глазами, и оставил ее тут. Она подняла карточку, на которой был виден черный отпечаток большого пальца. Ей даже не нужно было читать, чтобы догадаться: это новая визитка Бенджамина.

Наверное, воображение все же сработало. Судя по всему, она только что завела себе друга в комнате для игр.

Положив карточку в задний карман, она забыла о Бенджамине и вернулась к прерванному занятию — рассматриванию стены.

Нет. По-прежнему ничего.

Глава двадцать восьмая

Элизабет сидела за стеклянным столом на безукоризненно чистой кухне, окруженная блестящими гранитными поверхностями, отполированными ореховыми шкафами и сияющей мраморной плиткой. Она только что закончила безумную уборку, а в ее мыслях так и не было порядка. Каждый раз, когда звонил телефон, она думала, что это Сирша. Но нет, зато, правда, позвонила Эдит, узнать, как поживает Люк. Элизабет до сих пор ничего не слышала о сестре.

Отец по-прежнему ждал мать, он сидел, ел и спал в одном и том же кресле уже две недели. С Элизабет он знаться не желал, не пускал ее дальше входной двери, и она договорилась, что к нему будет приходить помощница по хозяйству — готовить ему раз в день и убираться. Иногда отец впускал помощницу в дом, иногда нет. Парень, работавший у них на ферме, теперь трудился за двоих. Это стоило Элизабет кучу денег, но у нее не было выбора. Она не могла помочь ни отцу, ни Сирше, потому что они не хотели ее помощи. И она впервые задумалась о том, есть ли у нее с ними вообще что-то общее.

Они все жили когда-то вместе — но каждый сам по себе — и теперь все равно оставались вместе в одном и том же городе. Они не слишком часто общались друг с другом, но когда кто-то уезжал… это имело значение. Они были связаны старой истлевшей веревкой, которая в конце концов стала канатом, который они перетягивали.

Элизабет не могла рассказать Люку, что происходит, но, конечно, он понимал, что что-то не так. Айвен прав: дети обладают шестым чувством, но Люк был воспитанным ребенком, и как только он чувствовал, что Элизабет начинает грустить, уходил в детскую. Затем она слышала тихий стук конструктора. Она не могла заставить себя сказать ему что-нибудь, кроме того, чтобы он вымыл руки, исправил ошибку в речи или прекратил шаркать.

Она не могла его обнять, ее губы не могли сказать ему «я люблю тебя», однако старалась на свой лад сделать так, чтобы ему было хорошо. Но она знала, чего он хочет на самом деле. Она сама была на его месте и помнила, каково это — мечтать, чтобы тебя взяли на руки, обнимали, целовали в лоб и укачивали. Мечтать почувствовать себя в безопасности хоть на несколько минут, зная, что есть кто-то, кто о тебе позаботится, что не нужно справляться с жизнью в одиночестве.

За последние недели Айвен подарил ей несколько таких моментов. Он поцеловал ее в лоб и убаюкал, и она уснула, не чувствуя себя одинокой, не испытывая потребности выглянуть в окно и посмотреть, нет ли кого-то вдали. Но Айвен, милый, милый Айвен был окружен завесой тайны. Она и не подозревала, что кто-то способен помочь ей понять самое себя, и была Айвену безмерно благодарна, но ее поражало, что этот человек, который в шутку и всерьез столько рассуждал о невидимых сторонах жизни, сам фактически носит шапку-невидимку. Он указал ей путь, однако сам не имел ни малейшего представления о том, куда идет, откуда пришел, *кем* является. Ему нравилось говорить о ее проблемах, помогать их решать, но о собственных проблемах он не говорил никогда. Как будто общение с ней было для него способом отвлечься, и она задумывалась о том, что случится, когда этот способ себя исчерпает и придет понимание.

У нее было такое чувство, что время, проведенное с ним, очень ценно и нужно ловить каждую минуту, как будто это их последняя минута вместе. Он был слишком хорош, чтобы быть настоящим, каждое мгновение с ним рядом казалось волшебством, но она подозревала, что так не может продолжаться всегда. Ни одна из ее симпатий не была долговечной, ни один из тех, кто приносил свет в ее жизнь, не смог в ней остаться. Помня это и боясь потерять такого удивительного человека, она, тем не менее, покорно ждала дня, когда он возьмет и уйдет. Кто бы он ни был, он исцелял ее, учил улыбаться, смеяться, и она мучительно раздумывала, чему сама могла бы научить его. Ей было страшно, что этот красавец с добрыми глазами в какой-то момент вдруг поймет, что ей нечего ему предложить. Что она просто истощила его ресурсы, не дав ничего взамен.

Так случилось с Марком. Она была просто не в состоянии дать ему больше, не перестав заботиться о своей семье. Разумеется, он хотел, чтобы она разорвала эти путы, но она не могла, она никогда бы так не поступила. Сирша и отец отлично знали, как дергать за веревочки, и она была марионеткой в их руках. В результате она осталась одна, воспитывала ребенка, которого никогда не хотела, а любовь всей ее жизни осталась в Америке: Марк женился и уже стал отцом. Она не видела его пять лет и ничего о нем не знала. Через несколько месяцев после того, как Элизабет вернулась в Ирландию, он навестил ее, приехав повидаться с родителями.

Первые месяцы были самыми сложными. Элизабет искренне надеялась заставить Сиршу воспитывать ребенка, и, хотя Сирша не желала об этом слышать, Элизабет не собиралась позволить сестре отказаться от сына.

Отец был уже на пределе, ему осточертели детские крики, продолжавшиеся всю ночь, пока Сирша где-то развлекалась. Элизабет считала, что это напоминало ему о прошлом, когда он остался один с ребенком на руках — с ребенком, которого он очень быстро передал своей двенадцатилетней дочери. Что ж, теперь он сделал то же самое. Он выгнал Сиршу с фермы, и та оказалась на пороге дома Элизабет с младенцем, колыбелью и всем прочим. Это случилось как раз в тот день, когда к ней заехал Марк.

Один взгляд на то, как она живет, — и Элизабет потеряла его навсегда. Вскоре после этого Сирша исчезла, оставив ребенка ей. Элизабет думала о том, чтобы отдать Люка на усыновление, она правда думала об этом. Каждую бессонную ночь и каждый изнурительный день она клялась себе, что сделает этот звонок. Но так и не сделала. Возможно, потому, что панически боялась отступать. Она маниакально стремилась к совершенству и не могла сдаться, оставив попытки помочь Сирше. Кроме того, она бессознательно хотела доказать, что может нормально воспитать ребенка, что она не виновата в том, какой стала Сирша. И не желала, чтобы с Люком произошло то же самое. Он заслуживал лучшего.

Выругавшись, Элизабет схватила свой очередной набросок, смяла его и швырнула через всю комнату в корзину. Он упал, не долетев, и, будучи не в состоянии смириться с тем, что что-то находится не на своем месте, она встала, пересекла комнату и доставила скомканный лист по назначению.

Кухонный стол был завален бумагой, цветными карандашами, детскими книгами, фигурками персонажей мультфильмов. Все, что ей пока удалось, — это исчеркать лист смешными каракулями. Но этого было явно недостаточно и, конечно, совсем не походило на целый новый мир, который она стремилась создать. Произошло то же самое, что и всегда, когда она думала об Айвене: прозвенел дверной звонок, и она уже знала, что это он. Вскочив, Элизабет бросилась к зеркалу, начала поправлять волосы и одежду. Собрав бумагу и карандаши, она в панике забегала по комнате, пытаясь сообразить, куда их запихнуть. От волнения она все уронила и, чертыхаясь, начала собирать снова, но листы бумаги выскальзывали из рук и плавно опускались на пол, как листья на осеннем ветру.

Стоя на коленях, она заметила в дверях небрежно скрещенные ноги в красных конверсах. Элизабет села на пол, щеки у нее порозовели.

— Привет, Айвен, — сказала она, не глядя на него.

— Здравствуйте, Элизабет, вам не сидится на месте? — удивленно спросил он.

— Как хорошо, что Люк вас впустил, — саркастически сказала Элизабет. — Смешно, что он никогда этого не делает, когда мне нужно. — Она подняла с пола листы бумаги и встала. — Вы сегодня в красном, — констатировала она, изучая его красную кепку, красную футболку и красные конверсы.

— Да, — согласился он. — Теперь я больше всего люблю менять цвета. От этого я ощущаю себя еще более счастливым.

Элизабет осмотрела свой черный наряд и задумалась.

— Так что у вас там? — спросил он, прерывая ее размышления.

— О, ничего, — пробормотала она, складывая листы.

— Дайте взглянуть. — Он выхватил у нее наброски. — Что мы тут видим? Дональд Дак, Микки-Маус, — он бегло просматривал рисунки, — Винни Пух, гоночная машина, а это что такое? — Он развернул лист, чтобы лучше рассмотреть.

— Да так, ничего, — резко сказала Элизабет, вырывая лист у него из рук.

— Это не ничего, ничего выглядит по-другому. — Он безучастно на нее посмотрел.

— Что вы делаете? — спросила она, спустя несколько секунд, прошедших в молчании.

— Ничего. Видите? — Он показал ей руки.

Элизабет, состроив гримасу, отошла от него.

— Иногда вы еще хуже, чем Люк. Я собираюсь выпить бокал вина, а вы что-нибудь хотите? Пиво, вино, коньяк?

. — Накатс аколома, пожалуйста.

— Я бы хотела, чтобы вы перестали произносить слова наоборот, — раздраженно сказала она, протягивая ему стакан молока. — Для разнообразия, ладно? — сердито попросила она, бросая свои бумаги в корзину.

— Но я всегда это пью, — сказал он веселым тоном, с подозрением ее разглядывая. — Почему шкаф закрыт?

— Э-э... — Она запнулась. — Чтобы Люк не достал спиртное.

Она не могла сказать: «Чтобы Сирша не добралась до него». Всякий раз, когда Люк слышал, что пришла его мать, он прятал ключ от этого шкафа у себя в комнате.

— О, а что вы делаете двадцать девятого? — Айвен крутился на высоком барном стуле и наблюдал, как Элизабет с сосредоточенным лицом перебирает вина.

— А двадцать девятое — это когда? — Она закрыла шкаф и стала искать в ящике штопор.

— В субботу.

Щеки у нее вспыхнули, и она отвела взгляд, полностью сосредоточившись на открывании бутылки.

. — Я ухожу в субботу.

— Куда?

— В ресторан.

— С кем?

Ей показалось, что это Люк засыпал ее вопросами.

— Я встречаюсь с Бенджамином Уэстом, — ответила она, все еще не глядя на него. Она просто не могла заставить себя повернуться и не понимала, почему чувствует себя так неловко.

— В субботу? Вы же не работаете по субботам, — заявил Айвен.

— Это не по работе, Айвен. Он никого здесь не знает, и мы просто пойдем поесть. — Она налила красного вина в хрустальный бокал.

— Поесть? — недоверчиво переспросил он. — Вы собираетесь ужинать с Бенджамином Уэстом? — Его голос взметнулся на октаву выше.

Широко раскрыв глаза, Элизабет обернулась:

— А в чем, собственно, дело?

— Он грязный, и от него воняет, — заявил Айвен.

У Элизабет отвисла челюсть, она не знала, что ответить.

— Наверное, он ест руками. Как животное, — продолжил Айвен, — или как пещерный человек — наполовину человек, наполовину животное. Он, наверное, охотится на...

— Айвен, перестаньте. — Элизабет рассмеялась. Он перестал.

— Что, на самом деле, случилось? — Она посмотрела на него и сделала глоток вина.

Он перестал крутиться на стуле и посмотрел на нее. В ответ она тоже на него посмотрела. Она видела, как он сглотнул, кадык у него опустился. Его детскость исчезла, и он предстал перед ней мужчиной, большим, сильным и таким обаятельным. Ее сердце забилось быстрее. Он не сводил глаз с ее лица, и она не могла пошевелиться.

— Ничего *не случилось*.

— Айвен, если у вас есть что мне сказать, скажите, — твердо проговорила Элизабет. — Мы с вами уже большие мальчик с девочкой. — Уголок ее губ пополз вверх.

— Элизабет, вы не хотите провести со мной вечер в субботу?

— Айвен, будет невежливо отменить встречу фактически в последний момент. Мы не можем с вами встретиться в другой раз?

— Нет, — сказал он, слезая со стула. — Это должно быть двадцать девятого июля. Вы потом поймете почему.

— Я не могу.

— Можете. — Он решительно взял ее за руки. — Делайте что хотите, но мы встретимся в субботу в бухте Ков Кун в десять вечера.

— В бухте Ков Кун ? А почему так поздно?

— Вы поймете почему, — повторил он, прикоснулся к кепке и исчез так же внезапно, как и появился.

Перед тем как уйти, я зашел в детскую к Люку.

— Эй, привет, незнакомец! — сказал я, плюх-нувшись на набитую сухими бобами подушку.

— Привет, Айвен, — сказал Люк, глядя в теле-визор.

— Скучал по мне?

— Не-а, — улыбнулся он.

— Хочешь знать, где я был?

— Целовался с моей тетей. — Люк закрыл глаза и изобразил в воздухе поцелуи, а потом раз-разился истеричным смехом.

От удивления я открыл рот:

— Эй! Почему ты так говоришь?

— Ты *любишь* ее, — засмеялся Люк, продолжая смотреть мультфильм.

Я обдумал это.

— Ты все еще мой друг?

— Ага, — ответил Люк, — но мой *лучший* друг — Сэм.

Я сделал вид, что мне выстрелили в сердце.

Люк оторвался от телевизора и посмотрел на меня, в его голубых глазах была надежда.

— Теперь твой лучший друг — моя тетя?

Я хорошенько подумал.

— Ты хочешь, чтобы она им была?

Люк выразительно кивнул.

— Почему?

— С ней теперь гораздо веселее, она делает мне меньше замечаний и разрешает рисовать в го-стиной.

— День Джинни Джоу весело прошел, да?

Люк снова кивнул.

— Я никогда не видел, чтобы она столько смеялась.

— Она теперь крепко обнимает тебя и играет с тобой в разные игры?

Люк посмотрел на меня так, как будто я сказал что-то нелепое, и я вздохнул, переживая из-за того, что какая-то маленькая часть меня испытала облегчение.

— Айвен?

— Да, Люк.

— Помнишь, ты сказал, что не сможешь остаться со мной навсегда, что ты должен будешь уйти помогать другим друзьями и я не должен грустить.

— Да. — Я тяжело сглотнул. Я очень боялся этого дня.

— А что будет с тобой и тетей Элизабет, когда это произойдет?

И тогда я стал переживать из-за той своей части, которая находится в груди и которая заболела при мысли об этом.

Я вошел в кабинет Опал, держа руки в карманах, на мне была новая красная футболка и новые черные джинсы. Я был сердит. Мне не понравился голос Опал, когда она меня позвала.

— Айвен, — сказала она, откладывая свою ручку с пером и поднимая на меня глаза. На лице ее не было сияющей улыбки, которой она раньше меня приветствовала. Она выглядела уставшей, под глазами темнели круги, а косички не были убраны в одну из ее обычных причесок.

— Опал. — Я скопировал ее тон, садясь перед ней закинув ногу на ногу.

— Что ты говоришь своим ученикам о том, как надо участвовать в жизни своего лучшего друга?

— Содействовать, а не мешать, — заговорил я скучающим тоном, — поддерживать, а не противодействовать, помогать и слушать, а не…

— Достаточно. — Она повысила голос, прерывая меня. — Содействовать, а не мешать, Айвен. — Слова повисли в воздухе. Она помолчала и продолжила: — Ты заставил ее отменить ужин с Бенджамином Уэстом. А ведь она могла бы завести себе друга, Айвен. — Черные глаза Опал напоминали угли. Еще немного гнева — и они загорятся.

— Могу я тебе напомнить, что последний раз Элизабет Эган договаривалась с кем-то о встрече не по работе пять лет назад? Айвен, *пять* лет назад, — подчеркнула она. — Можешь объяснить мне, зачем ты помешал ей?

— Потому что он грязный и от него воняет, — засмеялся я.

— Потому что он грязный и от него воняет, — передразнила она. — Что ж, позволь ей понять это самостоятельно. Не заходи слишком далеко, Айвен. — Она посмотрела на свои бумаги и снова стала писать, перо развевалась от ее яростных движений.

— Опал, что происходит? — спросил я ее. — Скажи мне, что на самом деле происходит.

Она подняла голову, в ее глазах были гнев и грусть.

— Мы сейчас невероятно заняты, Айвен, и нам нужно, чтобы ты работал как можно быстрее, а не болтался без дела, уничтожая то хорошее, чего уже достиг. Вот что происходит.

Пораженный ее критикой, я молча пошел к двери. Я ни на секунду ей не поверил, но что бы ни происходило в ее жизни, это было ее личным делом. Она бы изменила свое отношение к тому, что Элизабет отменила ужин с Бенджамином, если бы знала, что я запланировал на двадцать девятое.

— Да, Айвен, и еще кое-что, — позвала Опал.

Я остановился в дверях и обернулся. Она смотрела на стол и, пока говорила, продолжала писать.

— Нужно, чтобы ты был здесь в понедельник и подменил меня на какое-то время.

— Зачем? — недоверчиво спросил я.

— Меня не будет несколько дней, и нужно, чтобы ты меня прикрыл.

Такого еще никогда не случалось.

— Но у меня ведь работа в самом разгаре.

— Приятно слышать, что ты все еще это так называешь, — огрызнулась она. Потом вздохнула, отложила свою украшенную пером ручку и подняла глаза. Похоже, она готова была расплакаться. — Айвен, я уверена, в субботу все пройдет настолько успешно, что на следующей неделе тебе уже не понадобится там быть.

Ее голос звучал так мягко и искренне, я даже забыл, что сердился на нее, и впервые понял, что в любой другой ситуации она была бы права.

Глава двадцать девятая

Айвен добавил последние штрихи к сервировке столика, отрезал веточку дикорастущей фуксии и поставил ее в маленькую вазу в центр. Он зажег свечу и смотрел, как ее пламя дрожит от ветерка — точно собака, бегающая по саду, но привязанная цепью к конуре. Маленькая бухточка Ков Кун была безмолвна, оправдывая свое название, данное ей местными жителями много веков назад и означавшее «тихая пещера». Слышался лишь плеск воды, которая, набегая на берег, щекотала песок. Айвен закрыл глаза и покачался в такт этой музыке. Маленькая рыбацкая лодка, привязанная к причалу, подпрыгивала на волнах, иногда ударяясь о сваю и добавляя к плеску воды негромкую барабанную дробь.

Голубое небо начинало темнеть, по нему плыли редкие молодые облачка, отставшие от облаков постарше, которые проплывали тут несколько часов назад. Звезды ярко светили, и Айвен подмигнул им, они тоже знали о том, что должно произойти. Айвен попросил повара из столовой на работе помочь ему сегодня вечером. Это был тот же повар, что отвечал за еду на чаепитиях в саду лучших друзей, но на этот раз он превзошел самого себя. Он организовал такое роскошное угощение, какое Айвен и представить себе не мог. Первым блюдом были фуа-гра и тосты, нарезанные аккуратными маленькими квадратиками, за ними следовал ирландский лосось и приготовленная с чесноком спаржа, а после — мусс из белого шоколада с малиновым соусом. Теплый ветер с залива разносил запахи по всей округе, и они пролетали мимо Айвена, пощипывая ему нос.

Он нервно поигрывал приборами, без конца что-то поправлял, затянул новый голубой шелковый галстук и распустил его, расстегнул пуговицу на темно-синем пиджаке, а потом решил снова ее застегнуть. Весь день он был очень занят подготовкой к вечерней встрече, и у него не хватило времени подумать о бурливших в нем чувствах. Поглядывая то на часы, то на темнеющее небо, он надеялся, что Элизабет придет.

Элизабет медленно ехала по узкой петляющей дороге, почти ничего не различая в густой темноте сельской местности. Дикие цветы и живые изгороди тянулись к ее машине, когда она проезжала мимо. Включенные на полную мощность фары распугивали мотыльков, комаров и летучих мышей, пока она ехала по направлению к морю. Когда она доехала до просвета, черное покрывало вдруг приподнялось, и ей открылся целый мир.

Впереди на тысячи миль раскинулась черная гладь моря, блестевшая в лунном свете. В бухточке стояла крошечная рыбацкая лодка, привязанная к ступеням причала; набегающая волна лизала и дразнила бархатисто-коричневый песок. Но не море поразило ее, а вид одетого в новый нарядный костюм Айвена, стоявшего на песке рядом с маленьким столиком, красиво накрытым на двоих. В центре столика горела свеча, дрожащее пламя которой отбрасывало тень на его улыбающееся лицо.

Это могло растопить даже каменное сердце. Мать столько раз описывала ей восторженным шепотом ужин под луной на пляже, что мечты матери стали ее собственными. И вот Айвен стоял теперь внутри этой картины, которую они с матерью нарисовали себе так живо и в таких подробностях, что она навсегда запечатлелась в памяти Элизабет. Вдруг поняв смысл выражения «не знать, плакать или смеяться», она без смущения сделала и то и другое.

Айвен стоял в горделивой позе, его голубые глаза блестели в лунном свете. Он не обратил внимания на ее слезы, а точнее, принял их как должное.

— Моя дорогая, — он отвесил ей театральный поклон, — ужин под луной ждет вас.

Вытирая слезы и улыбаясь так широко, что казалось, ее улыбка может осветить весь мир, Элизабет оперлась на его протянутую руку и вышла из машины.

Айвен резко выдохнул:

— Ух, Элизабет, вы потрясающе выглядите!

— Теперь я больше всего люблю носить красное. — Она передразнила Айвена, беря его за руку и позволяя отвести себя к столику.

После долгих мучительных размышлений Элизабет купила красное платье, подчеркивающее ее стройную фигуру и обозначающее изгибы, о существовании которых она и не догадывалась. Перед выходом из дому она пять раз надевала и снова снимала его, чувствуя себя слишком незащищенной в таком ярком цвете. Чтобы не ощущать себя светофором, она накинула черную шаль.

Ирландская белая скатерть колыхалась от легкого теплого ветерка, и волосы щекотали Элизабет щеку. Песок под ногами был холодным и мягким, как пушистый ковер, высокие берега защищали бухточку от резких порывов ветра. Айвен отодвинул для Элизабет стул, и она села. Затем он потянулся за салфеткой, которая была обвязана веточкой фуксии, и положил ей на колени.

— Айвен, как красиво, спасибо, — прошептала она, чувствуя, что голос не слушается ее.

— Спасибо, что пришли, — улыбнулся он, наливая ей в бокал красное вино. — Итак, начинаем мы с фуа-гра. — Он потянулся под стол и достал две тарелки, накрытые серебряными крышками. — Надеюсь, вы любите фуа-гра, — сказал он, наморщив лоб.

— Очень люблю, — улыбнулась Элизабет.

— Фу-ух! — Лицо его расслабилось. — Интересно, из каких небесных субстанций получается это чудо гастрономии?

— Айвен, это гусиная печень, — засмеялась Элизабет, намазывая тост. — Почему вы выбрали эту бухту? — спросила она, плотнее закутываясь в шаль, так как ветерок стал холоднее.

— Потому что здесь тихо и потому что это прекрасное место, вдали от городских огней, — жуя, ответил он.

Элизабет решила не задавать больше вопросов, зная, что у Айвена на все свой собственный специфический взгляд.

После ужина Айвен повернулся, чтобы посмотреть на Элизабет, которая, держа обеими руками бокал с вином, задумчиво смотрела на море.

— Элизабет, — мягко сказал он, — вы полежите со мной на песке?

Сердце Элизабет забилось чаще.

— Да. — Ее голос стал хриплым. Она не могла придумать лучшего способа закончить этот вечер с ним. Ей так хотелось прикоснуться к нему, чтобы он держал ее в своих руках. Элизабет подошла к кромке воды и села на холодный песок. Она почувствовала, что Айвен идет за ней.

— Чтобы это сработало, вам придется лечь на спину, — громко сказал он.

У Элизабет от удивления открылся рот.

— Что, простите? — Она плотнее закуталась в шаль, как будто защищаясь.

— Если вы не ляжете на спину, это просто не сработает, — сказал он, уперев руки в бока. — Смотрите, вот так. — Он сел рядом с ней, а затем лег на песок. — Надо обязательно горизонтально лежать на спине, Элизабет. Так лучше всего.

— Ах так? — надменно спросила Элизабет и поднялась на ноги. — Это все, — она обвела рукой бухту, — нужно было лишь для того, чтобы заставить меня горизонтально лечь на спину, как вы изысканно выразились? — оскорбленно спросила она.

Айвен, лежа на песке, изумленно смотрел на нее, широко раскрыв глаза.

— Ну… — замялся он, пытаясь придумать ответ, — на самом деле да, — прошептал он, — просто, когда это достигает высшей точки, вам лучше горизонтально лежать на спине, — пробормотал он.

— Ха, — словно сплюнула Элизабет и, снова надев туфли, с трудом пошла по песку к машине.

— Элизабет, смотрите! — восторженно закричал Айвен. — Это достигло высшей точки. Смотрите!

— Ох, — проворчала Элизабет, забираясь на дюну. — Вы действительно отвратительны.

— Это не отвратительно! — выкрикнул Айвен, в его голосе зазвучали панические нотки.

— Все вы так говорите, — пробурчала Элизабет, роясь в сумке в поисках ключей от машины. Ничего не видя в темноте, она подставила ее под лунный свет и, посмотрев вверх, от удивления раскрыла рот. Черное безоблачное небо над ней пришло в движение. Звезды горели ярче, чем она когда-нибудь видела, некоторые из них мчались по небу.

Айвен лежал на спине, глядя в ночное небо.

— О, — тихо произнесла Элизабет, чувствуя себя глупо и радуясь темноте: ее лицо стало одного цвета с платьем. Спотыкаясь, она спустилась с дюны, сняла туфли, погрузила ноги в песок и сделала несколько шагов по направлению к Айвену. — Это прекрасно, — прошептала она.

— Ну, это было бы еще прекраснее, если бы вы легли на спину, как я и сказал, — обиженно ответил Айвен, складывая руки на груди и глядя в небо.

Элизабет прикрыла рукой рот и постаралась не засмеяться во весь голос.

— Не знаю, над чем вы там смеетесь. Вас ведь никто не обвинял в том, что вы отвратительны, — ехидно сказал он.

— Я думала, вы говорите о другом, — захихикала Элизабет, опускаясь на песок рядом с ним.

— Для чего же еще я мог бы вас попросить лечь на спину? — спросил он невыразительным тоном, а затем повернулся к ней, его голос стал выше на октаву, а в глазах застыла насмешка. — А? — пропел он.

— Заткнитесь, — резко сказала Элизабет, бросая в него сумку, но не скрывая при этом улыбки. — Ой, смотрите! — Она увидела падающую звезду. — Интересно, что там сегодня происходит.

— Это Дельта-Аквариды, — сказал Айвен, как будто это все объясняло. Молчание Элизабет заставило его продолжить: — Это метеоры, которые летят из созвездия Водолея. Обычно такое происходит с пятнадцатого июля по двадцатое августа, но пика активности они достигают двадцать девятого июля. Именно поэтому я хотел встретиться с вами сегодня, вдали от городских огней. — Он повернулся, чтобы взглянуть на нее. — Так что да, все лишь для того, чтобы заставить вас лечь на спину.

В наступившей спокойной тишине они изучали лица друг друга, пока движение звезд не отвлекло их внимание.

— Почему бы вам не загадать желание? — спросил ее Айвен.

— Нет, — мягко сказала Элизабет. — Я все еще жду, когда сбудется мое желание, загаданное на Джинни Джоу.

— О, я бы об этом не беспокоился, — серьезным тоном ответил Айвен. — Им нужно какое-то время на обработку. Но вам не придется долго ждать.

Элизабет засмеялась и с надеждой посмотрела на небо.

Несколько минут спустя, почувствовав, что она думает о сестре, Айвен спросил:

— Есть какие-нибудь новости о Сирше?

Элизабет покачала головой.

— Она вернется, — уверенно сказал он.

— Да, но в каком состоянии? — с сомнением сказала Элизабет. — Как только другим семьям удается все держать под контролем? И даже когда у них проблемы, как они умудряются скрывать это от соседей? — в замешательстве спросила она, вспоминая все слухи, дошедшие до нее за последние несколько дней, о поведении ее отца и исчезновении сестры. — В чем тут секрет?

— Видите скопление звезд вон там? — спросил Айвен, показывая вверх.

Элизабет проследила взглядом за его рукой, смущенная тем, что настолько наскучила ему разговорами о своей семье, что ему пришлось сменить тему. Она кивнула.

— Большинство метеоров из одного и того же потока летят параллельно друг другу. Кажется, что они появляются из одной и той же точки на небе, которая называется радиант, и от нее расходятся во всех направлениях.

— А, понятно, — сказала Элизабет.

— Нет, вам непонятно. — Айвен повернулся на бок, чтобы оказаться лицом к ней. — Элизабет, звезды — они как люди. Нам *кажется*, будто они появляются из одной точки, но это не обязательно на самом деле так. Это иллюзия, возникающая из-за большого расстояния. — И на случай, если Элизабет и теперь не до конца поняла смысл сказанного, он добавил: — Далеко не всем семьям удается держать ситуацию под контролем, Элизабет. Это лишь обман зрения, что все мы появляемся как бы из одной точки. Каждый движется в своем направлении. Такова природа и людей, и вещей.

Элизабет повернула голову и посмотрела на небо, пытаясь увидеть, правда ли то, что он сказал.

— Что ж, может, им и удалось меня обмануть, — тихо сказала она, наблюдая, как каждую секунду из темноты появляются новые метеоры.

Она задрожала и плотнее закуталась в шаль — с каждым часом песок становился все холоднее.

— Вы замерзли? — обеспокоенно спросил он.

— Немного, — призналась она.

— Так, хорошо, вечер еще не закончился, — сказал он, вскакивая на ноги. — Пришло время согреться. Можно, я возьму ключи от вашей машины?

— Да, если только вы не собираетесь на ней уехать, — пошутила она, протягивая ему ключи.

Он снова достал что-то из-под стола и понес это к машине. Несколько мгновений спустя из открытой двери машины донеслась тихая музыка.

Айвен начал танцевать.

Элизабет нервно засмеялась.

— Айвен, что вы делаете?

— Танцую! — обиженно ответил он.

— Что это за танец? — Она взяла протянутую им руку, и он помог ей подняться.

— Это ирландский степ, — объявил Айвен с видом знатока, делая вокруг нее круги на песке. — Вам будет интересно узнать, что он также называется танцем на песке, то есть ваша мать вовсе не сошла с ума, когда мечтала танцевать на песке!

Элизабет прикрыла рукой рот. От счастья ее глаза наполнились слезами: она поняла, что он приводит в исполнение еще одно желание, которое они с матерью так и не претворили в жизнь.

— Почему вы исполняете все мечты моей матери? — спросила она, изучая его лицо в поисках ответа.

— Чтобы вы не убежали на их поиски, как она, — сказал он, беря ее за руку. — Давайте же, присоединяйтесь.

— Я не умею!

— Просто повторяйте за мной. — Он повернулся спиной и начал танцевать, удаляясь от нее и преувеличенно покачивая бедрами.

Подняв подол платья выше колен, Элизабет отбросила всякое стеснение и стала увлеченно танцевать на песке при свете луны, смеясь, пока у нее не заболел живот и она не начала задыхаться.

— О, Айвен, я с вами так много улыбаюсь и смеюсь, — сказала она, ловя ртом воздух и падая на песок.

— Просто я делаю свою работу, — улыбнулся он в ответ. Не успели эти слова слететь с его губ, как улыбка его потухла, и Элизабет заметила грусть в его голубых глазах.

Глава тридцатая

Красное платье мягко соскользнуло вниз и упало у ног. Элизабет легко переступила через него. Она завернулась в теплый халат, заколола волосы и забралась в кровать с чашкой кофе. Ей хотелось, чтобы этой ночью Айвен оказался с ней в постели; несмотря на все ее возмущенные протесты, она очень хотела, чтобы он обнял ее прямо там, на песке, в бухте, но казалось, чем сильнее ее тянет к нему, тем дальше он отстраняется.

После того как они посмотрели на танец звезд и сами потанцевали на песке, в машине по дороге домой Айвен погрузился в себя. Он попросил высадить его где-нибудь, откуда он бы сам пошел домой, где бы этот дом ни находился. Он еще не приводил ее туда, не знакомил с друзьями и семьей. Элизабет никогда раньше не стремилась познакомиться с родней или компанией своих избранников. Она считала, что, пока ей хорошо с ними, не имеет никакого значения, хорошо ли ей с их окружением. Но в случае с Айвеном она чувствовала, что ей нужно увидеть иную сторону его жизни. Увидеть, каков он в кругу других людей, чтобы он обрел для нее реальные очертания. Прежние ее спутники всегда спорили с Элизабет, пытались доказать ей необходимость этого, но только теперь она наконец поняла, чего они добивались.

Отъезжая, Элизабет смотрела на Айвена в зеркало заднего вида, чтобы узнать, в какую сторону он пойдет. Айвен посмотрел налево и направо на безлюдные улицы, совершенно пустые в этот поздний час, и пошел было налево, к горам и гостинице, но, сделав несколько шагов, остановился, повернул и пошел в другом направлении. Он пересек дорогу и уверенно зашагал в сторону Килларни, но неожиданно остановился, а затем скрестил руки на груди и уселся на каменный подоконник мясной лавки.

Ей показалось, что он не знает, где его дом, а если и знает, то не имеет представления, как туда добраться. Она понимала его.

Днем в понедельник Айвен стоял в дверях кабинета Опал и тихо смеялся, слушая, как Оскар уже десять минут пытается ее в чем-то убедить. Хотя Айвена это очень забавляло, им пора было бы уже заканчивать разговор, потому что в шесть часов у Айвена была назначена встреча с Элизабет. У него оставалось всего двадцать минут. Он не видел ее с ночи субботы, когда они наблюдали за

Дельта-Акваридами, лучшей ночи в его длинной-
длинной жизни. После этого он решил уйти от
нее. Он попытался покинуть Бале-на-Гриде, заняться кем-нибудь еще, кому нужна его помощь,
но не смог. Его не тянуло больше ни к кому, кроме
Элизабет, и это было самое сильное притяжение
из всех, какие он когда-либо испытывал. На сей
раз притяжение действовало не только на разум,
но и на сердце.

— Опал, — серьезный голос Оскара вырвался
в коридор, — на следующей неделе мне нужно побольше сотрудников, иначе беда.

— Да, Оскар, я понимаю, мы уже договорились со Сьюки, чтобы она помогла тебе в лаборатории, — спокойно, но твердо объяснила Опал. —
Больше мы сейчас ничего не можем сделать.

— Этого просто недостаточно, — с раздражением сказал он. — Ночью в субботу миллионы
людей наблюдали за Дельта-Акваридами, и знаешь, сколько желаний примчится сюда в бли-
жайшее время? — Он не ждал ответа, а Опал его
и не дала. — Это опасная процедура, Опал, и мне
нужны люди. Хотя Сьюки очень хорошо работает
по административной части, ей не хватает опыта
в анализе желаний. Так что либо ты даешь мне по-
мощников, либо вам придется искать себе нового
специалиста по желаниям, — важно сказал он. На
этом он вылетел из кабинета и помчался мимо
Айвена дальше по коридору, бормоча: — После
стольких лет учебы на метеоролога я занимаюсь
этим!

— Айвен, — позвала Опал.

— Как это у тебя получается? — спросил он, входя в кабинет.

Он начал подозревать, что она может видеть сквозь стены.

Она подняла на него глаза, слабо улыбнулась, и у Айвена перехватило дыхание. Она выглядела очень уставшей, под покрасневшими глазами залегли темные круги. Она выглядела так, будто не спала уже много недель.

— Ты опоздал, — мягко сказала она. — Ты должен был быть тут в девять утра.

— Разве? — озадаченно спросил он. — Я зашел, чтобы кое-что у тебя спросить. Через минуту мне надо бежать, — быстро добавил он. «Элизабет, Элизабет, Элизабет», — пропел он про себя.

— Мы же договорились, что ты подменишь меня сегодня, помнишь? — сказала Опал, поднимаясь со своего места и обходя стол.

— О нет, нет, нет, — быстро ответил Айвен, отходя к двери. — Я бы с радостью помог тебе, Опал, правда. Помогать — одно из моих самых любимых занятий, но сейчас я не могу. Я договорился о встрече с клиентом. Я не могу ее пропустить, ты же знаешь правила.

Опал прислонилась к столу, скрестила руки на груди и склонила голову набок. Ее глаза медленно и устало закрылись и открылись снова лишь через какое-то время.

— Так она теперь твой *клиент*, да? — устало спросила она. Сегодня она излучала темные тона, Айвен видел, как они исходят от ее тела.

— Да, она мой клиент, — ответил он с меньшей уверенностью. — И я действительно не могу оставить ее сегодня вечером.

— Айвен, рано или поздно тебе придется с ней попрощаться.

Она сказала это так холодно, прямо и без манерности, что это привело его в уныние. Он сделал глубокий вдох и перенес вес тела на другую ногу.

— Что ты об этом скажешь? — спросила она, когда он не ответил.

Айвен задумался. Сердце гулко билось у него в груди, и ему показалось, что оно сейчас выскочит наружу. Его глаза наполнились слезами.

— Я не хочу, — тихо сказал он.

Опал медленно опустила руки.

— Что? — спросила она уже немного мягче.

Айвен подумал о жизни без Элизабет, и его голос зазвучал более уверенно.

— Я не хочу прощаться с ней, Опал, хочу остаться с ней навсегда. С ней я счастливее, чем когда-либо прежде, и она говорит, что с ней происходит то же самое. И было бы неправильно от этого отказаться, не так ли? — Он широко улыбнулся, вспоминая, что чувствует, находясь с Элизабет.

Напряженное лицо Опал смягчилось.

— Ох, Айвен, я знала, что так случится. — В ее голосе звучало сострадание, и ему это не понравилось. Он бы предпочел злость. — Но я думала, что уж кто-кто, а ты примешь правильное решение.

— Какое решение? — Лицо Айвена вытянулось при мысли, что он принял неправильное решение. — Я спросил тебя, что мне делать, а ты не ответила. — Он начал впадать в панику.

— Айвен, ты уже давно должен был оставить ее, — грустно сказала она. — Но я не могла сказать тебе это. Ты должен был сам понять.

— Но я не мог оставить ее. — Айвен медленно опустился в кресло перед ее столом. — Она продолжала меня видеть. — Он почти шептал. — Я не вправе уйти, пока она видит меня.

— Айвен, ты заставил ее видеть себя, — объяснила Опал.

— Неправда. — Он встал и отошел от стола, разозлившись от предположения, что в их отношениях имело место какое-то принуждение.

— Ты ходил за ней, подолгу наблюдал, ты позволил крошечной связи между вами расцвести. Ты обнаружил что-то необычное и заставил ее тоже это почувствовать.

— Ты не понимаешь, о чем говоришь, — резко сказал он, меряя шагами комнату. — Ты даже не представляешь себе, что мы оба чувствуем. — Он перестал расхаживать, подошел к ней и посмотрел ей прямо глаза, подняв подбородок и прямо держа голову. — Сегодня, — он говорил предельно четко, — я собираюсь сказать Элизабет Эган, что люблю ее и хочу провести с ней всю жизнь. Я могу продолжать помогать другим, находясь с ней.

Опал поднесла руку к лицу:

— Ох, Айвен, это невозможно!

— Ты учила меня, что для меня нет ничего невозможного, — огрызнулся он сквозь зубы.

— Никто не будет видеть тебя, кроме нее! — воскликнула Опал. — Элизабет не поймет. Это просто не сработает. — От его откровений у нее явно помутился рассудок.

— Если то, что ты сказала, правда и я заставил Элизабет меня видеть, тогда я смогу заставить и всех остальных. Элизабет поймет. Она понимает меня, как никто другой. Ты имеешь хотя бы малейшее представление о том, каково это? — Теперь он был взволнован открывшейся перспективой. То, что раньше было просто идеей, теперь стало возможностью. Он может сделать так, чтобы это произошло. Он посмотрел на часы: без десяти семь. У него оставалось десять минут. — Мне пора, — поспешно сказал он. — Мне нужно сказать ей, что я люблю ее. — Он уверенно и решительно зашагал к двери.

Неожиданно голос Опал разорвал тишину:

— Я знаю, что ты чувствуешь, Айвен.

Он остановился, обернулся и покачал головой:

— Опал, откуда тебе знать, что я чувствую, если только ты не пережила это сама. Ты даже не можешь вообразить.

— У меня было такое, — тихо и неуверенно сказала она.

— Что? — Он недоверчиво посмотрел на нее, прищурив глаза.

— Было. — На этот раз она произнесла это с силой и сложила руки на животе, сомкнув пальцы. —

Я полюбила человека, который видел меня яснее и лучше, чем кто-либо за всю мою жизнь.

В комнате повисло молчание, Айвен пытался осмыслить ее слова.

— Тогда ты тем более должна понять меня. — Он шагнул к ней, явно взволнованный этим неожиданным открытием. — Может быть, у тебя все плохо кончилось, Опал, но у меня, — он широко улыбнулся, — кто знает? — Он всплеснул руками и пожал плечами. — Может быть, у меня все получится!

Опал грустно посмотрела на него.

— Нет. — Она покачала головой, и его улыбка потухла. — Айвен, давай я тебе кое-что покажу. Пойдем со мной сегодня вечером. Забудем про кабинет. — Она махнула рукой на комнату. — Пойдем со мной, и позволь мне преподать тебе последний урок. — Она ласково потрепала его по подбородку.

Айвен посмотрел на часы.

— Но Элиз...

— Забудь пока об Элизабет, — тихо сказала она. — Если ты решишь не следовать моему совету, то будешь с Элизабет завтра, послезавтра и каждый день до конца ее жизни. Кто не рискует, тот не выигрывает. — Она протянула ему руку.

Айвен с неохотой взял ее. Рука была холодной.

Глава тридцать первая

Элизабет сидела на верхней ступеньке лестницы и смотрела через окно в сад. Часы на стене показывали без десяти семь. Айвен никогда раньше не опаздывал, и она горячо надеялась, что с ним ничего не случилось. Однако сейчас досада была сильнее, чем тревога за него. Его поведение ночью в субботу давало повод думать, что он просто испугался и дал задний ход. Она думала об Айвене весь вчерашний день — об отсутствии влечения с его стороны и о том, почему она до сих пор не знакома с его друзьями, семьей, коллегами, — и поздно ночью, борясь с бессонницей, поняла наконец то, что так долго пыталась скрыть от самой себя. Ей казалось, что теперь она знает, в чем дело: либо у Айвена есть кто-то другой, либо он просто не хочет начинать с ней серьезные отношения.

Какие-то мелочи ускользали от ее внимания все это время. Элизабет не привыкла жить без ясного плана, не знать точно, куда заведут отношения. Ей было не по себе от таких перемен. Она любила стабильность и отлаженный порядок — все, что было чуждо Айвену. Что ж, сидя на ступеньке в ожидании вольной пташки, совсем как отец, она пришла к выводу, что из этого ничего не получится. Она никогда не обсуждала свои страхи с Айвеном — к чему? Потому что, когда она была с ним, все страхи рассеивались. Он просто появлялся, брал ее за руку, и они отправлялись открывать следующую увлекательную главу ее жизни. И хотя она не всегда охотно за ним следовала, *с ним* она никогда ничего не боялась. Это когда она оставалась одна, как сейчас, она сомневалась во всем.

Элизабет тут же решила, что ей необходимо отдалиться от него. И сегодня же вечером она ему об этом скажет. У них нет ничего общего, ее жизнь полна сложностей, а Айвен, насколько она видела, изо всех сил старался их избежать. Стремительно летели секунды, пошла пятьдесят первая минута его опоздания, и стало казаться, что не нужен и этот разговор с ним. Она сидела на ступеньках в новых светлых брюках и светлой рубашке, которые никогда не надела бы раньше, и чувствовала себя дурой. Дурой оттого, что слушала его, верила ему, не замечала очевидных вещей и, что еще хуже, влюбилась.

За ее гневом скрывалась боль, но последнее, чего она сейчас хотела, это сидеть одной дома и позволить ей вырваться наружу. Что-что, а это Элизабет умела.

Она подняла телефонную трубку и набрала номер.

— Бенджамин, это Элизабет, — сказала она быстро, чтобы не дать себе возможность отступить. — Как вы относитесь к тому, чтобы съесть суши сегодня?

— Где мы? — спросил Айвен, шагая по плохо освещенной, выложенной булыжником улице в центре Дублина. На неровной поверхности мостовой образовались лужи, район состоял в основном из складских помещений и промышленных зданий. Между ними одиноко стоял красный кирпичный дом. — Этот дом смешно выглядит здесь, — заметил Айвен. — Немного странно и неуместно, как будто из другой жизни.

— Именно туда мы и идем, — сказала Опал. — Хозяин отказался продать дом соседним фирмам. Он остался тут, а они заполонили все вокруг.

Айвен внимательно рассматривал маленький дом.

— Думаю, они предложили ему кругленькую сумму. Он мог бы, наверное, купить себе особняк в Беверли-Хиллз на эти деньги. — Он посмотрел вниз, когда его красный конверс оказался в луже. — Я пришел к выводу, что булыжники — это мое самое любимое.

Опал улыбнулась и весело засмеялась:

— О, Айвен, тебя так легко любить, ты знаешь? — Она пошла дальше, не дожидаясь ответа. Тем лучше, потому что Айвен не был в этом уверен.

— Что мы здесь делаем? — спросил он уже в десятый раз с тех пор, как они покинули ее кабинет. Они стояли прямо через дорогу от кирпичного дома, и Айвен наблюдал за тем, как Опал его разглядывает.

— Ждем, — спокойно ответила Опал. — Который час?

Айвен посмотрел на часы.

— Элизабет будет на меня ужасно злиться, — вздохнул он. — Уже семь часов.

Не успел он договорить, как дверь дома из красного кирпича открылась, в проеме появился старик и прислонился к косяку. Он выглянул на улицу и посмотрел куда-то вдаль, так далеко, что, казалось, он видит прошлое.

— Пошли, — сказала Опал Айвену, пересекла дорогу и вошла в дом.

— Опал, — свистящим шепотом позвал Айвен. — Я не могу так просто войти в незнакомый дом.

Но Опал уже исчезла внутри.

Айвен тоже быстро перебежал дорогу и остановился перед дверью.

— Э-э, здравствуйте, меня зовут Айвен. — Он протянул руку.

Старик продолжали держаться за косяк, его слезящиеся глаза смотрели прямо перед собой.

— Понятно, — неловко пробормотал Айвен, опуская руку. — Тогда я просто пройду мимо вас к Опал. — Старик даже не моргнул, и Айвен вошел в дом. В доме пахло старостью. Так пахнет в домах, обставленных очень старой мебелью, где живут старые люди с радио и высокими напольными часами. Тиканье часов было самым громким звуком в этом безмолвном здании. Время звучало и пахло, являясь сущностью дома, под это тиканье была прожита долгая жизнь.

Айвен обнаружил Опал в гостиной, где та рассматривала фотографии в рамках, заполнявшие все стены.

— Тут почти так же ужасно, как у тебя в кабинете, — поддразнил он ее. — Расскажи наконец, что происходит.

Опал повернулась к нему и грустно улыбнулась:

— Я ведь сказала, что понимаю, что ты чувствуешь.

— Да.

— Я сказала тебе, что знаю, что такое влюбиться.

Айвен кивнул.

Опал вздохнула и снова заломила руки.

— Это дом человека, которого я полюбила.

— А, — тихо сказал Айвен.

— Я до сих пор прихожу сюда каждый день, — объяснила она, обводя глазами комнату.

— Старик не против, что мы вломились сюда?

Опал слабо ему улыбнулась:

— Айвен, это и есть тот мужчина, которого я полюбила.

У Айвена отвисла челюсть. Входная дверь закрылась. Шаги медленно приближались к ним по скрипящим половицам.

— Не может быть! — прошептал Айвен. — Этот старик? Но он же совсем древний, ему, как минимум, восемьдесят лет!

Старик вошел в комнату. Вдруг все его маленькое тело сотряс приступ сухого кашля. Он вздрогнул от боли и медленно, держась руками за подлокотники, опустился в кресло.

Айвен переводил взгляд со старика на Опал и обратно, на лице его было написано отвращение, которое он безуспешно пытался скрыть.

— Он не слышит и не видит тебя. Мы для него невидимы, — громко сказала Опал.

Ее следующая фраза изменила жизнь Айвена навсегда. Два десятка простых слов, которые он слышал каждый день, но еще никогда в такой последовательности. Она откашлялась, и ее голос слегка дрожал, когда она сказала, перекрывая тиканье часов:

— Запомни, Айвен, сорок лет назад, когда мы с ним встретились, он не был дряхлым стариком. Он был такой же, как я сейчас.

Опал смотрела, как чувства на лице Айвена стремительно сменяют друг друга. Растерянность сменилась изумлением, потом недоверием, сожалением, а когда он соотнес слова Опал со своей собственной ситуацией, отчаянием. Его лицо сморщилось, он побледнел и его зашатало. Опал бросилась к нему, чтобы поддержать. Он крепко за нее ухватился.

— Вот что я пыталась сказать тебе, Айвен, — прошептала она. — Вы с Элизабет можете счастливо жить вместе в своем собственном коконе, и об этом никто не будет знать, но ты забываешь, что каждый год у нее будет день рождения, а у тебя — нет.

Айвена начало трясти, и Опал обняла его покрепче.

— О, Айвен, мне очень жаль, — сказала она. — Мне очень, очень жаль.

Она укачивала его, пока он плакал. И плакала сама.

— Я познакомилась с ним при тех же обстоятельствах, что и вы с Элизабет, — объяснила ему Опал позже вечером, когда слезы у него наконец высохли.

Они сидели в гостиной ее любимого Джеффри. А он все так же молча сидел в кресле у окна, оглядывая комнату и иногда разражаясь ужасным кашлем. Опал сразу же бросалась к нему, как будто пытаясь защитить.

Она теребила в руках салфетку, глаза и щеки у нее были мокрыми, когда она рассказывала свою историю, а косички печально повисли вокруг лица.

— Я совершила все те же ошибки, что и ты, — она вздохнула и заставила себя улыбнуться, — и даже ту, которую ты собирался совершить сегодня вечером.

Айвен с трудом сглотнул.

Опал продолжала:

— Когда мы встретились, Айвен, ему было сорок, и мы пробыли вместе двадцать лет, пока это не стало слишком сложно.

Глаза Айвена широко распахнулись, и в его сердце вернулась надежда.

— Нет, Айвен. — Опал грустно покачала головой, и звучавшая в ее тоне мягкость убедила его. Если бы она говорила твердо, он бы ответил ей в той же манере, но ее голос выдавал боль. — У тебя так не получится. — Ей не нужно было больше ничего говорить.

— Судя по всему, он много путешествовал, — заметил Айвен, оглядывая фотографии. Джеффри на фоне Эйфелевой башни, Джеффри на фоне падающей Пизанской башни, Джеффри на золотом песке далеких стран, улыбающийся, здоровый и счастливый, на каждой фотографии в разном возрасте. — По крайней мере, он смог жить дальше и объездить весь мир один. — Он ободряюще улыбнулся.

Опал в замешательстве посмотрела на него.

— Но я была там с ним, Айвен. — Она наморщила лоб.

— О, это хорошо. — Он был удивлен. — Ты сделала эти фотографии?

— Нет. — Ее лицо вытянулось. — Я тоже есть на этих фотографиях, разве ты меня не видишь?

Айвен медленно покачал головой.

— О… — сказала она, изучая их и видя не то, что видел Айвен.

— Почему он тебя больше не видит? — спросил Айвен, глядя, как Джеффри берет пригоршню прописанных ему таблеток и запивает их водой.

— Потому что я уже не такая, какой была раньше, наверное, именно поэтому ты не видишь меня на фотографиях. И он высматривает совсем другого человека. Связь, которая между нами была когда-то, исчезла, — ответила она.

Джеффри встал с кресла, взял трость, прошел к входной двери, открыл ее и встал в проеме.

— Пошли, нам пора, — сказала Опал, тоже вставая с кресла и выходя в коридор.

Айвен вопросительно посмотрел на нее.

— Когда мы только начали встречаться, я приходила к нему каждый вечер с семи до девяти, — объяснила она. — И, обнаружив, что я не могу открывать двери, он обычно стоял там и ждал меня. Так было каждый вечер с тех пор, как мы познакомились. Вот почему он не продал дом. Он думает, что только так я смогу найти его.

Айвен смотрел на старика, который, покачиваясь, стоял, прислонившись к косяку, и смотрел вдаль, возможно, думая о том дне, когда они веселились на пляже или были на Эйфелевой башне. Айвен не хотел, чтобы с Элизабет произошло то же самое.

— До свидания, моя Опал, — тихо сказал старик скрипучим голосом.

— Спокойной ночи, любовь моя. — Опал поцеловала его в щеку, и он медленно закрыл глаза. — Увидимся завтра.

Глава тридцать вторая

В голове у меня все прояснилось. Я знал, как мне надлежит поступать. Я должен был выполнить то, зачем меня сюда послали, — сделать жизнь Элизабет настолько комфортной, насколько это возможно. Но я так увлекся ею, что теперь мне придется помочь ей вылечить не только старые, но и *новые* раны, которые я сам по глупости нанес ей. Я был зол на себя за то, что все испортил, что вмешался в события, стал их непосредственным участником, что оторвал взгляд от мяча. Гнев вытеснял во мне боль, и я был рад этому: чтобы помочь Элизабет, мне нужно было забыть про свои чувства и вести себя так, как лучше для нее. Что и требовалось с самого начала. Но таковы уроки жизни: их получаешь, когда не ждешь и совершенно не хочешь. У меня впереди еще много-много лет, чтобы горевать о разлуке с ней.

Я прошагал всю ночь, думая о последних нескольких неделях и о всей своей жизни. Я никогда не делал этого раньше — не думал о *своей* жизни. Она никогда не казалось значимой для моих целей, но, видимо, всегда была таковой. Наутро я обнаружил, что нахожусь на улице Фуксий и сижу на садовой ограде, где больше месяца назад впервые увидел Люка. Розовая дверь все так же мне улыбалась, и я махнул ей в ответ. Хотя бы она на меня не злилась: я знал, что Элизабет злится наверняка. Она не любит, когда кто-то опаздывает на деловые встречи, не говоря уже о свиданиях. Я ее подвел. Не желая того. Не по злому умыслу, а от любви. Представьте себе, каково это — не прийти на свидание с кем-то, потому что так сильно его любишь. Представьте, каково это причинить человеку боль, заставить почувствовать себя одиноким, обиженным и нелюбимым, потому что вы думаете, что так для него *лучше*. Эти новые правила заставляли меня усомниться в моих способностях быть лучшим другом. Они были выше моего понимания и совсем меня не устраивали. Как я мог учить Элизабет надеяться, быть счастливой, смеяться и любить, когда сам не знал, верю ли еще хоть во что-то из этого? Конечно, я понимал, что все это возможно, но вместе с возможностью приходит и невозможность. Новое слово в моем словаре.

В шесть утра розовая дверь распахнулась, я вытянулся в струнку, как будто в класс входил учитель. Элизабет вышла из дома, закрыла за собой дверь, заперла ее и пошла по выложенной булыжником подъездной дорожке. На ней был темно-шоколадный спортивный костюм — единственный неформальный наряд в ее шкафу. Волосы неаккуратно убраны назад, лицо без косметики, но мне показалось, что еще никогда она не была так прекрасна. Сердце мне как будто стиснула чья-то рука, причинив ужасную боль.

Она подняла глаза, увидела меня и остановилась. Ее лицо не озарилось улыбкой, как обычно. Сердце заболело еще сильнее. Но, по крайней мере, она видела меня, а это — самое главное. Никогда не принимайте как должное, что люди смотрят вам в глаза, вы не понимаете, как вам повезло. На самом деле — нет, забудьте про везение, вы не представляете, как *важно*, что вас узнают, даже если на вас смотрят сердито. Вот когда на вас не обращают внимания, когда смотрят сквозь вас — вот тогда нужно бить тревогу. Как правило, Элизабет не обращает внимания на свои проблемы, обычно она смотрит мимо них и никогда не смотрит им в глаза. Но, судя по всему, я был проблемой, которая стоила того, чтобы ее решить.

Она подошла ко мне со сложенными на груди руками, голова высоко поднята, глаза уставшие, но полные решимости.

— Айвен, у вас все нормально?

Ее вопрос застал меня врасплох.

Я ожидал, что она будет кричать на меня, не захочет слушать и не поверит моим объяснениям, как бывает в кино, но она повела себя иначе. Она выглядела спокойной, хотя внутри у нее кипел гнев, готовый выплеснуться наружу, в зависимости от того, что я сейчас скажу. Она изучала мое лицо в поисках ответов, которым не поверит.

Кажется, мне еще никогда не задавали такого вопроса. Я думал об этом, пока она разглядывала мое лицо. Нет, было ясно как день, что у меня далеко не все нормально. Я чувствовал себя раздраженным, усталым, злым, голодным, а еще была боль, но не от голода, эта боль начиналась в груди и разливалась по всему телу, отдаваясь в голове. Я чувствовал, что за ночь мои взгляды и убеждения изменились. Убеждения, которые я с удовольствием бы высек в камне, повторял вслух и которым прежде следовал. Как будто управляющий жизнью волшебник безжалостно раскрыл свои припрятанные карты, и в этом не было никакого волшебства, всего лишь простой фокус. Или обман.

— Айвен? — Она выглядела обеспокоенной. Выражение ее лица смягчилось, она опустила сложенные на груди руки, сделала шаг вперед и потянулась, чтобы дотронуться до меня.

Я не мог ответить.

— Пойдемте пройдемся. — Она продела свою руку в мою, и мы ушли с улицы Фуксий.

Они шли в тишине вдали от города, вдыхая холодный утренний воздух. Было еще очень рано, птицы громко пели, кролики отважно перебегали им путь, и бабочки танцевали вокруг них, пока они шагали по лесу. Лучи солнца пронзали листву огромных дубов и, рассыпаясь солнечными брызгами, похожими на золотую пыль, освещали их лица. Слышалось журчание воды, вокруг стоял освежающий аромат эвкалиптов. Они добрели до просвета, где деревья расступались, открывая величественный вид на озеро. Они прошли по деревянному мостику, сели на жесткую резную скамью и замерли в молчании, наблюдая за тем, как лосось выпрыгивает из воды, ловя мух в согревающемся воздухе.

Элизабет заговорила первой:

— Айвен, в своей сложной жизни я изо всех сил стараюсь все упростить, насколько это возможно. И я знаю *каждый день,* чего мне ожидать, знаю, что собираюсь делать, куда иду, с кем должна встретиться. Я живу в окружении непредсказуемых людей, и мне необходима *стабильность.*

Она отвела взгляд от озера и впервые после того, как они сели на скамью, встретилась глазами с Айвеном.

— Вы, — она перевела дыхание, — вы лишили мою жизнь простоты. Вы перетряхиваете все вокруг и ставите все с ног на голову. Временами, Айвен, мне это очень нравится. Вы заставляете меня смеяться, танцевать, как сомнамбула, на улицах и пляжах и чувствовать себя другой женщиной, не такой, какая я есть на самом деле. — Ее улыбка потухла. — Но вчера вечером вы заставили меня почувствовать себя такой, какой я быть не хочу. Айвен, мне *нужно,* чтобы все было просто, — повторила она.

Повисло молчание.

В конце концов Айвен заговорил:

— Простите за вчерашний вечер, Элизабет. Вы знаете меня, тут не было злого умысла. — Он остановился, лихорадочно соображая, как объяснить ей, что произошло с ним вчера и стоит ли вообще это делать, и решил, что пока не надо. — Знаете, Элизабет, чем больше вы пытаетесь все упростить, тем сильнее все усложняете. Вы создаете правила, возводите стены, отталкиваете людей, обманываете саму себя и не обращаете внимания на искренние чувства. Это не делает жизнь проще.

Элизабет провела рукой по волосам.

— У меня пропала сестра, на руках шестилетний племянник, для которого я должна быть матерью, хотя ничего не понимаю в детях, отец, который неделями не отходит от окна, потому что ждет возвращения жены, исчезнувшей больше двадцати лет назад. Вчера вечером я поняла, что делаю то же самое, что и он: сижу на ступеньках и, глядя в окно, жду мужчину без фамилии, который говорит мне, что он родом из какого-то Яизатнафа. Дня не проходило, чтобы я не искала этот чертов Яизатнаф в Интернете и в атласе, пока не выяснила, что его не существует. — Она перевела дыхание. — Вы мне нравитесь, Айвен, правда, но сначала вы меня целуете, а потом не приходите на свидание. Я не понимаю, что между нами происходит. У меня и так достаточно тревог и боли, и я не хочу пополнять эту коллекцию. — Она устало потерла глаза.

Они смотрели на озеро. Из воды опять выпрыгнул лосось, пошла рябь, и раздался мягкий всплеск. На другой стороне цапля на своих ногах-ходулях тихо подошла к кромке воды. Это был настоящий рыбак за работой, наблюдающий и терпеливо ждущий нужного момента, чтобы пробить клювом стеклянную поверхность воды.

Айвен не мог не заметить сходства между работой цапли и своей собственной.

Когда роняешь на пол стакан или тарелку, раздается громкий стук. Когда разбивается стекло, ломается ножка стола или со стены падает картина, это производит шум. Но когда разбивается сердце, оно разбивается бесшумно. Казалось бы, должен раздаться невероятный грохот или какой-нибудь торжественный звук, например удар гонга или колокольный звон. Но нет, это происходит в тишине, и хочется, чтобы грянул гром, который отвлек бы вас от боли.

Если звуки и есть, то они внутри. Крик, который никто, кроме вас, не слышит. Он такой громкий, что у вас звенит в ушах и раскалывается голова. Он бьется в груди, как огромная белая акула, пойманная в море, и напоминает рев медведицы, у которой отняли медвежонка. Вот на что это похоже — на огромное обезумевшее пойманное животное, ревущее и бьющееся в плену собственных чувств. Но таково свойство любви — для нее нет неуязвимых. Это дикая, жгучая боль, открытая рана, которую разъедает соленая морская вода, но когда сердце разбивается, это происходит беззвучно. Внутри у вас все надрывается от крика, и этого никто не слышит.

Элизабет видела, что у меня сердце разбито, а я видел, что и у нее тоже, мы оба знали об этом, даже не сказав друг другу ни слова. Пришло время перестать витать в облаках и встать на твердую землю, от которой мы и не должны были отрываться.

Глава тридцать третья

— Пора возвращаться, — сказала Элизабет, вставая со скамьи.

— Почему?

— Потому что начинается дождь. — Она посмотрела на него так, как будто у него было десять голов, и вздрогнула от капли дождя, упавшей ей на лицо.

— Что с вами? — засмеялся Айвен, усаживаясь поудобнее в знак того, что никуда не пойдет. — Почему вы всегда бросаетесь в машины или дома, когда идет дождь?

— Потому что я не хочу промокнуть. Пошли!

Она нетерпеливо посмотрела на густую листву деревьев.

— Что ужасного в том, чтобы промокнуть? Ведь все высохнет.

— Потому что.

Она схватила его за руку и попыталась поднять со скамьи. Когда ей это не удалось, она сердито топнула ногой, как ребенок, не добившийся своего.

— Потому что почему?

— Я не знаю. — Она с трудом сглотнула. — Я просто никогда не любила дождь. Вам нужно знать все причины всех моих маленьких причуд? — Она прикрыла руками голову от дождя.

— Элизабет, всему есть причина, — сказал он, вытягивая руки и ловя капли дождя ладонями.

— Ну, у меня причина простая. Возвращаясь к нашему разговору, дождь все усложняет: одежда промокает, это неудобно и, в конце концов, можно простудиться.

Айвен издал звук, как в телеигре, означающий, что ответ неверен.

— От дождя нельзя простудиться. Простудиться можно от *холода*. Это грибной дождь, и он теплый. — Айвен запрокинул голову, открыл рот и стал глотать дождевые капли. — Да, теплый и вкусный. А вы, кстати, мне сказали неправду.

— Что?

— Я читаю между строк, слышу между слов и знаю, когда точка — это не точка, а, скорее, «но», — пропел он.

Элизабет застонала и встала, обхватив себя руками, словно защищаясь от чего-то, и ссутулившись, как будто в нее кидали комья грязи.

— Элизабет, это же просто дождь. Посмотрите вокруг. — Он замахал руками во все стороны. — Вы видите, чтобы кто-нибудь бежал?

— Но больше никого *нет*.

— *Au contraire!*[1] Озеро, деревья, цапля и лосось — все они попали под дождь. — Он опять запрокинул голову и продолжал пить дождь.

Перед тем как направиться под деревья, Элизабет прочла ему последнюю лекцию:

— Осторожнее, Айвен. Глотать дождь — не самая хорошая идея.

— Почему?

— Потому что это опасно для здоровья. Вы знаете, как загрязнена атмосфера? Дождь может быть кислотным.

Айвен сполз со скамьи, держась рукой за горло и делая вид, что задыхается. Он подполз к берегу. Элизабет следила за ним глазами, продолжая его поучать.

Он окунул в озеро руку.

— Ну, тут нет никакого опасного для жизни загрязнения, не так ли? — Он зачерпнул пригоршню воды и брызнул в нее.

От удивления у нее открылся рот и широко распахнулись глаза, она стояла оторопев, а с носа у нее капала вода. И вдруг Элизабет резко выбросила вперед руку и толкнула его в озеро, рассмеявшись, когда он исчез под водой.

Он все не появлялся, и она перестала смеяться.

Встревожившись, Элизабет шагнула к воде. На тихой поверхности озера не видно было никакого движения, кроме ряби от дождя. Она уже не замечала холодных капель на лице. Прошла минута.

1 Напротив! *(фр.)*

344

— Айвен! — Ее голос дрожал. — Айвен, кончайте играть. Вылезайте сейчас же! — Элизабет наклонилась вперед, высматривая его под водой.

Она нервно что-то пропела про себя и сосчитала до десяти. Человек не может задерживать дыхание так долго.

Стеклянная поверхность расступилась, и оттуда вылетело что-то вроде водяной ракеты.

— Битва под водой! — закричало водяное чудище. Оно схватило ее за руки и потянуло в озеро головой вперед. Элизабет была так счастлива, что он жив, что даже не противилась, когда ледяная вода ударила ей в лицо и накрыла с головой.

— Доброе утро, мистер О'Кэллаган. Доброе утро, Морин. Здравствуйте, Фидельма, привет, Коннор. Отец Мерфи... — Она весело кивала соседям, идя по сонному городу. Соседи провожали ее изумленными взглядами, а она шагала в хлюпающих кроссовках, и с ее одежды капала вода.

— Вам идет, — засмеялся Бенджамин, поднимая чашку с кофе в знак приветствия. Он стоял рядом с небольшой группой туристов, которые танцевали, смеялись и разбрызгивали кофе по тротуару у дверей кафе Джо.

— Спасибо, Бенджамин, — серьезно ответила она и пошла дальше по улице. Ее глаза сияли.

Солнце светило над городом, где этим утром еще не было дождя, и его жители шептались и смеялись, глядя, как Элизабет Эган идет с высоко поднятой головой, размахивая руками, а в волосах у нее запутался кусок водорослей.

Элизабет отбросила очередной цветной карандаш, смяла лист бумаги и швырнула его через всю комнату. Шарик опять не попал в корзину, но ей было наплевать. Он мог лежать там с остальными десятью смятыми шариками сколько угодно. Она состроила гримасу и взглянула на календарь. Красный крестик, которым она обозначила последний день пребывания в их жизни Айвена, воображаемого друга Люка, теперь обозначал грядущий конец ее карьеры. Ладно, она преувеличивала — открытие гостиницы намечено на сентябрь, и пока все шло по плану. Все материалы прибыли вовремя, если не считать нескольких мелких осложнений. Миссис Брэкен со своей командой трудились каждый день по многу часов, они шили подушки, занавески и пододеяльники, но непривычным было то, что работу задерживала сама Элизабет. Она не могла определиться с дизайном детской комнаты и уже начинала ненавидеть себя за то, что заикнулась о ней Винсенту. В последнее время она была слишком рассеянна.

Она села на свое любимое место за кухонным столом и засмеялась над собой, вспомнив утренний заплыв.

Ее отношения с Айвеном стали еще более странными, чем раньше. Сегодня она фактически объявила ему о разрыве, и это разбило ей сердце. Однако он до сих пор рядом с ней, в ее доме, и смешит ее, как будто ничего не случилось. Но нечто все-таки случилось, нечто очень серьезное и, возможно, непоправимое, Элизабет чувствовала это по тяжести у себя в груди. За день она пришла к любопытному выводу: никогда раньше с ней такого не случалось, чтобы, решив положить конец сближению с мужчиной, она продолжала чувствовать себя комфортно в его компании. Ни один из них не был готов к большему, по крайней мере пока, но ей так хотелось, чтобы он был готов.

Ужин с Бенджамином прошел неплохо. Она поборола свою нелюбовь к ресторанам, к еде вообще и к пустым разговорам. Ей легко удавалось это с Айвеном, и она даже иногда получала удовольствие, но все равно каждый раз это было для нее непросто. Светские разговоры не привлекали ее, однако у них с Бенджамином было много общего. Они приятно поболтали и вкусно поели, но Элизабет не расстроилась, когда пришло время возвращаться домой. Ее мысли витали далеко, она думала об Айвене и о том, что их ждет впереди.

Хихиканье Люка положило конец ее грезам.

Айвен заговорил:

— Бонжур, мадам.

Элизабет подняла голову и увидела, как Айвен с Люком входят из сада в оранжерею. Оба они прижимали к правому глазу лупу, от чего их глаза казались огромными. Над верхней губой у обоих черным фломастером были нарисованы усы. Она ничего не могла с собой поделать и засмеялась.

— О, но, мадам, тют не над щем смеяться. Пррроизощло юбийство, — серьезным тоном сказал Айвен, подходя к столу.

— Убийство, — перевел Люк.

— Что? — Элизабет широко раскрыла глаза.

— Мадам, мы ищем улики, — объяснил Люк, его неровно нарисованные усы ходили вверх и вниз, когда он говорил.

— Ужасное юбийство йимело мьесто в вашем жардене, — объяснил Айвен, проводя лупой над поверхностью кухонного стола.

— Жарден — это сад по-французски, — объяснил Люк.

Элизабет кивнула, сдерживая смех.

— Простите нас за то, что мы форфались в ваш дём. Позвольте представиться. Я мистер Месье, а йето мой глюпый друг месье Кичдовереп.

Люк пояснил:

— Это «переводчик» наоборот.

— О, — кивнула Элизабет. — Что ж, очень приятно познакомиться с вами обоими, однако я очень занята, так что, если вы не против... Она со значением посмотрела на Айвена.

— Не против? Конечно, мы против. Мы в процессе очень серьезного расследофанья, а что вы? — Он посмотрел вокруг, его глаза остановились на скомканных листках рядом с корзиной для мусора. Он поднял один из них и стал рассматривать в лупу.

— Насколько я вижу, вы делаете снежки.

Элизабет скорчила гримасу, и Люк захохотал.

— Мы должны допросить вас. У вас нет какого-нибудь фонаря с ярким светом, чтобы мы могли светить вам в лицо? — Айвен осмотрел комнату, но отказался от своего намерения, поймав взгляд Элизабет. — Очень хорошо, мадам.

— А кого убили? — спросила она.

— Ага, как я и подозревал, месье Кичдовереп, — они расхаживали по кухне в противопо-
ложных направлениях, все еще прижимая лупы
к глазам, — она делает вид, что не знает, чтобы мы
ее не подозревали. Очень умно.

— Ты думаешь, это она сделала? — спросил
Люк.

— Посмотрим. Мадам, ранее сегодня днем
на тропинке, которая ведет от вашей оранжереи
к веревке для сушки белья, был найден червяк, раз-
давленный насмерть. Его убитая горем семья рассказала нам, что он вышел из дома, когда кончился
дождь, с целью пересечь тропинку и попасть в другую часть сада. Причины, по которым он хотел отправиться туда, неизвестны, но это обычное для
червяков поведение.

Люк и Элизабет посмотрели друг на друга и
засмеялись.

— Дождь закончился в половине седьмого,
именно в это время червяк вышел из дома. Вы можете сообщить мне, где вы находились в это время,
мадам?

— Я подозреваемая? — смеялась Элизабет.

— На йетой стадии расследофанья все являются подозреваемыми.

— Ну, я вернулась с работы в четверть седьмого и занялась приготовлением ужина. Потом
пошла в подсобное помещение и положила мо-
крую одежду из стиральной машины в корзину.

— Что вы сделали потом? — Айвен поднес лупу
к ее лицу и подвигал ею в разные стороны, изучая
его. — Я ищу улики, — прошептал он Люку.

— Потом я подождала, пока кончится дождь, и повесила выстиранное белье на веревку.

Айвен театрально открыл рот:

— Вы слышали это, месье Кичдовереп?

Люк захихикал, обнажая дырку на месте недавно выпавшего зуба.

— Тогда это значит, что вы юбийвийца!

— Убийца, — перевел Люк.

Они оба повернулись к ней, прижав лупы к глазам.

Айвен заговорил:

— Так как вы попытались скрыть от меня свой день рождения на следующей неделе, то в качестве наказания мы приговариваем вас к организации вечеринки в саду в память о недавно ушедшем из жизни месье Изгибе, червяке.

Элизабет застонала:

— Ни за что!

— Я знаю, Элизабет, — он сменил французский акцент на великосветский британский, — общаться с людьми из городка — это так чудовищно страшно.

— Какими людьми? — Элизабет прищурилась.

— О, просто несколько человек, которых мы пригласили, — пожал плечами Айвен. — Люк отправил приглашения сегодня утром, правда, он замечательный? — Он кивнул на гордого, сияющего Люка. — На следующей неделе вы будете хозяйкой праздника в саду. Малознакомые люди будут топать по вашему дому, возможно, оставляя грязь. Как думаете, вы это выдержите?

Глава тридцать четвертая

Элизабет сидела по-турецки с закрытыми глазами на листе бумаги, расстеленном на грязном цементном полу недостроенной гостиницы.

— Так вот куда вы исчезаете каждый день!

Глаза Элизабет по-прежнему были закрыты.

— Как вы это делаете, Айвен?

— Что делаю?

— Просто появляетесь ниоткуда именно тогда, когда я о вас думаю.

Она услышала, как он тихо засмеялся, но оставил вопрос без ответа.

— Эта комната осталась единственной незаконченной во всей гостинице. Почему? Или, если судить по ее виду, ее даже не начинали оформлять. — Он встал рядом с ней.

— Потому что мне нужна помощь. Я застряла.

— Что вы здорово умеете, Элизабет Эган, так это просить о помощи.

Повисла тишина, и Айвен начал напевать знакомую песенку, от которой Элизабет не могла отвязаться последние два месяца. Ту самую, из-за которой она практически разорилась, свинке-копилке платя штрафы.

Она открыла глаза.

— Что вы напеваете?

— Мурлыкающую песенку.

— Вас научил Люк?

— Нет, благодарю покорно, это *я* его научил.

— Правда? — проворчала Элизабет. — Я думала, эту песенку придумал его *невидимый* друг. — Она тихонько засмеялась и подняла на него глаза. Он не смеялся.

В конце концов он заговорил.

— Почему ваш голос звучит так, будто у вас полон рот носков? Что это у вас на лице? Противогаз? — фыркнул он.

Элизабет покраснела.

— Это не противогаз, — резко ответила она. — Вы себе даже не представляете, сколько здесь пыли и бактерий. В любом случае вы должны быть в каске. — Она постучала по своей. — Не дай бог что-нибудь обрушится.

— А это что? — Он не обратил внимания на ее недовольство и оглядел ее с головы до ног. — Перчатки?

— Чтобы не испачкать руки. — Она надула губы, как ребенок.

— Ох, Элизабет! — Айвен покачал головой и, паясничая, обошел ее вокруг. — Я вас так многому научил, а вы все еще беспокоитесь о стерильности. — Он поднял кисть, лежавшую рядом с открытой банкой, и окунул ее в краску.

— Айвен, — Элизабет нервничала, наблюдая за ним, — что вы собираетесь делать?

— Вы сказали, вам нужна помощь, — улыбнулся он.

Элизабет поднялась с пола.

— Да-а, помощь в оформлении *стены,* — предостерегла она.

— Ну, к сожалению, вы не уточнили, когда просили, так что, боюсь, это не считается. — Он окунул кисть в красную краску, отвел рукой щетину назад и отпустил в направлении Элизабет, как будто выстрелил из рогатки. Краска забрызгала ей лоб и щеки. — О, как жаль, что вы не надели защитную маску на все лицо! — ерничал он, наблюдая, как у нее от возмущения глаза лезут на лоб. — Но это должно научить вас, что как ни обкладывай себя ватой, все равно можно пораниться.

— Айвен! — В ее голосе звучала злость. — Бросить меня в озеро — *одно* дело, но это уже черт знает что! — пронзительно закричала она. — Я здесь *работаю.* Я говорю серьезно, я больше не хочу иметь с вами абсолютно *ничего* общего, Айвен, Айвен... Я даже не знаю вашей фамилии.

— Моя фамилия Акмидивен, — спокойно объяснил он.

— Вы что, русский? — закричала она, учащенно дыша. — А Яизатнаф тоже русское название или его вообще *не существует?* — Она задыхалась.

— Мне очень жаль, — серьезно сказал Айвен, перестав улыбаться. — Я вижу, вы расстроены.

Кладу это на место. — Он медленно положил кисть около банки, под тем же углом, что и раньше, точно повторяя положение других кистей. — Я перегнул палку и приношу свои извинения.

Гнев Элизабет начал стихать.

— Красный, наверное, слишком агрессивный для вас цвет, — продолжил он. — Мне следовало быть проницательнее.

Неожиданно перед лицом Элизабет возникла еще одна кисть. Ее глаза широко раскрылись.

— Может быть, белый? — улыбнулся он и снова разбрызгал краску, на этот раз попав ей на одежду.

— Айвен! — Элизабет наполовину смеялась, наполовину кричала. — Отлично. — Она наклонилась к банкам с краской. — Хотите поиграть? Я это умею. Больше всего вы теперь любите носить разные цвета, так вы сказали? — пробормотала она себе под нос и, обмакнув кисть в краску, принялась носится за Айвеном по комнате. — Синий ведь ваш любимый цвет, мистер Акмидивен? — Она провела синюю полоску по его лицу и волосам и злобно рассмеялась.

— Вам кажется, что это смешно?

Она кивнула в истерике.

— Хорошо, — засмеялся Айвен. Он схватил ее за талию и толкнул на пол, прижал мастерским приемом и стал раскрашивать ей лицо, а она визжала и вырывалась. — Элизабет Эган, если вы не прекратите кричать, у вас будет зеленый язык, — предупредил Айвен.

Когда они оказались с ног до головы покрыты краской, а Элизабет ослабла от смеха и уже не могла бороться, Айвен посмотрел на стену.

— Что этой стене нужно, так это немного краски.

Элизабет попыталась восстановить дыхание и сняла маску, обнажив на лице единственный участок естественного цвета.

— Ну, по крайней мере, для чего-то эта штука пригодилась, — отметил Айвен и снова повернулся к стене. — Одна птичка рассказала мне, что вы ходили на свидание с Бенджамином Уэстом, — сказал он, окуная чистую кисть в банку с красной краской.

— На ужин — да. На свидание — нет. И позвольте добавить, что я пошла с ним ужинать в тот вечер, когда вы не пришли на нашу встречу.

— Он вам нравится? — спросил он.

— Он приятный человек. — Она так и не обернулась.

— Вы хотите проводить с ним больше времени?

Элизабет начала сворачивать лежащий на полу забрызганный краской лист.

— Я бы хотела проводить больше времени с вами.

— А если бы это оказалось невозможно?

Элизабет замерла:

— Тогда я бы спросила почему.

Он проигнорировал ее реплику.

— А если бы меня не существовало и вы бы никогда со мной не встретились, тогда бы вы хотели проводить больше времени с Бенджамином?

Элизабет с трудом сглотнула, положила бумагу с карандашами в сумку и застегнула молнию. Ей надоели игры, да и разговор этот ее нервировал. Им необходимо как следует все обсудить. Она встала и повернулась к нему. На стене большими красными буквами Айвен написал: «Элизабет ♥ Бенджамина».

— Айвен! — Элизабет захихикала. — Не будьте ребенком. Вдруг кто-нибудь увидит? — Она подошла, чтобы забрать у него кисть.

Но он не отдал, и их взгляды встретились.

— Элизабет, я не могу дать вам то, чего вы хотите, — тихо сказал он.

Раздавшееся в дверях покашливание заставило их вздрогнуть.

— Привет, Элизабет. — Бенджамин смотрел на нее с изумлением и любопытством. Потом взглянул на стену, у которой она стояла, и улыбнулся. — Интересный дизайн.

Повисла многозначительная пауза. Элизабет посмотрела направо.

— Это написал Айвен. — Ее голос звучал по-детски.

Бенджамин захихикал:

— Опять Айвен!

Она кивнула, и он посмотрел на кисть у нее в руке, с которой на джинсы капали красные капли. Ее лицо в красных, голубых, зеленых и белых брызгах стало вдруг малиновым.

— Вас как будто застали за перекрашиванием роз в красный цвет[1], — сказал Бенджамин и сделал шаг в комнату.

— Бенджамин!

Он остановился на полдороге, и от требовательного оклика Винсента на его лице появилось страдальческое выражение.

— Я лучше пойду, — улыбнулся он. — Поговорим позже. — И он отправился туда, откуда кричал Винсент. — Да, кстати, — обернулся он. — Спасибо за приглашение на праздник.

Разозленная Элизабет не обратила внимания на Айвена, который, согнувшись пополам, хохотал и даже похрюкивал. Она окунула кисть в банку с красной краской и закрасила надпись, надеясь стереть этот конфуз из своей памяти.

— Добрый день, мистер О'Кэллаган. Здравствуйте, Морин. Здравствуйте, Фидельма, привет, Коннор. Отец Мерфи, — приветствовала она своих соседей, направляясь через весь город к себе в офис. С ее рук капала красная краска, в волосах были голубые пряди, а джинсы выглядели как палитра Моне. Ошеломленные соседи молча провожали ее взглядами, а стекающая с ее одежды краска оставляла на тротуаре разноцветные следы.

— Почему вы всегда так делаете? — спросил Айвен, который быстро шагал рядом с ней, стараясь не отставать.

— Что делаю? Добрый день, Шейла.

1 Отсылка к «Алисе в стране чудес» Льюиса Кэрролла.

— Вы всегда переходите дорогу перед пабом Флэнагана, идете по противоположной стороне, а затем снова переходите обратно около кафе Джо.

— Неправда, я вовсе так не делаю. — Она улыбнулась очередному зеваке.

— Как насчет того, чтобы выкрасить город в красный цвет[1], Элизабет? — крикнул ей Джо, со смехом глядя на красные следы, которые она оставляла за собой, перебегая через улицу.

— Видите, вот вы это и сделали, — усмехнулся Айвен.

Элизабет остановилась и оглянулась, ее маршрут был отмечен красными отпечатками. Совершенно верно, она перешла дорогу у паба Флэнагана, шла какое-то время по противоположной стороне, а потом опять пересекла улицу, чтобы попасть на работу, хотя можно было все время идти по одной стороне. Раньше она этого как-то не замечала. Она оглянулась на паб Флэнагана. Мистер Флэнаган курил, стоя в дверях. Он странно ей кивнул, явно удивленный тем, что она не отвела взгляд. Глядя на паб, она нахмурилась, и что-то у нее внутри дрогнуло.

— Элизабет, все в порядке? — спросил Айвен, прерывая ее размышления.

— Да. — Ее голос опустился до шепота. Она откашлялась, растерянно взглянула на Айвена и неубедительно повторила: — Да, все в порядке.

---

1 Отсылка к песне Билли Холидея «I'm painting the town red» («Я крашу город в красный цвет»).

Глава тридцать пятая

Элизабет прошла мимо потрясенной миссис Брэкен, которая стояла в дверях с неодобрительным видом вместе с двумя другими пожилыми женщинами — каждая с куском материи в руках. Они осуждающе покачали головами, когда она устало прошла мимо. Краска комьями свисала с ее волос, которые разметались по спине, создавая красивые разноцветные пятна.

— Она потеряла рассудок или что? — громко прошептала одна из женщин.

— Нет, как раз наоборот. (Элизабет почувствовала улыбку в голосе миссис Брэкен.) Я бы сказала, что она, похоже, ползала на четвереньках, пытаясь его отыскать.

Другая женщина неодобрительно покачала головой и ушла, бормоча что-то насчет того, что не одна Элизабет спятила.

Элизабет не обратила внимания ни на взгляд Бекки, ни на восклицание Поппи: «Совсем другое дело!» — и, пройдя в кабинет, тихо закрыла за собой дверь.

Она прислонилась к ней спиной и попыталась понять, почему ее так трясет. Что происходит с ней? Какие чудовища пробудились ото сна и шевелятся у нее внутри? Она сделала глубокий вдох через нос и медленно выдохнула, считая про себя до десяти, потом повторила свое любимое упражнение несколько раз, пока ее ослабевшие колени не перестали дрожать.

Все было отлично, если не считать легкого смущения, когда она шла через город, раскрашенная во все цвета радуги. Все было хорошо, пока Айвен что-то не сказал. Что же он сказал? Он сказал... и когда она вспомнила, по ее телу пробежал холодок.

Паб Флэнагана. Она избегает паб Флэнагана, сказал он. А она и не замечала, пока он не обратил на это ее внимание. Почему она так делает? Из-за Сирши? Нет, Сирша пьет в «Горбе верблюда» на холме, дальше по дороге. Она так и стояла, прислонясь к двери, напряженно думая, пока у нее не закружилась голова. Комната вертелась не переставая, и она решила, что лучше пойти домой. Туда, где она могла контролировать, кто входит, а кто выходит, где каждая вещь лежала на своем месте и каждое воспоминание было ясным. Ей был нужен порядок.

— Айвен, где твоя подушка с бобами? — спросила Гортензия, посмотрев на меня со своего выкрашенного в желтый цвет деревянного стула.

— О, она мне надоела, — ответил я. — Теперь я больше всего люблю крутиться.

— Мило. — Она одобрительно кивнула.

— Опал сильно опаздывает, — сказал Томми, вытирая рукой мокрый нос.

Гортензия брезгливо отвернулась, расправила свое красивое желтое платье, скрестила лодыжки и стала покачивать ногами в открытых белых туфельках и в носках с оборочками, напевая ту самую мурлыкающую песенку.

Оливия вязала, сидя в кресле-качалке.

— Она придет, — проскрежетала она.

Джейми-Линн потянулась к центру стола, чтобы взять шоколадную булочку с изюмом и стакан молока. Отхлебнув, она поперхнулась, закашлялась, и молоко пролилось ей на руку. Она его слизнула.

— Джейми-Линн, ты опять играла в приемной у доктора? — спросила Оливия, глядя на нее поверх очков.

Джейми-Линн кивнула, снова закашлялась и откусила еще кусок булочки.

Гортензия с отвращением наморщила нос, продолжая расчесывать волосы своей Барби маленькой расческой.

— Джейми-Линн, ты помнишь, что тебе говорила Опал? В таких местах полно микробов. Игрушки, в которые ты так любишь играть, являются источником твоей болезни.

— Я знаю, — сказала Джейми-Линн с набитым ртом. — Но ведь кто-то должен составлять детям компанию, пока они ждут своей очереди.

Прошло двадцать минут, и, наконец, появилась Опал. Все с беспокойством переглянулись. Казалось, вместо Опал пришла ее тень. Обычно она вплывала в комнату как свежий утренний ветерок, а сейчас шла так, будто несла тяжелые ведра с цементом. Все сразу смолкли.

— Добрый день, друзья мои. — Даже голос у Опал стал другим, он звучал приглушенно, как будто из другого измерения.

— Здравствуй, Опал. — Все тоже отвечали ей приглушенными голосами, как будто любой звук громче шепота мог ей повредить.

В благодарность за поддержку она улыбнулась им ласковой улыбкой.

— Мой давний друг очень болен. Он умирает, и мне очень грустно терять его, — объяснила она.

Со всех сторон раздались сочувственные возгласы. Оливия перестала раскачиваться в кресле, Бобби прекратил перекатываться взад и вперед на скейтборде, Гортензия перестала качать ногами, и даже Томми перестал шмыгать носом, а я прекратил крутиться на стуле. Это было серьезно, и все заговорили о том, как это тяжело — терять любимых людей. Все понимали. Это происходило с лучшими друзьями постоянно, и каждый раз было так же грустно.

Я не мог участвовать в разговоре. Все мои чувства к Элизабет нахлынули разом и подкатили к горлу, пульсируя, как сердце, куда прибывала и прибывала любовь, так что оно расширялось с каждой секундой, делаясь огромным и гордым. Ком в горле не давал мне говорить — точно так же, как мое расширявшееся сердце не давало мне перестать любить Элизабет.

Когда собрание уже подходило к концу, Опал посмотрела на меня:

— Айвен, как дела с Элизабет?

Все уставились на меня, и я нашел маленькую дырочку в этом комке, через которую мог просочиться мой голос.

— Я оставил ее до завтра, чтобы она кое-что поняла.

Я вспомнил ее лицо, сердце мое забилось чаще, расширилось еще больше, и последнее маленькое отверстие в горле закрылось.

И хотя никто не знал о моей ситуации, все поняли, что это значит «уже недолго осталось». По тому, как Опал быстро собрала бумаги и ушла, я понял, что у нее такая же ситуация.

Ноги Элизабет сами собой ритмично перебирали беговую дорожку, установленную перед большим окном в сад. Элизабет смотрела на холмы, озера и горы, раскинувшиеся перед ней, и бежала все быстрее. Волосы развевались от бега, брови блестели, руки ритмично двигались, и она, как всегда, представляла себе, что бежит по этим холмам, через моря, далеко-далеко отсюда. После тридцати минут бега на месте она остановилась, ослабев и тяжело дыша, вышла из маленького тренажерного зала и немедленно начала убираться, натирая все поверхности, которые и без того сияли.

Как только она убрала весь дом сверху донизу, смахнула всю паутину, вымыла каждый спрятанный темный угол, она начала наводить порядок в мыслях. Всю жизнь она избегала темных углов своего сознания, не желая их освещать. С паутиной и пылью было покончено, и теперь она разберется во всем. Что-то пыталось выползти из темноты, и сегодня она была готова к этому. Хватит убегать.

Она села за кухонный стол и посмотрела на раскинувшийся за окном пейзаж: беспорядочно разбросанные холмы, долины и озера, — все в обрамлении фуксий и японских гладиолусов. С наступлением августа стало раньше темнеть.

Она долго и напряженно думала обо всем и ни о чем, давая тому, что тревожило ее, шанс выйти из тени. Это было то же беспокойное чувство, от которого она спасалась, когда, лежа в постели, пыталась уснуть, с которым боролась, когда неистово отдраивала дом. Но сейчас за столом сидела женщина, бросившая оружие и позволившая мыслям держать ее под прицелом, она сдалась и подняла руки вверх. Как преступница, которая долго была в бегах.

— Почему ты сидишь в темноте? — донесся до нее нежный голосок.

Она слегка улыбнулась:

— Я просто думаю, Люк.

— Можно, я посижу с тобой? — спросил он, и Элизабет на мгновение возненавидела себя за то, что хотела сказать «нет». — Обещаю, что не буду ничего говорить и трогать.

Ее сердце сжалось — она что, действительно такая ужасная? Да, такая, она знала, что это правда.

— Иди сюда и садись, — улыбнулась она, выдвигая стул рядом с собой.

Они сидели в тишине на погружающейся в сумерки кухне, пока Элизабет не заговорила:

— Люк, я хочу с тобой кое-что обсудить. Я должна была сказать тебе это раньше, но... — Она пошевелила пальцами, пытаясь решить, как аккуратно сформулировать то, что она собиралась сказать. Когда она была ребенком, она всего лишь хотела, чтобы люди объяснили ей, что произошло, куда уехала ее мать и почему. Простое объяснение избавило бы ее от многих лет мучительных вопросов.

Он смотрел на нее большими голубыми глазами из-под длинных ресниц, у него были пухлые розовые щеки, а верхняя губа блестела из-за того, что из носа текло. Она засмеялась, провела рукой по его светлым волосам и задержала ее на горячей маленькой шее.

— Но, — продолжила она, — я не знала, как тебе это сказать.

— Это о моей маме? — спросил Люк, качая ногами под стеклянным столом.

— Да, она не навещала нас уже какое-то время, как ты, наверное, заметил.

— Она отправилась в приключение, — радостно сказал Люк.

— Ну, я не знаю, Люк, можно ли это так назвать, — вздохнула Элизабет. — Милый, я не знаю, куда она уехала. Она никому не сказала перед отъездом.

— Она мне сказала, — прощебетал он.

— Что? — У Элизабет расширились глаза, а сердце забилось быстрее.

— Она приходила сюда перед тем, как уехать. Она сказала мне, что уезжает, но не знает на сколько. И я спросил: «Это что-то вроде приключения?» — а она засмеялась и сказала «да».

— Она не сказала почему? — прошептала Элизабет, удивленная, что у Сирши хватило сострадания попрощаться с сыном.

— Угу. — Он кивнул, еще быстрее качая ногами. — Она сказала, потому что так лучше для нее, для тебя, для дедушки и для меня, потому что она все время делает что-то не то и это всех злит. Она сказала, что наконец решилась сделать то, что ты всегда ей советовала. Она сказала, что улетает.

Элизабет чуть не задохнулась, она вспомнила, как всегда, когда дома становилось тяжело, она говорила сестренке, что надо улетать. Она вспомнила, как смотрела на шестилетнюю Сиршу, уезжая в колледж, и как снова и снова повторяла ей, чтобы та улетала. От волнения она не могла дышать.

— А ты что сказал? — наконец удалось произнести Элизабет. Она гладила мягкие волосы Люка, и впервые в жизни ее захлестнуло острое желание оберегать его.

— Я сказал, что она, наверно, поступает правильно, — сказал Люк как ни в чем не бывало. — Она ответила, что я уже большой мальчик и что это теперь моя обязанность — присматривать за тобой и дедушкой.

У Элизабет потекли слезы.

— Она так сказала? — всхлипнула она.

366

Люк поднял руку и ласково вытер ей слезу со щеки.

— Ну, ты не беспокойся, — она поцеловала его ладошку и потянулась, чтобы обнять его, — потому что это моя обязанность — присматривать за тобой, хорошо?

Его ответ прозвучал глухо, потому что она прижала его голову к своей груди. Она быстро отпустила его, чтобы не мешать ему дышать.

— Эдит скоро вернется, — радостно сказал он, сделав глубокий вдох. — Мне не терпится увидеть, что она мне привезет.

Элизабет улыбнулась, пытаясь взять себя в руки:

— Мы познакомим ее с Айвеном. Как ты думаешь, он ей понравится?

Люк наморщил лоб:

— Не думаю, что она сможет его увидеть.

— Знаешь, Люк, мы же не можем держать его при себе, — засмеялась Элизабет.

— Может, Айвена здесь вообще уже не будет, когда она вернется, — добавил он.

Сердце Элизабет глухо забилось.

— Что ты имеешь в виду? Он тебе что-то говорил?

Люк покачал головой.

Элизабет вздохнула.

— О, Люк, то, что ты так привязался к Айвену, совсем не значит, что он тебя бросит. Я не хочу, чтобы ты боялся этого, как я всегда боялась. Я привыкла думать, что все, кого я люблю, обязательно уйдут от меня.

— *Я* не уйду. — Люк ласково посмотрел на нее.

— Я обещаю тебе, что тоже никуда не уйду. — Она поцеловала его в макушку и откашлялась. — А что вы с Эдит интересного делаете? Ну, например, ходите в зоопарк или в кино?

Люк кивнул.

— Ты не против, если я как-нибудь пойду с вами?

Люк радостно улыбнулся:

— Да, это было бы здорово! — Он ненадолго задумался. — Мы с тобой похожи, да? То, что моя мама уехала, похоже на то, что сделала твоя мама, правда? — спросил он, дыша на столешницу и выписывая пальцем свое имя на запотевшем стекле.

Элизабет похолодела.

— Нет, — резко ответила она, — это совсем другое. — Она встала из-за стола, включила свет и начала вытирать столешницу. — Они совершенно разные люди, и тут нет ничего похожего! — Ее голос дрожал, пока она яростно орудовала тряпкой.

Подняв голову, чтобы посмотреть на Люка, она увидела свое отражение в стекле оранжереи и замерла. Исчезло все ее самообладание, вся только что проснувшаяся нежность, она выглядела обезумевшей женщиной, которая скрывается от правды, бежит от всего мира.

И тогда она поняла.

И воспоминания, которые скрывались в темных углах ее памяти, начали медленно выползать на свет.

Глава тридцать шестая

—**О**пал, — осторожно позвал я, стоя у входа в ее кабинет. Опал казалось такой хрупкой, я боялся, что от малейшего шума она может разбиться.

— Айвен. — Она устало улыбнулась, закалывая косички назад.

Я увидел свое отражение в ее блестящих глазах, входя в кабинет.

— Мы все беспокоимся за тебя. Можем ли мы... я... что-нибудь сделать?

— Спасибо, Айвен. Разве что присмотреть тут за всем, а больше ты ничем мне помочь не можешь. Я просто очень устала. Я провела последние несколько ночей в больнице и совсем не спала. Ему осталось всего несколько дней, я не хочу пропустить, когда он... — Она перевела глаза с Айвена на фотографию на своем столе, и, когда она снова заговорила, ее голос дрожал. — Я бы просто хотела как-то с ним попрощаться, дать ему понять, что он не один, что я с ним. — У нее потекли слезы.

Я подошел к ней и обнял, чувствуя себя беспомощным, сознавая, что на этот раз я совсем ничем не могу помочь своему другу. Или все-таки могу?

— Опал, подожди секунду. Может быть, это возможно. У меня появилась идея. — И с этими словами я выбежал из кабинета.

Элизабет в последний момент сумела договориться, чтобы Люк переночевал у Сэма. Она знала, что этой ночью ей лучше побыть одной. Она чувствовала происходящие в ней перемены, внутри воцарился холод и не желал уходить. Она сидела, съежившись, на кровати в безразмерном свитере и куталась в одеяло, отчаянно пытаясь согреться.

Луна за окном заметила, что что-то не так, и оберегала ее от темноты. У Элизабет от странного предчувствия свело живот. Слова Айвена, а потом и Люка повернули какой-то ключ в ее памяти и открыли сундук с воспоминаниями, настолько ужасными, что Элизабет боялась закрыть глаза.

Она посмотрела через окно с незадернутыми шторами на луну и наконец сдалась на милость воспоминаний…

Ей было двенадцать лет. Прошло две недели с тех пор, как мать привела ее в поле на пикник, — две недели с тех пор, как она сказала ей, что уходит, две недели в ожидании ее возвращения. В другой комнате отец, взяв на руки кричащую Ширшу, которой был всего месяц, пытался ее успокоить и утешить.

— Тише, малышка, тише. — Она слышала, как его ласковый голос становился то громче, то тише, пока он мерил шагами дом в этот поздний час.

Снаружи выл ветер, со свистом проникая в дом через окна и замочные скважины. Он носился и танцевал по комнатам, смеясь, дразня и щекоча Элизабет, а она лежала в кровати, закрыв руками уши, по щекам у нее текли слезы.

Крики Сирши стали громче, уговоры Брендана тоже стали громче, и Элизабет накрыла голову подушкой.

— Пожалуйста, Сирша, пожалуйста, перестань плакать, — просил отец и даже затянул колыбельную, которую им пела мать. Элизабет заткнула уши, но все равно слышала плач Сирши и немелодичное пение отца. Она села в кровати, глаза у нее болели от слез и бессонницы.

— Хочешь свою бутылочку? — перекрыл плач ласковый голос отца. — Нет? Ох, дорогая, что такое? — спросил он с болью в голосе. — Я тоже по ней скучаю, дорогая, я тоже по ней скучаю. — И он сам начал плакать. Сирша, Брендан и Элизабет все вместе плакали по Грайне, и все они чувствовали себя одинокими в этом фермерском доме, обдуваемом ветрами.

Вдруг в конце длинной дороги возник свет фар. Элизабет выскочила из-под одеяла и села на край кровати, в животе все сжалось от волнения. Это мать — это должна быть она. Кто еще мог приехать сюда в десять вечера? Элизабет от восторга подпрыгивала на краю кровати.

СЕСИЛИЯ АХЕРН

Машина остановилась перед домом, и из нее
вышла Кэтлин, сестра Грайне. Дверь машины
осталась открытой, фары горели, а дворники неистово летали по ветровому стеклу. Кэтлин подошла
к калитке, толкнула ее, петли скрипнули, и она постучала в дверь.

С кричащей Сиршей на руках Брендан открыл.
Элизабет у себя в комнате бросилась к замочной
скважине и стала наблюдать на происходящим.

— Она здесь? — требовательным тоном спросила Кэтлин, не поздоровавшись.

— Шшш, — сказал Брендан. — Разбудишь
Элизабет.

— Как будто она не проснулась от этих кри-
ков! Что ты делаешь с бедным ребенком? — скептически спросила она.

— Ребенок хочет свою мать. — Он повысил
голос. — Как и все мы, — добавил он уже мягче.

— Дай-ка ее сюда, — сказала Кэтлин.

— Ты мокрая. — Брендан отошел от нее, и его
руки сжались вокруг крошечного свертка.

— Она здесь? — снова спросила Кэтлин все
тем же сердитым голосом. Она так и не переступила порог — она не спросила разрешения войти,
а ей не предложили этого сделать.

— Конечно нет. — Брендан покачивал Сиршу,
чтобы та успокоилась. — Я думал, ты отвезла ее
в какое-то волшебное место, где ее наконец выле-
чат, — сердито сказал он.

— Это лучшее место из всех, какие есть, Брендан, во всяком случае, так считается. Но, как бы то
ни было, — пробормотала Кэтлин, — она ушла.

— Ушла? Что значит «ушла»?

— Сегодня утром ее не обнаружили в комнате. Никто ее не видел.

— Она вечно исчезает по ночам, твоя мать, — сердито сказал Брендан, продолжая укачивать Сиршу. — Что ж, если она не там, куда ты ее отправила, то далеко ходить не надо. Она наверняка в пабе Флэнагана.

Элизабет от удивления открыла рот. Значит, мать здесь, в Бале-на-Гриде, она все-таки не уехала.

Их ожесточенный диалог был прерван плачем Сирши.

— Ради бога, Брендан, ты можешь ее успокоить? — недовольно сказала Кэтлин. — Кстати, я могу забрать детей. Пусть живут со мной и Аланом в...

— Это *мои* дети, и ты не заберешь их у меня, как забрала Грайне! — взревел он. Крики Сирши стихли.

Повисло долгое молчание.

— Уходи, — слабо произнес Брендан, как будто крик лишил силы его голос.

Входная дверь закрылась, и Элизабет смотрела из окна, как Кэтлин захлопнула калитку и села в машину. Она уехала, свет фар погас вдали вместе с надеждой Элизабет поехать вместе с Кэтлин к матери.

Но все же крохотная надежда оставалась. Отец упомянул паб Флэнагана. Элизабет знала, где это. Она проходила мимо каждый день по пути в школу. Она соберет свои вещи, найдет мать и будет жить вместе с ней, вдали от надсадно кричащей сестры и отца, и они каждый день будут отправляться на поиски приключений.

Дверная ручка задрожала, и Элизабет нырнула в кровать, притворившись спящей. Крепко зажмурив глаза, она решила, что, как только отец ляжет спать, она отправится в паб Флэнагана.

Она тайком уйдет в ночь, совсем как ее мать.

— Ты уверен, что это сработает? — Опал стояла у стены в приемном покое, руки у нее дрожали, тревожно сжимаясь и разжимаясь.

Айвен неуверенно посмотрел на нее:

— Во всяком случае, стоит попробовать.

Из коридора через стекло они видели Джеффри, лежащего в отдельной палате. Его подключили к аппарату искусственного дыхания, рот закрывала кислородная маска, а вокруг пикали какие-то хитроумные приборы, к которым от его тела шли провода. Среди этих проводов и мигающих приборов он лежал тихо и спокойно, а грудь ритмично вздымалась и опускалась. Их окружал какой-то жутковатый звуковой фон, какой бывает только в больницах, всегда связанный с напряженным ожиданием, с пребыванием между одним безвременьем и другим.

Как только занимавшиеся Джеффри медсестры открыли дверь, чтобы выйти, Опал с Айвеном проникли внутрь.

— Она здесь, — сказала Оливия, сидевшая у кровати Джеффри, когда Опал вошла в палату.

Его глаза быстро открылись, и он стал взволнованно озираться, оглядывая палату.

— Она стоит слева от тебя, дорогой, и держит тебя за руку, — ласково сказала Оливия.

Джеффри попытался заговорить, и из-под маски донеслись приглушенные звуки. Опал прикрыла рукой рот, глаза ее наполнились слезами. То, что говорил Джеффри, могла понять только Оливия, она одна понимала язык умирающих.

Оливия кивала, слушая его, глаза ее наполнились слезами, и, когда она заговорила, Айвен не смог больше оставаться в палате.

— Дорогая Опал, он просил передать тебе, что его сердце болело каждое мгновение, когда вы были не вместе.

Айвен выскользнул через открытую дверь и почти побежал по коридору прочь из больницы.

Глава тридцать седьмая

За окном спальни Элизабет на улице Фуксий пошел дождь, капли били по стеклу, как камушки. Ветер начал разогревать свои голосовые связки перед ночным выступлением, и Элизабет, забравшись под одеяло, перенеслась в то время, когда она поздним зимним вечером отправилась на поиски матери.

Она положила в школьную сумку всего несколько вещей: нижнее белье, два свитера и юбку, книгу, которую подарила ей мать, и плюшевого мишку. В копилке у нее оказалось четыре фунта сорок два пенса, и, надев непромокаемый плащ поверх своего любимого платья в цветочек и красные резиновые сапоги, она вышла в холодную ночь. Она перелезла через низкую садовую ограду, чтобы не скрипеть калиткой и не привлекать внимание отца, который в эти ночи спал как сторожевая собака, навострив одно ухо. Чтобы не идти по дороге, где ее можно было заметить, она пошла вдоль кустов. Ветер раскачивал ветки, и те царапали ей лицо и ноги, а листья покрывали ее мокрыми поцелуями. Той ночью дул ужасный ветер. Он хлестал по ногам, обжигал уши и щеки, мешал дышать. Через несколько минут у Элизабет онемели пальцы, нос и губы, она продрогла до костей, но мысль, что скоро она увидит мать, не давала ей остановиться. И она шла дальше.

Двадцать минут спустя Элизабет добралась до моста, ведущего к Бале-на-Гриде. Она никогда не видела город в одиннадцать часов вечера, казалось, жители покинули его: темный, пустой и безмолвный, как молчаливый свидетель, из которого не вытянешь ни слова.

Она шла к пабу Флэнагана, а внутри у нее порхали бабочки, она больше не чувствовала порывов ветра, а только искреннюю радость и волнение от предстоящей встречи с матерью. Шум из паба она услышала раньше, чем подошла к дверям, — только там да в «Горбе верблюда» еще горел свет. Из окна доносились звуки пианино, скрипки, бодрана, громкое пение и смех, а также редкие аплодисменты и одобрительные возгласы. Элизабет засмеялась про себя: все это говорило о том, что внутри царит веселье.

Снаружи была припаркована машина тети Кэтлин, и Элизабет непроизвольно ускорила шаг. Входная дверь была распахнута, за ней находилась маленькая передняя, но дверь в зал, украшенная витражной вставкой, была закрыта. Элизабет поднялась на крыльцо и, стряхнув воду с плаща, повесила его рядом с зонтиками, висевшими на вешалке. Ее черные волосы промокли насквозь, нос был красным, и из него текло. Дождь затек ей в сапоги, закоченевшие ноги хлюпали в ледяной воде.

Пианино смолкло, и Элизабет вздрогнула от неожиданно раздавшегося рева мужской толпы.

— Давай, Грайне, спой нам еще, — невнятно произнес кто-то, и все одобрительно закричали.

Сердце чуть не выпрыгнуло из груди Элизабет. Она здесь! Мать была прекрасной певицей. Дома она все время пела, сама сочиняла колыбельные и детские стишки, и по утрам Элизабет обожала, лежа в постели, слушать, как мать ходит по дому и напевает. Но раздавшийся в тишине голос, сопровождаемый шумными восклицаниями пьяных мужчин, не был нежным голосом ее матери, который она так хорошо знала.

На улице Фуксий Элизабет рывком села на кровати. Снаружи, как раненое животное, завывал ветер. Сердце бешено стучало у нее в груди, во рту пересохло, а кожа покрылась капельками пота. Откинув одеяло, Элизабет схватила с тумбочки ключи от машины, сбежала вниз по лестнице, накинула плащ и вышла. Холодные струи дождя хлестали ее по лицу, и она вспомнила, почему так ненавидит это ощущение: оно напоминало ей о той ночи. Дрожа, она бросилась к машине, ветер разметал ей волосы, залепив ими глаза. К тому времени, когда она села за руль, она уже промокла насквозь.

Дворники яростно метались по лобовому стеклу, пока она ехала по темным дорогам к городу. Переезжая через мост, она увидела покинутый город. Все заперлись по домам, в безопасности и в тепле. Кроме «Горба верблюда» и заведения Флэнагана, ночной жизни больше нигде не было. Элизабет припарковала машину напротив паба, вышла и замерла под холодным дождем, вспоминая.

Вспоминая ту ночь.

От слов песни, которую пела эта женщина, у Элизабет заболели уши. Она была грубая, слова отвратительные, и пелись они каким-то разнузданным, непристойным тоном. Каждое неприличное слово, их тех, что отец запрещал Элизабет произносить, вызывало аплодисменты пьяных гостей.

Она поднялась на цыпочки, чтобы через красное стекло витражной вставки увидеть, что за ужасная женщина каркающим голосом поет эту гнусную песню. Она была уверена, что ее мать сидит рядом с Кэтлин и морщится от омерзения.

Сердце Элизабет подскочило и застряло у нее в горле, дыхание на миг пресеклось. На самом верху пианино сидела ее мать, открывая рот, из которого и вылетали все эти чудовищные слова. Юбка была задрана до бедер, мать извивалась всем телом, а вокруг, дразня ее и хохоча, стояло несколько мужчин. Такого Элизабет еще никогда не видела.

— Тихо, тихо, парни, успокойтесь вы там! — крикнул из-за барной стойки молодой мистер Флэнаган.

Мужчины не обратили на него внимания, продолжая пожирать глазами мать Элизабет.

— Мамочка, — всхлипнула Элизабет.

Элизабет медленно шла через дорогу к пабу Флэнагана, ее сердце гулко билось от оживших воспоминаний. Она протянула руку и толкнула дверь. Мистер Флэнаган посмотрел на нее из-за стойки и слегка улыбнулся, как будто ожидал ее увидеть.

Маленькая Элизабет протянула дрожащую руку и толкнула дверь. Мокрые волосы прилипли к лицу, с них текла вода, нижняя губа оттопырилась и дрожала. Она в панике оглядывала большими карими глазами зал и вдруг увидела, как один из мужчин, гогоча, потянулся к матери.

— Не трогайте ее! — Элизабет закричала так громко, что сразу наступила тишина. Мать прекратила петь, и все головы повернулись к стоявшей в дверях девочке.

Угол зала, где на пианино сидела мать, взорвался от громкого хохота. Из глаз испуганной Элизабет хлынули слезы.

— Хнык-хнык-хнык! — пропела ее мать громче всех остальных. — Давайте все вместе попытаемся спасти мамочку, да? — Ее глаза остановились на Элизабет. Темные, налитые кровью, они были не похожи на те глаза, которые Элизабет так хорошо помнила, они принадлежали кому-то другому.

— Черт, — выругалась Кэтлин, кинувшись к Элизабет из другого угла. — Что ты здесь делаешь?

— Я п-п-п-ришла, ч-ч-ч-тобы... — запинаясь, произнесла Элизабет в затихшей комнате, растерянно глядя на мать. — Я пришла, чтобы найти маму, чтобы жить вместе с ней.

— Что ж, ее здесь нет! — закричала мать. — Убирайся! — Она угрожающе ткнула пальцем в ее сторону. — Мокрых крысят не пускают в пабы, — захихикала она, опрокинула в рот стакан, но промахнулась, отчего большая часть содержимого вылилась ей на грудь и заблестела ручейками на шее, заглушив аромат ее сладких духов запахом виски.

— Но, мамочка! — всхлипнула Элизабет.

— Но, мамочка! — передразнила ее Грайне, и несколько мужчин засмеялись. — Я не твоя мамочка, — резко сказала она, наступая на клавиши пианино и производя душераздирающие звуки. — Маленькие мокрые девчонки не заслуживают мамочки. Их нужно отравить, всех, всех вас, — сплюнула она.

— Кэтлин, — закричал мистер Флэнаган, — чего ты ждешь? Уведи ее отсюда! Она не должна этого видеть.

— Я не могу. — Кэтлин осталась стоять, пригвожденная к месту. — Мне нужно присматривать за Грайне. Я должна забрать ее с собой.

Мистер Флэнаган открыл рот, шокированный ее ответом.

— Да ты посмотри на ребенка!

Смуглая кожа Элизабет побледнела. Губы посинели от холода, а зубы стучали, насквозь промокшее платье в цветочек прилипло к телу, а ноги в резиновых сапогах дрожали.

Кэтлин перевела взгляд с Элизабет на Грайне, словно оказавшись меж двух огней.

— Том, я не могу, — прошипела она.

Было видно, что Том разозлился.

— Тогда я сам отвезу ее домой, надо же иметь совесть! — Он взял связку ключей и, выйдя из-за стойки, направился к Элизабет.

— Нет! — закричала Элизабет. Еще раз взглянув на мать, которой наскучила эта сцена и которая уже была в объятиях какого-то мужчины, она повернулась к двери и выбежала в холодную ночь.

Элизабет стояла в дверях паба, волосы промокли насквозь, по лбу струилась вода и капала с носа, зубы стучали, а пальцы онемели. Теперь зал заполняли другие звуки. Не было ни музыки, ни аплодисментов, ни пения, только звон стаканов и негромкие разговоры. В тихий вечер вторника в пабе оказалось не больше пяти человек.

Постаревший Том продолжал смотреть на нее.

— Моя мать, — крикнула Элизабет с порога, и ее удивило, как по-детски прозвучал ее голос, — она была алкоголичкой?

Том кивнул.

— Она часто сюда приходила?

Он снова кивнул.

— Но были недели, — она с трудом сглотнула, — целые недели, когда она жила с нами.

Голос Тома был тихим.

— Она была, что называется, запойной.

— А отец? — Она остановилась, подумав о своем несчастном отце, который ждал и ждал каждую ночь. — Он ведь знал об этом.

— Ангельское терпение, — ответил Том.

Она оглядела маленький паб, посмотрела на то же самое старое пианино, стоящее у стены. Ничего не изменилось, разве что возраст вещей.

— Той ночью… — сказала Элизабет, ее глаза наполнились слезами. — Спасибо вам.

Том просто грустно кивнул ей.

— Вы не видели ее с тех пор?

Он покачал головой.

— А вы… вы думаете, это возможно? — спросила она срывающимся голосом.

— Не в этой жизни, Элизабет. — Он подтвердил то, что она сама всегда чувствовала глубоко внутри.

— Папочка… — прошептала Элизабет и выбежала обратно в холодную ночь.

Маленькая Элизабет бежала из паба, дождь больно хлестал ей в лицо, ноги обдавало холодными брызгами, когда она наступала в лужи, а грудь пронзала острая боль при каждом вдохе. Она бежала домой.

Элизабет прыгнула в машину, на полной скорости понеслась прочь из города и вскоре свернула на дорогу, ведущую к дому отца. Приближавшиеся огни означали, что она должна сдать назад, подождать, пока встречная машина проедет, и только потом продолжить путь.

Отец знал правду все эти годы и не говорил ей. Он не хотел разрушать ее иллюзии, и мать всегда стояла у нее на пьедестале. Она думала о ней как о вольной птице, а об отце — как о тяжелой, гнетущей силе, как о птицелове. Она должна как можно скорее увидеть его, чтобы попросить прощения, чтобы все исправить.

Она снова выехала на дорогу, но увидела, как к ней с пыхтением приближается трактор, что было необычно в такой поздний час. Ей опять пришлось вернуться к началу дороги. У нее не хватило терпения, она бросила машину и побежала. Она бежала изо всех сил, бежала по дороге длиной в милю, которая вела ее домой.

— Папочка, — всхлипывала маленькая Элизабет, пока бежала по темной дороге. Она громко позвала его, и ветер в первый раз за всю ночь помог ей, подхватил ее зов и понес к дому. Свет зажегся в одной комнате, потом в другой, и она увидела, как открывается входная дверь.

— Папочка! — закричала она еще громче и побежала еще быстрее.

Брендан сидел у окна в спальне, глядя в темноту, пил чай и изо всех сил надеялся, что появится видение, которого он так ждал. Он прогнал их всех, чего вовсе не хотел, он сам был во всем виноват. Ему оставалось теперь только ждать. Ждать, что появится одна из трех его женщин. И даже та, которая — он знал это точно — не вернется никогда.

Он заметил вдали какое-то движение и весь напрягся, как сторожевая собака. К нему бежала женщина, длинные черные волосы развевались на ветру, ее образ размывал дождь, бьющий в окно и стекающий потоками по стеклу.

Это была она.

Он уронил на пол чашку с блюдцем и встал, опрокидывая кресло.

— Грайне, — прошептал он.

Он схватил трость и вышел, проклиная за медлительность больные ноги. Открыв дверь, он стал напряженно вглядываться в бушующую ночь, ожидая увидеть жену.

Он услышал вдали звук тяжелого дыхания бегущей женщины.

— Папочка, — донеслось до него. Нет, она не могла этого сказать, Грайне так не сказала бы.

— Папочка! — Он снова услышал всхлипывания.

Эти звуки отбросили его на двадцать лет назад. Это была его девочка, его маленькая девочка, и она опять бежала домой под дождем, и он был ей нужен.

— Папочка! — снова позвала она.

— Я здесь, — сказал он тихо, но потом громко крикнул: — Я здесь!

Он услышал ее плач, увидел, как, мокрая насквозь, она открывает скрипящую калитку, и, точно так же, как двадцать лет назад, он протянул к ней руки и обнял ее.

— Я здесь, не волнуйся, — успокаивал он ее, поглаживая по голове и баюкая. — Папа здесь.

Глава тридцать восьмая

Сад Элизабет в день ее рождения напоминал сцену безумного чаепития из «Алисы в стране чудес». В центре сада стоял длинный стол, покрытый белыми и красными скатертями. На столе не было ни дюйма свободного места, он был заставлен огромным количеством тарелок, на которых большими горками лежали коктейльные сосиски, чипсы и бутерброды, салаты, соусы, холодное мясо и сладости. Газон был тщательно подстрижен, посажены новые цветы, в воздухе стоял запах свежесрезанной травы, который смешивался с ползущим из дальнего угла сада ароматом барбекю. Стоял жаркий день, на ярко-синем небе не было ни облачка, окружающие холмы отливали изумрудом, пасшиеся на них овцы напоминали снежинки, и Айвену стало больно, оттого что приходится покидать такое красивое место и живущих в здесь людей.

— Айвен, я так рада, что вы здесь. — Элизабет выбежала из кухни.

— Спасибо. — Айвен улыбнулся, оборачиваясь, чтобы поприветствовать ее. — Ух ты, ничего себе! — У него отвисла челюсть.

На Элизабет был простой белый льняной сарафан, который красиво оттенял ее смуглую кожу, длинные волосы были слегка накручены и спускались ниже плеч. — Повернитесь, дайте на вас посмотреть, — сказал Айвен, все еще пораженный ее видом. Ее черты смягчились, и все в ней казалось нежнее.

— Я перестала вертеться перед мужчинами в восемь лет. А теперь хватит на меня пялиться, нужно еще много чего сделать, — резко сказала она.

Ну, все-таки не *все* в ней стало нежнее.

Она обвела взглядом сад, выпрямившись и держа руки по швам, как будто стояла в дозоре.

— Ладно, давайте я покажу вам, что здесь происходит. — Она схватила Айвена за руку и потащила к столу. — Когда люди придут через боковую калитку, они сначала подойдут сюда. Здесь они возьмут салфетки, ножи, вилки и тарелки, а потом перейдут сюда. — Она двинулась дальше, сжимая его руку и говоря очень быстро. — Когда они окажутся здесь, *вы* будете стоять за барбекю и готовить все, что они выберут из *этого* набора. — Она показала на стоящий сбоку столик с разными видами мяса. — Слева лежит соевое мясо, а справа обычное. *Не перепутайте*.

Айвен открыл рот, чтобы возразить, но она подняла вверх палец и продолжала:

— Затем, после того как они возьмут булочки, они перейдут за салатами *сюда*. Пожалуйста, обратите внимание на то, что соусы для гамбургеров стоят *вот здесь*.

Айвен взял оливку, и Элизабет шлепнула его по руке, заставив бросить ее обратно в миску. Она все говорила и говорила:

— Десерты находятся *вон там*, чай и кофе *тут*, органическое молоко в левом кувшине, а обычное — в правом, туалет *только* через дверь и налево, я не хочу, чтобы они бродили по дому, хорошо?

Айвен кивнул.

— Вопросы есть?

— Только один. — Он схватил оливку и засунул себе в рот до того, как Элизабет успела ее выхватить. — Зачем вы мне все это рассказываете?

Элизабет подняла глаза к небу.

— Потому что, — она вытерла вспотевшие руки о салфетку, — я еще никогда не выполняла роль *хозяйки*, а поскольку вы меня в это втянули, мне нужна ваша помощь.

Айвен рассмеялся:

— Элизабет, у вас все получится, но если я займусь барбекю, это *определенно* не поможет делу.

— Почему? В Яизатнафе вы не устраиваете барбекю? — язвительно спросила она.

Айвен оставил ее комментарий без внимания.

— Послушайте, мне кажется, сегодня вам не нужны правила и расписание. Просто позвольте людям делать то, что им нравится: бродить по саду, общаться друг с другом и самим выбирать себе еду. Какая разница, если они начнут с яблочного пирога?

Элизабет выглядела шокированной.

— Начать с яблочного пирога? — затараторила она. — Но он стоит на другом конце стола. Нет, Айвен, вы должны им показать, где очередь начинается и где кончается. У меня не будет на это времени. — Она кинулась на кухню. — Пап, надеюсь, ты там еще не съел все коктейльные сосиски? — крикнула она.

— Папа? — У Айвена расширились глаза. — Он здесь?

— Да. — Она закатила глаза, но Айвен понимал, что это не признак недовольства. — Хорошо, что вас тут не было последние несколько дней, а то я с головой увязла в семейных тайнах, слезах, разрывах и воссоединениях. Но мы на верном пути. — Она на секунду расслабилась и улыбнулась Айвену.

Прозвенел дверной звонок, и она вздрогнула, в ее глазах мелькнула паника.

— Элизабет, расслабьтесь! — засмеялся Айвен.

— Обойдите дом сбоку! — крикнула она гостю.

— Перед тем как они все придут, я бы хотел вручить вам подарок, — сказал Айвен, вынимая руку из-за спины, где он ее все это время держал. Он протянул ей большой красный зонт, и она в недоумении наморщила лоб. — Это для того, чтобы защитить вас от дождя, — мягко объяснил Айвен. — Полагаю, он бы вам пригодился той ночью.

Лоб Элизабет разгладился, когда к ней пришло понимание.

— Вы очень заботливы. — Она обняла его, а затем внезапно резко подняла голову: — Но как вы узнали про ту ночь?

У калитки появился Бенджамин с букетом цветов и бутылкой вина.

— Элизабет, с днем рождения.

Она обернулась, и щеки у нее порозовели. Она не видела его с того дня на строительной площадке, когда Айвен большими красными буквами написал на стене, что она его любит.

— Спасибо, — ответила она, подходя к нему.

Он протянул ей подарки, и она не знала, как их взять, потому что в руке у нее был зонт. Бенджамин заметил его и засмеялся:

— Не думаю, что это вам сегодня понадобится.

— А, это. — Элизабет покраснела еще сильнее. — Это подарок Айвена.

Бенджамин поднял бровь.

— Правда? Он у вас без дела не сидит, не так ли? Я начинаю думать, что между вами что-то есть.

Элизабет не дала своей улыбке дрогнуть. По крайне мере, она надеялась на это.

— Кстати, он где-то здесь, может быть, я смогу наконец-то представить вас друг другу. — Она обвела глазами сад, не понимая, почему Бенджамин считает ее такой забавной.

— Айвен! — Я слышал, как Элизабет зовет меня по имени.

— Да, — ответил я, не поднимая головы и помогая Люку надеть праздничный колпак.

— Айвен! — снова позвала она.

— Да-а, — нетерпеливо сказал я, поднимаясь на ноги и глядя на нее. Ее глаза скользнули по мне, и она продолжила оглядывать сад.

Мое сердце остановилось, клянусь, я это почувствовал.

Я сделал несколько глубоких вдохов и постарался не паниковать.

— Элизабет! — позвал я, мой голос был таким далеким и дрожащим, что я сам с трудом узнал его.

Она не обернулась.

— Не знаю, куда он исчез. Минуту назад был здесь. — Ее голос звучал сердито. — Он должен был заняться барбекю.

Бенджамин снова засмеялся:

— Как это на него похоже! Что ж, это хитроумный способ попросить меня, но я с удовольствием займусь барбекю, никаких проблем.

Элизабет в замешательстве посмотрела на него, погруженная в свои мысли.

— Вот и хорошо, просто замечательно, спасибо. — Она продолжала озираться. Я смотрел, как Бенджамин надевает через голову фартук, а Элизабет все ему объясняет. Я наблюдал со стороны, не являясь больше частью общей картины. Начали собираться гости, и, когда сад заполнился людьми, когда шум усилился, голоса и смех стали громче, а запах еды сильнее, я почувствовал головокружение. Я видел, как Элизабет пытается заставить Джо попробовать один из видов ее любимого кофе, а все наблюдают за этим и смеются; я видел, как Элизабет и Бенджамин склонили друг к другу головы, как будто у них был общий секрет, и затем засмеялись; я видел, как отец Элизабет, стоя в конце сада с тростью из терна в одной руке и чашкой с блюдцем в другой, тоскливо смотрит на холмы и ждет возвращения своей младшей дочери; я видел, как миссис Брэкен и ее подруги, стоя у столика с десертами, тайком берут еще по одному куску торта, когда думают, что на них никто не смотрит.

Но я смотрел на них и все видел.

Я чувствовал себя посетителем музея. Стоял перед картиной, на которой изображено множество людей, и пытался понять ее смысл, пребывая от нее в безумном восторге и желая попасть туда и стать ее частью. Меня все дальше и дальше оттесняли к задней части сада. Голова кружилась все больше, а колени совсем ослабели.

Я видел, как Люк с помощью Поппи выносит праздничный торт и первым начинает петь «Happy birthday», а Элизабет краснеет от удивления и смущения. Я видел, как она оглядывается, ища меня, и не находит, как она закрывает глаза, загадывает желание и задувает свечи, будто маленькая девочка, которая так и не отпраздновала свой двенадцатый день рождения и наверстывает это сейчас. Я вспомнил слова Опал о том, что у меня никогда не будет дня рождения, что я никогда не постарею, в то время как у Элизабет он был и будет в этот день каждый год. Собравшиеся заулыбались и радостно закричали, когда она задула свечи, но для меня свечи воплощали быстротечность времени, и, погасив эти танцующие огоньки, она погасила крошечный лучик надежды, остававшийся у меня внутри. Они олицетворяли невозможность быть с Элизабет всегда, и это ранило меня в самое сердце. Радостная толпа веселилась, а я горевал и не мог ничего с собой поделать, осознав острее, чем когда-либо прежде, что с каждой проходящей минутой она становится старше. Я просто почувствовал это.

— Айвен, — Элизабет схватила меня сзади, — где вы были все это время? Я вас везде искала!

Я так удивился, что она меня увидела, что почти онемел.

— Я тут был весь день, — слабым голосом сказал я, наслаждаясь каждой секундой, когда ее карие глаза смотрели на меня.

— Нет, не были! Я проходила здесь раз пять, и вас тут не было. С вами все в порядке? — Она выглядела обеспокоенной. — Вы очень бледный. — Она потрогала мой лоб. — Вы ели?

Я покачал головой.

— Я только что подогрела пиццу, давайте я принесу вам кусочек, хорошо? Какую вы хотите?

— Мне, пожалуйста, с оливками. Оливки я люблю больше всего на свете.

Она прищурилась и с любопытством посмотрела на меня. Затем медленно сказала:

— Хорошо, сейчас принесу, но не надо больше исчезать. Тут есть люди, с которыми я хочу вас познакомить, хорошо?

Я кивнул.

Через несколько секунд она прибежала с огромным куском пиццы. Он восхитительно пах, и у меня потекли слюнки, а я даже не замечал, что голоден. Я протянул руку, чтобы взять у нее этот соблазнительный кусок, но ее карие глаза потемнели, на лице появилось обиженное выражение, и она отвела руку с тарелкой.

— Черт побери, Айвен, куда вы опять пропали? — пробормотала она, обводя глазами сад.

Ноги у меня подкосились, я больше не мог находиться в вертикальном положении и просто опустился на траву, прислонившись спиной к стене дома и упершись локтями в колени.

Я услышал тихий шепот, почувствовал теплое дыхание Люка, от которого пахло сладостями.

— Это происходит, да?

Я смог только кивнуть.

Наступил момент, когда веселье заканчивается. И эта часть моей работы у меня далеко не самая любимая.

Глава тридцать девятая

Ощущая каждый свой шаг, каждую милю, каждый камень под ногами и каждую проходящую секунду, я наконец добрался до больницы, измученный и полностью опустошенный. У меня все еще оставался один друг, который во мне нуждался.

Оливия и Опал, должно быть, прочли все это у меня на лице, когда я вошел; должно быть, они видели, что я излучаю темные цвета и что у меня опущены плечи, как будто вся тяжесть мира неожиданно опустилась на них. Конечно, они знали, что это часть нашей работы. Как минимум дважды в год каждый из нас встречает особенного человека, мы отдаем ему все свое время, он поглощает все наши мысли, и всякий раз нам приходится его терять. Опал учила нас, что мы *не теряем* их, просто они двигаются дальше. Но я не мог понять, как мне убедить себя, что я не теряю Элизабет. Раз я не могу ни на что повлиять, сделать так, чтобы она держалась за меня, продолжала меня видеть, значит, я упускаю ее. Что я выиграл? Что я получил? Каждый раз, когда я покидал друга, я становился таким же одиноким, как за день до того, как встретился с ним, а в случае с Элизабет еще более одиноким, потому что знал, что упускаю нечто гораздо большее. И вот вопрос на шестьдесят четыре миллиона долларов: что наши друзья получают от этого? Счастливый конец?

Можно ли назвать нынешнюю ситуацию в жизни Элизабет счастливым концом? Воспитывать шестилетнего мальчика, которого она никогда не хотела, страдать из-за пропавшей сестры, из-за матери, которая ее бросила, и отца с его тяжелым характером? Не была ли ее жизнь точно такой же, когда появился я?

Но я думаю, что для Элизабет это вовсе не конец. *Помни о деталях*, всегда говорила мне Опал. Полагаю, если что в жизни Элизабет и изменилось, так это ее сознание, образ мыслей. Я лишь заронил семя надежды, но только она сама могла помочь ему вырасти. И раз она начинала терять меня из виду, наверное, это семя дало ростки.

Я сидел в углу палаты, глядя, как Опал вцепилась в руки Джеффри, как будто висела на краю пропасти. Возможно, так оно и было. По ее лицу было видно, что она хочет, чтобы все опять стало так, как раньше, уверен, она заключила бы сделку с дьяволом прямо здесь и сейчас, если бы он мог вернуть ей Джеффри. Она бы отправилась в ад, она бы посмотрела в глаза всем своим страхам ради него; не колеблясь ни секунды, она бы сделала все.

Все, на что мы готовы, чтобы повернуть время вспять.

Все, чего мы не сделали, когда у нас была такая возможность.

Слова Опал слетали с губ Оливии, Джеффри больше не мог говорить. Слезы текли у Опал по щекам и падали на его безжизненные руки, ее нижняя губа дрожала. Она не хотела его отпускать, но было уже слишком поздно, он уходил, не дав ей последнего шанса.

Она теряла его.

В этот момент жизнь показалась мне тоскливой. Такой же удручающей, как потрескавшаяся голубая краска на стенах здания, предназначенного для исцеления.

Джеффри медленно поднял руку, было видно, что он собирает последние силы. Это движение удивило всех, так как он уже давно ничего не говорил и ни на что не реагировал. Но никто не удивился больше, чем Опал, которая неожиданно почувствовала, как его рука касается ее лица и вытирает ей слезы. Контакт после двадцати лет. Он наконец увидел ее. Опал поцеловала его большую ладонь, которая гладила ее по лицу.

Джеффри сделал последний вдох, его грудь в последний раз поднялась и опустилась, а рука упала на кровать.

Она потеряла его, а я задумался, будет ли после этого Опал по-прежнему убеждать себя, что он просто двинулся дальше.

И тут я решил, что сам должен быть творцом своего последнего момента. Я должен надлежащим образом попрощаться с Элизабет, рассказать ей наконец всю правду о себе, чтобы она не думала, будто я сбежал и бросил ее. Я не хотел, чтобы она провела годы, мучаясь из-за человека, которого когда-то любила и который разбил ей сердце. Нет, это было бы для нее слишком просто, это дало бы ей предлог навсегда отказаться от любви. А ей хотелось снова любить. Я вовсе не желал, чтобы она, как Джеффри, всю жизнь ждала моего возвращения и умерла одинокой старухой.

Оливия ободряюще мне кивнула, когда я встал и поцеловал Опал в макушку. Она сидела, опустив лицо на постель, все еще держа Джеффри за руку, и рыдала так громко, что я понял: это звук ее разбивающегося сердца. Пока я не вышел на холодный воздух, я не знал, что по лицу у меня текут слезы.

Я побежал.

Элизабет видела сон. Она была в пустой белой комнате и танцевала, разбрызгивая и расплескивая вокруг себя разноцветные краски. Она пела песенку, которую не могла выкинуть из головы последние два месяца, и чувствовала себя очень счастливой и свободной, прыгая по комнате и глядя, как густая мягкая краска с хлюпаньем шлепается на стены.

— Элизабет, — раздался шепот.

Она продолжала кружиться по комнате. Больше в ней никого не было.

— Элизабет, — прошептал голос, и ее тело слегка качнулось в танце.

— Мммм? — радостно ответила она.

— Проснись, Элизабет. Мне нужно поговорить с тобой, — услышала она нежный голос.

Она приоткрыла глаза, увидела рядом с собой красивое и обеспокоенное лицо Айвена, провела по нему рукой, и на мгновение они глубоко заглянули в глаза друг другу. Она утонула в его взгляде, пыталась посмотреть на него так же, но проиграла в борьбе со сном, и веки ее сомкнулись. Ей снился сон, она знала это, но не могла открыть глаза.

— Ты меня слышишь?

— Ммм, — ответила она, кружась, и кружась, и кружась.

— Элизабет, я пришел сказать тебе, что мне пора уходить.

— Почему? — сонно пробормотала она. — Ты же только пришел. Спи.

— Я не могу. Хотел бы, но не могу. Я должен уйти. Помнишь, я говорил тебе, что такое однажды случится?

Она почувствовала его теплое дыхание у себя на шее, почувствовала его запах, свежий и сладкий, как будто он купался в чернике.

— Ммм, Яизатнаф, — проговорила она, рисуя чернику на стенах, протягивая руку к краске и пробуя ее на вкус, как будто это был свежевыжатый сок.

— Что-то вроде того. Я тебе больше не нужен, Элизабет, — мягко сказал он. — Ты скоро перестанешь меня видеть. Я буду нужен кому-то еще.

Она провела рукой по его подбородку, почувствовала его гладкую, без щетины, кожу. Она пробежала по комнате и окунула руку в красную краску. На вкус она напоминала клубнику. Она посмотрела вниз на банку с краской, которую держала в руке, и увидела, что она доверху наполнена свежей клубникой.

— Элизабет, я кое-что понял. Я понял, из чего состоит моя жизнь, и она не так уж отличается от твоей.

— Ммм, — улыбнулась она.

— Она состоит из встреч и расставаний. Каждый день люди приходят в твою жизнь, ты говоришь им «доброе утро», потом говоришь «добрый вечер», некоторые остаются на несколько минут, некоторые — на несколько месяцев, некоторые — на год, другие — навсегда. Кто бы это ни был, вы встречаетесь, а затем расстаетесь. Я очень рад, что встретил тебя, Элизабет Эган, я благодарен за это судьбе. Думаю, я стремился к тебе всю жизнь, — прошептал он. — Но теперь нам пришло время расстаться.

— Ммм, — сонно пробормотала она. — Не уходи.

Теперь он был с ней в комнате, они гонялись друг за другом, брызгались краской, дразнили друг друга. Она не хотела, чтобы он уходил, ей было так весело.

— Я должен уйти. — Его голос прервался. — Пожалуйста, пойми.

Его тон заставил ее остановиться. Она уронила кисть. Кисть упала на пол и оставила красное пятно на новом белом ковре. Она подняла на Айвена глаза, его лицо сморщилось от грусти.

— Элизабет, я полюбил тебя в тот момент, когда впервые увидел, и я всегда буду любить тебя.

Она почувствовала, как он целует ее под левым ухом, так нежно и чувственно, что ей захотелось, чтобы он не останавливался.

— Я тоже тебя люблю, — сонно сказала она.

Но он остановился. Она оглядела комнату, всю в брызгах краски, но его нигде не было, он ушел.

От звука собственного голоса она открыла глаза. Она что, только что сказала «я тебя люблю»? Она оперлась на локоть и обвела спальню сонными глазами.

Но спальня была пуста. Она была одна. Солнце вставало над горными вершинами, ночь кончилась, начинался новый день. Она закрыла глаза и снова уснула.

Глава сороковая

В воскресенье утром, через неделю после той ночи, Элизабет слонялась по дому в пижаме, волоча обутые в тапочки ноги из комнаты в комнату. Она останавливалась в дверях каждой комнаты, заглядывала внутрь и искала что-то, хотя не до конца понимала, что именно. Ни одна из этих комнат не давала ей ответа, и она шла дальше. Грея руки о чашку с кофе, она неподвижно стояла в холле, пытаясь сообразить, что ей теперь делать. Обычно она двигалась не так медленно, и голова у нее никогда раньше не была так затуманена, но теперь в Элизабет появилось много такого, чего никогда не было раньше.

Дело было не в том, что ей нечем заняться: нужно было вылизать дом от пола до потолка, как она это делала раз в две недели, да и проблема с детской комнатой в гостинице все еще оставалась нерешенной. Винсент и Бенджамин не отставали от нее всю неделю, она спала еще меньше, чем обычно, потому что у нее не возникало никаких идей по оформлению этой комнаты, а так как она была перфекционисткой, то не могла начать работу, не имея в голове четкой картины того, как это будет выглядеть. Передать это задание Поппи значило признать свое поражение. Она была талантливым профессионалом, но весь этот месяц чувствовала себя школьницей, которая обходит стороной ручки и карандаши и избегает ноутбука, лишь бы не делать домашнее задание. Она искала способ отвлечься, достойный повод, который вытащил бы ее из бессмысленного кризиса, в котором она оказалась.

Она не видела Айвена со своей вечеринки на прошлой неделе, он не звонил, не писал — ничего. Как будто он исчез с лица земли, и, хотя она злилась, она чувствовала себя одинокой. Она скучала по нему.

Было семь утра, и из детской доносились звуки мультфильмов. Элизабет прошла по холлу и заглянула туда.

— Ты не против, если я к тебе присоединюсь? — Ей захотелось добавить: «Обещаю, что не буду ничего говорить».

Люк удивленно взглянул на нее, но кивнул. Он сидел на полу, вытянув шею, чтобы видеть экран телевизора. Ему было явно не слишком удобно, но она решила промолчать и не делать ему замечаний. Она опустилась на набитую бобами подушку и поджала ноги.

— Что ты смотришь?

— «Губка Боб Квадратные Штаны».

— Какая губка? — Она засмеялась.

— «Губка Боб Квадратные Штаны», — повторил он, не отрывая глаз от экрана.

— О чем это?

— О губке по имени Боб, который носит квадратные штаны, — захихикал он.

— Хороший мультик?

— Угу. — Он кивнул. — Хотя я уже два раза его видел. — Он рассеянно сунул в рот ложку хлопьев «Райс криспиз», и по подбородку у него потекло молоко.

— Зачем же ты опять это смотришь? Почему бы тебе не выйти на свежий воздух и не поиграть с Сэмом? Ты все выходные провел в комнате.

Ответом ей была тишина.

— Кстати, а где Сэм? Он уехал?

— Мы с ним больше не друзья, — грустно сказал Люк.

— Почему? — удивленно спросила она, ставя на пол чашку с кофе.

Люк пожал плечами.

— Вы поссорились? — осторожно спросила Элизабет.

Люк покачал головой.

— Он сказал тебе что-то обидное?

Он снова покачал головой.

— Ты его разозлил?

Еще одно покачивание головой.

— Что же тогда произошло?

— Ничего, — объяснил Люк. — Однажды он сказал мне, что больше не хочет быть моим другом.

— Ну, это не очень приятно, — мягко сказала Элизабет. — Хочешь, я поговорю с ним и узнаю, что случилось?

Люк пожал плечами. Повисла пауза, во время которой он продолжал смотреть на экран, погруженный в свои мысли.

— Знаешь, Люк, я понимаю, каково это — скучать по другу. Ты ведь знаешь моего друга Айвена?

— Он был и моим другом.

— Да, — улыбнулась она. — И я по нему скучаю. Я тоже не видела его всю неделю.

— Да, он ушел. Он сказал мне об этом, ему теперь нужно помогать кому-то еще.

Глаза Элизабет округлились, а внутри поднялась волна гнева. У него даже не хватило смелости попрощаться с ней.

— Когда он с тобой попрощался? Что он сказал? — Увидев на лице Люка испуганное выражение, она сразу же прервала поток вопросов. Ей пришлось напомнить себе, что ему всего шесть лет.

— Он попрощался со мной в тот же день, когда попрощался с тобой. — Люк говорил с ней так, словно она сошла с ума. Его лицо сморщилось, и он смотрел на нее так, будто у нее было десять голов. Если бы не ее состояние, она бы посмеялась над его видом.

Но ей было не до смеха. Она сделала паузу и задумалась на мгновение, а потом взорвалась:

— Что?! О чем ты говоришь?

— После праздника в саду он пришел в дом и сказал мне, что его работа с нами закончена, что он снова станет невидимым, как и раньше, но все равно останется неподалеку, и это значит, что у нас все хорошо, — жизнерадостно проговорил он и снова стал смотреть мультфильм.

— Невидимым. — Элизабет произнесла это слово так, как будто у него был плохой вкус.

— Ага, — прощебетал Люк. — Ну, люди же не просто так называют его воображаемым, правда? — Он хлопнул себя по лбу и упал на пол.

— Чем он забивает тебе голову? — сердито проворчала она, думая, не ошиблась ли, допустив в жизнь Люка такого человека, как Айвен. — Когда он вернется?

Люк уменьшил звук телевизора и повернулся к ней, глядя на нее как на сумасшедшую:

— Он не вернется. Он же тебе сказал.

— Он не гово… — Голос подвел ее.

— Он сказал, у тебя в спальне. Я видел, как он входил, я слышал, что он говорил.

Элизабет вспомнила ту ночь и сон, о котором она думала всю неделю, сон, который ее *беспокоил*, и вдруг поняла, почувствовав, как внутри у нее что-то оборвалось, что это был не сон.

Она потеряла его. Во сне и в реальной жизни она потеряла Айвена.

Глава сорок первая

—Здравствуй, Элизабет. — Мать Сэма широко распахнула перед ней дверь и пригласила войти

— Привет, Фиона, — сказала Элизабет, входя. Фиона очень спокойно переносила их отношения с Айвеном в течение последних нескольких недель. Они не обсуждали это напрямую, но Фиона оставалось такой же вежливой и приветливой, как обычно. Элизабет была признательна ей за то, что между ними не возникло никакой неловкости. Однако ее тревожило, что Сэм переносит это не так хорошо.

— Я зашла поговорить с Сэмом, если можно. Люк очень расстраивается оттого, что они не видятся.

Фиона грустно на нее посмотрела.

— Понимаю, я всю неделю пытаюсь поговорить с ним об этом, но безрезультатно. Может быть, у тебя получится лучше.

— Он сказал тебе, из-за чего они поссорились?

Фиона попыталась скрыть улыбку и кивнула.

— Это из-за Айвена? — обеспокоенно спросила Элизабет. Она все время боялась, что Сэм будет ревновать из-за того, что Айвен много времени проводит с ней и с Люком, поэтому как можно чаще приглашала его к ним в дом, чтобы он тоже мог поиграть с Айвеном.

— Да, — с широкой улыбкой подтвердила Фиона. — Дети в этом возрасте бывают смешными, правда?

Элизабет расслабилась, когда поняла, что Фиона вовсе не переживает из-за Айвена и объясняет все поведением Сэма.

— Пусть он тебе сам все расскажет, — продолжала Фиона, ведя Элизабет по дому.

Элизабет подавила желание оглядеться в поисках Айвена. Разумеется, она пришла сюда, чтобы помочь Люку, но заодно пыталась помочь и самой себе. Найти и вернуть двух лучших друзей лучше, чем одного, а ей так хотелось увидеть Айвена.

Фиона толкнула дверь детской, и Элизабет вошла внутрь.

— Сэм, дорогой, пришла мама Люка, она хочет поговорить с тобой, — ласково сказала Фиона, и впервые в жизни Элизабет обдало теплом от этих слов.

Сэм поставил плейстейшн на паузу и поднял на нее грустные карие глаза. Элизабет прикусила губу, борясь с желанием улыбнуться. Фиона оставила их одних.

— Привет, Сэм, — ласково сказала она. — Ты не против, если я присяду?

Он покачал головой, и она опустилась на край дивана.

— Люк сказал мне, что ты больше не хочешь с ним дружить, это правда?

Он нахально кивнул головой.

— Ты не хочешь сказать мне почему?

Он раздумывал некоторое время, а затем кивнул:

— Мне не нравится играть в игры, в которые он играет.

— Ты говорил ему об этом?

Сэм кивнул.

— И что он ответил?

Сэм смущенно пожал плечами:

— Он какой-то странный.

Элизабет вся напряглась и сразу встала на защиту племянника:

— Что ты имеешь в виду?

— Сначала это было весело, но потом стало скучно, и я не захотел больше играть, а Люк все не прекращал.

— Не прекращал что?

— Играть с *невидимым другом,* — сказал он скучающим голосом и скорчил рожу.

У Элизабет вспотели ладони.

— Но невидимый друг пробыл с нами всего несколько дней, Сэм, и это было несколько месяцев назад.

Сэм как-то странно на нее посмотрел.

— Но вы тоже с ним играли.

Глаза Элизабет широко раскрылись.

— Что, прости?

— С Айвеном, как его там, — проворчал он. — С нудным старым Айвеном, который только и делает, что без конца крутится на кресле, устраивает борьбу в грязи или играет в салочки. И так каждый день! Айвен, Айвен, Айвен, а я... — его и без того писклявый голос стал еще выше, — я даже не видел его!

— Что? — озадаченно спросила Элизабет. — Ты не видел его? Что ты имеешь в виду?

Сэм как следует подумал, прежде чем объяснить.

— Я имею в виду, что я не мог его увидеть, — просто сказал он, пожав плечами.

— Но ты же играл с ним все это время. — Она провела влажными пальцами по волосам.

— Ну да, потому что Люк играл, но мне надоело притворяться, а Люк не хотел играть в другие игры. Он продолжал говорить, что он *настоящий*. — Сэм закатил глаза.

Элизабет потерла переносицу:

— Сэм, я не знаю, что ты имеешь в виду. Ведь Айвен — друг твоей мамы, да?

Сэм вытаращил глаза. Он выглядел испуганным:

— Э-э... нет.

— Нет?

— Нет, — подтвердил он.

— Но Айвен присматривал за вами с Люком. Он забрал тебя как-то и отвел домой, — с запинкой произнесла Элизабет.

Сэм выглядел встревоженным.

— Мисс Эган, мне разрешают самому возвращаться домой.

— Но, э-э... ведь... э-э... — Элизабет вдруг замерла, вспоминая что-то. Она щелкнула пальцами, заставив Сэма вздрогнуь. — Помнишь, мы поливали друг друга из шланга в саду за домом? Там были ты, я, Люк и Айвен, помнишь? — попытала она счастья. — Ты помнишь, Сэм?

Он побледнел:

— Там были только мы втроем.

— Что? — Она выкрикнула это громче, чем хотела.

Лицо у Сэма сморщилось, и он тихо заплакал.

— О нет, — испугалась она. — Сэм, пожалуйста, не плачь. Я не хотела. — Она протянула к нему руки, но он побежал к двери, зовя мать.

— Сэм, прости, я не то хотела сказать. Пожалуйста, перестань! Шшшшш... О боже! — простонала она, слушая, как Фиона успокаивает сына.

Фиона вошла в комнату.

— Пожалуйста, прости меня, — пролепетала Элизабет.

— Все нормально. — Фиона тоже выглядела немного встревоженной. — Он просто слишком впечатлительный.

— Я понимаю. — Элизабет сглотнула. — Что касается Айвена... — Она снова сглотнула и поднялась на ноги. — Ты ведь его знаешь?

Фиона нахмурилась:

— Что ты имеешь в виду под «знаешь»?

Сердце Элизабет застучало.

— В смысле, он же бывал здесь раньше?

— А, да. — Фиона улыбнулась. — Он бывал здесь много раз с Люком. Даже как-то остался с нами на ужин. — Она подмигнула.

Элизабет стало легче, но она не знала точно, как истолковать это подмигивание. Она положила руку на сердце, и его стук начал понемногу стихать.

— Фу-у-ух, Фиона, слава богу, — с облегчением засмеялась она. — На какое-то мгновение мне показалось, что это *я* схожу с ума.

— О, не глупи. — Фиона накрыла ладонью ее руку. — Знаешь, мы все через это прошли. Когда Сэму было два года, с ним тоже такое было. Он называл своего воображаемого друга Петушком, — улыбнулась она. — Так что поверь, я прекрасно знаю, что тебе сейчас приходится проделывать: открывать двери машины, готовить лишнюю порцию еды и ставить на стол еще одну тарелку. Не волнуйся, я все понимаю. Ты права, что подыгрываешь.

У Элизабет закружилась голова, но Фиона все говорила и говорила:

— Если подумать, это же на самом деле *такой* перевод продуктов, правда? Каждый раз, когда мы садимся за стол, еда просто лежит на тарелке, совершенно нетронутая, и *можешь мне поверить*, я очень внимательно за ней следила. Нет уж, в этом доме больше не будет никаких невидимок, благодарю покорно!

К горлу Элизабет подступала тошнота. Она схватилась за край стула, чтобы удержать равновесие.

— Но, как я уже сказала, у детей такое бывает. Я уверена, что этот так называемый Айвен со временем исчезнет, говорят, они не задерживаются дольше, чем на два месяца. Он скоро уйдет, не переживай. — Она наконец замолчала и вопросительно посмотрела на Элизабет. — Ты в порядке?

— Душно, — с трудом произнесла Элизабет. — Мне просто нужно на воздух.

— Конечно, — поспешно сказала Фиона, провожая ее к дверям.

Элизабет выскочила на улицу, жадно ловя ртом воздух.

— Принести тебе воды? — заботливо спросила Фиона, гладя Элизабет по спине, когда та наклонилась вперед, упершись руками в колени.

— Нет, спасибо, — тихо сказала Элизабет, выпрямляясь. — Все нормально.

Не попрощавшись, она неуверенной походкой побрела по дорожке, а Фиона тревожно смотрела ей вслед.

Добравшись до дома, Элизабет захлопнула входную дверь, сползла на пол и уронила голову на руки.

— Элизабет, что с тобой? — обеспокоенно спросил Люк, стоя перед ней босиком и все еще в пижаме.

Она не ответила. Она могла только раз за разом прокручивать в памяти события последних нескольких месяцев — все особенно значимые для нее воспоминания, связанные с Айвеном, все их разговоры. Кто был с ними тогда, кто видел его, говорил с ним? Они бывали в многолюдных местах, люди видели их вместе, Бенджамин видел их, и Джо их видел. Она пыталась отследить моменты, когда Айвен говорил с кем-нибудь из них. Не могла же она все это выдумать! Она все-таки здравомыслящий, ответственный человек.

Когда Элизабет наконец подняла на Люка глаза, ее лицо было мертвенно бледным.

— Яизатнаф, — все, что она могла сказать.

— Ага, — захихикал Люк, — ты тоже говоришь задом наперед. Клево, правда?

Элизабет потребовалось несколько секунд, чтобы перевернуть это слово.

Фантазия.

Глава сорок вторая

Н у, давай же! — закричала Элизабет, гудя двум автобусам, медленно разъезжавшимся на главной улице Бале-на-Гриде. Был сентябрь, и через город проезжали последние туристы. Скоро это шумное место вернется к своей привычной тишине, как банкетный зал после вечеринки, и жителям останется только наводить чистоту и предаваться воспоминаниям. Студенты отправятся в колледжи в соседние графства и города, а обитатели Бале-на-Гриде будут опять ломать голову, как свести концы с концами в своих пабах и лавках.

Не убирая руку с гудка, Элизабет яростно сигналила стоявшему перед ней автобусу. Десяток лиц внутри разом повернулись к ней. Неподалеку люди высыпали из церкви после утренней мессы. Пользуясь чудесной солнечной погодой, они стояли группами на улице, болтали и обсуждали новости последней недели. Все они тоже оглядывались в поисках источника сердитых гудков, но Элизабет было все равно. Сегодня она не соблюдала никаких правил, ей нужно было поскорее добраться до кафе «У Джо», она знала, что уж кто-кто, а Джо точно признается, что видел ее с Айвеном, и положит конец этой жестокой и странной шутке.

Терпение у нее лопнуло, и, не дожидаясь, пока автобусы разъедутся, она бросила машину посреди улицы и побежала в кафе.

— Джо! — крикнула она, распахивая дверь. Она не могла избавиться от панических ноток в голосе.

— А, вот ты где, женщина, которую я искал. — Джо вышел из кухни. — Я хотел показать тебе мой новый модный аппарат. Он...

— Мне все равно, — задыхаясь, перебила она. — У меня нет времени. Просто ответь мне, пожалуйста, на вопрос. Ты помнишь, как я была здесь несколько раз с мужчиной, да?

В задумчивости Джо посмотрел на потолок с важным видом.

Элизабет затаила дыхание.

— Ага, помню.

Элизабет с облегчением вздохнула.

— Слава богу, — истерично засмеялась она.

— Теперь ты можешь обратить внимание на мой новый прибор, — с гордостью сказал Джо. — Это самая современная кофеварка. Делает эти твои эспрессо, капучино и все остальное. — Он взял чашку для эспрессо. — Конечно, сюда войдет всего ничего, кот наплакал. Я уже прозвал это горячей каплей.

Элизабет засмеялась, страшно радуясь кофе и, главное, тому, что Джо помнит Айвена, от счастья она готова была перепрыгнуть через стойку и расцеловать его.

— Так где теперь этот парень? — спросил Джо, пытаясь сообразить, как сделать для Элизабет эспрессо.

Улыбка Элизабет померкла.

— О, я не знаю.

— Уехал обратно в Америку, да? Наверняка он живет там в Нью-Йорке. В Большом Яблоке, как они его называют. Я видел Нью-Йорк по телику, и, на мой взгляд, на яблоко он вообще не похож.

Элизабет застыла.

— Нет, Джо, не Бенджамин. Ты говоришь о Бенджамине.

— О парне, с которым ты несколько раз пила здесь кофе, — подтвердил Джо.

— Нет. — Элизабет начинала злиться. — То есть да, пила. Но я говорю о другом человеке, который был со мной здесь. Его зовут Айвен. Ай-вен, — медленно повторила она.

Джо скривил губы и покачал головой:

— Не знаю никакого Айвена.

— Нет, знаешь, — с напором произнесла она.

— Послушай. — Джо снял очки и отложил инструкцию. — Я знаю практически всех в этом городе, но никакого Айвена не знаю и никогда о таком не слышал.

— Но, Джо, — взмолилась Элизабет, — пожалуйста, напряги свою память. — И тут она вспомнила один эпизод. — В день, когда мы разбрызгивали кофе на улице, со мной был Айвен.

— А! — Джо наконец понял. — Он был из группы немцев, да?

— Нет! — разочарованно закричала она.

— Ну откуда же он тогда? — спросил Джо, пытаясь успокоить ее.

— Я не знаю, — сердито сказала она.

— Ну а фамилия у него какая?

Элизабет с трудом сглотнула:

— Э-этого я тоже не знаю.

— Тогда как я могу тебе помочь, если ты не знаешь ни как его фамилия, ни откуда он? Похоже, ты его тоже не слишком хорошо знаешь. Насколько я помню, ты танцевала там, на улице, одна, как сумасшедшая. Не знаю, что на тебя нашло в тот день.

Неожиданно у Элизабет появилась еще одна идея, она схватила со стойки ключи от машины и выбежала из кафе.

— А как же твоя горячая капля? — крикнул Джо, когда она захлопнула за собой дверь.

— Бенджамин, — позвала Элизабет, захлопывая за собой дверцу машины и бросаясь к нему по гравию. Он стоял посреди группы рабочих, склонившихся над разложенными на столе чертежами. Они все подняли на нее глаза.

— Можно вас на минутку? — Она запыхалась, ее волосы развевались от сильного горного ветра.

— Конечно, — сказал он, отходя от замолкших рабочих и отводя ее в сторонку. — Все нормально?

— Да, — неуверенно кивнула она. — Я просто хотела задать вам один вопрос, если вы не против.

Он приготовился слушать.

— Вы встречались с моим другом Айвеном, да? — Она хрустела суставами пальцев и переступала с ноги на ногу, нетерпеливо ожидая его ответа.

Он поправил каску, внимательно посмотрел на нее, ожидая, что она засмеется или скажет ему, что шутит, но не обнаружил в ее беспокойных темных глазах ни тени улыбки.

— Это какая-то шутка?

Она покачала головой, нервно прикусила внутреннюю поверхность щеки и нахмурила брови.

Он откашлялся.

— Элизабет, я правда не понимаю, что вы хотите, чтобы я сказал.

— Правду, — быстро ответила она. — Я хочу, чтобы вы сказали мне правду. Ну, понимаете, я хочу, чтобы вы сказали мне, что видели его, но я хочу, чтобы это было правдой. — Она сглотнула.

Бенджамин еще некоторое время изучал ее лицо и в конце концов медленно покачал головой.

— Нет? — тихо спросила она.

Он снова покачал головой.

Ее глаза наполнились слезами, и она быстро отвернулась.

— Вам нехорошо? — Он хотел дотронуться до ее руки, но она отпрянула. — Я считал, что вы шутите насчет него, — ласково добавил растерянный Бенджамин.

— Вы не видели его на встрече с Винсентом?

Он покачал головой.

— А на барбекю на прошлой неделе?

Та же реакция.

— А как мы с ним шли по городу? А в детской комнате в тот день, когда... появилась эта смешная надпись на стене? — с надеждой спросила она. Ее голос дрожал от волнения.

— Нет, простите, — добродушно сказал Бенджамин, стараясь скрыть смущение.

Она повернулась к нему спиной и смотрела теперь на развернувшуюся перед ней панораму. С того места, где она стояла, было видно море, горы и аккуратный маленький городок, спрятавшийся между холмами.

Наконец она заговорила:

— Бенджамин, он был такой настоящий!

Он не мог придумать, что на это сказать, и продолжал молчать.

— Знаете, как бывает, когда чувствуешь, что кто-то находится с вами рядом? И даже если никто не верит, что этот человек существует, вы точно знаете, что он есть?

Бенджамин задумался и понимающе кивнул, хотя она не могла этого видеть.

— Мой дедушка умер, а мы были с ним очень близки. — Он смущенно ковырнул носком гравий. — С моей семьей мало о чем можно было договориться — они никогда ни во что не верили, но я знал, что он иногда бывал рядом со мной. Вы хорошо знали Айвена?

— Он знал меня лучше, — усмехнулась она.

Бенджамин слышал, как Элизабет всхлипнула. Она вытерла глаза.

— Так он был реальным человеком? Он умер? — спросил Бенджамин, сбитый с толку.

— Я просто так сильно верила... — Она замолчала. — Он очень помог мне в последние несколько месяцев. — Минуту она изучала в тишине окружающий вид. — Бенджамин, я ненавидела этот город. — По ее щеке скатилась слеза. — Я ненавидела каждую травинку на каждом холме, но Айвен так многому меня научил! Он объяснил мне, что в задачи города не входит сделать меня счастливой. И Бале-на-Гриде не виноват в том, что я чувствую себя не в своей тарелке. Не важно, в какой точке земного шара находишься, потому что главное — где ты обитаешь в своих мыслях. — Она коснулась лба. — Все дело в том мире, в котором я живу. Мире видений, надежд, воображения и воспоминаний. Там я счастлива. — Она снова постучала себя по лбу и улыбнулась. — И поэтому я счастлива и тут тоже. — Она распахнула руки, показав на пейзаж вокруг. Потом закрыла глаза и подставила лицо ветру, чтобы он высушил ей слезы. Когда она повернулась к Бенджамину, ее лицо смягчилось. — Я просто подумала, что из всех людей именно вам будет важно это знать. — Медленно и тихо она пошла обратно к машине.

Прислонившись к старой башне, Бенджамин смотрел, как она уходит. Он не так хорошо знал Элизабет, как ему бы хотелось, но чувствовал, что она подпустила его к себе ближе, чем других. И он ее тоже. Они успели сказать друг другу достаточно, чтобы понять, насколько они и в самом деле похожи. Он видел, как она изменилась, как далеко шагнула вперед и наконец внутренне успокоилась. Он посмотрел на пейзаж, который Элизабет так долго разглядывала, и впервые за тот год, что он здесь провел, у него открылись глаза, и он увидел его.

Рано утром Элизабет проснулась и села на кровати. Она осмотрела комнату, взглянула часы — было без четверти четыре, — и когда она громко заговорила сама с собой, ее голос звучал твердо и уверенно.

— Пошли вы все к черту! Я *верю*.

Она откинула одеяло и выпрыгнула из постели, представляя себе радостные крики и смех Айвена.

Глава сорок третья

—Где Элизабет? — сердито прошипел Бенджамину Винсент Тэйлор, стараясь, чтобы его не услышала толпа, собравшаяся на открытие новой гостиницы.

— Она все еще в комнате для детей, — вздохнул Бенджамин, чувствуя, как твердеет цемент в стене напряжения, воздвигавшейся всю неделю на его ноющих плечах.

—*До сих пор?* — воскликнул Винсент. Несколько человек обернулись и посмотрели на него. Местный политик из Бале-на-Гриде приехал, чтобы провести официальное открытие, и произнес речь у исторической башни, тысячи лет простоявшей на вершине горы и ставшей теперь частью гостиницы. Скоро толпа разбредется, заглядывая в каждое помещение и любуясь проделанной работой, а Бенджамин и Винсент до сих пор не знали, что Элизабет придумала для детской комнаты. Последний раз они видели ее

четыре дня назад, и комната тогда все еще была
пуста.

Все эти дни Элизабет в буквальном смысле
не выходила оттуда. Бенджамин как-то принес ей
еды и питья из автомата, она торопливо выхватила
у него поднос и снова захлопнула дверь. Он не
имел представления, что там внутри, и его жизнь
всю неделю была кошмаром, так как ему приходилось справляться с паникующим Винсентом.
Необычность Элизабет, говорящей с невидимым
другом, уже давно перестала производить на Винсента впечатление. Никогда раньше в его практике
помещения не дорабатывались во время открытия,
это была нелепая и крайне непрофессиональная
ситуация.

Наконец речи кончились, раздались вежливые
аплодисменты, и толпа потекла внутрь. Гостей во-
дили по зданию, они осматривали новую мебель,
вдыхая запах свежей краски.

Винсент продолжал громко ругаться, и родители, державшие за руку детей, награждали его
сердитыми взглядами. Комната за комнатой, они
все ближе подходили к детской. Бенджамин с трудом справлялся с напряжением и шагал впереди
толпы. Он узнал среди пришедших отца Элизабет, который со скучающим видом опирался на
трость из терна, и ее племянника с няней и молил
Бога, чтобы она не подвела их всех. Вспоминая их
последний разговор на вершине холма, он верил,
что она будет стараться и справится ради них. По
крайней мере, он на это надеялся. На следующей
неделе он должен лететь домой, в Колорадо, и не

потерпит задержек на стройке. На этот раз его личная жизнь будет важнее работы.

— Итак, мальчики и девочки, — гид говорила так, как будто участвовала в эпизоде из американского телешоу «Барни и друзья», — следующая комната предназначена специально для вас, так что, папы и мамы, вам придется отойти на несколько шагов, чтобы пропустить их вперед, потому что это *особенная* комната.

Раздались охи и ахи, возбужденное хихиканье и шепот, а потом дети отпустили руки родителей и устремились к двери. Гид повернула ручку. Дверь не открылась.

— Господи боже мой, — пробормотал Винсент, прикрывая ладонью глаза, — мы пропали.

— Э-э, минутку, девочки и мальчики. — Гид вопросительно посмотрела на Бенджамина.

Он только пожал плечами и безнадежно покачал головой.

Гид снова попробовала открыть дверь, но безуспешно.

— Может быть, надо постучать, — крикнул кто-то из детей, и родители засмеялись.

— Знаете, а это очень хорошая идея, — подыграла гид, не зная, что еще сделать.

Она один раз стукнула в дверь, и неожиданно ее открыли с другой стороны. Дети медленно вошли в комнату.

Наступила полная тишина, и Бенджамин закрыл лицо руками. Похоже, у них большие проблемы.

Неожиданно кто-то из детей произнес: «Ничего себе!», и один за другим, притихшие и ошарашенные дети начали восторженно кричать друг другу: «Посмотри на это!», «Посмотри сюда!».

Дети с благоговейным трепетом рассматривали комнату. К ним присоединились родители, и Винсент с Бенджамином удивленно посмотрели друг на друга, когда услышали такой же одобрительный шепот. Поппи стояла в дверях, ее глаза бегали по комнате, а рот был открыт от сильнейшего потрясения.

— Дайте мне посмотреть, — грубо сказал Винсент, пробираясь сквозь толпу. Бенджамин последовал за ним, и то, что он увидел, поразило его.

Стены большой комнаты были расписаны великолепными яркими красками, на каждой стене была нарисована отдельная сцена. На одной из них он увидел знакомую картину: три человека весело прыгают с поднятыми руками в высокой траве на поле, на их лицах сияют улыбки, волосы развеваются на ветру, и они тянутся, чтобы поймать...

— Джинни Джоу! — восторженно закричал Люк, который, как и другие дети, рассматривал рисунки на стенах. — Смотри, это же *Айвен!* — закричал он Элизабет.

Пораженный, Бенджамин взглянул на Элизабет, которая стояла в углу в грязном джинсовом комбинезоне, забрызганном краской, с темными кругами под глазами. Но, несмотря на очевидную усталость, она широко улыбалась, и лицо ее светилось от реакции посетителей. Гордость в ее сияющих глазах была заслуженной, так как ни одна картина не осталась без внимания.

— Элизабет, — прошептала Эдит, непроизвольно вскидывая руку к лицу, — *ты* сделала все это сама? — Она посмотрела на свою работодательницу по-новому, со смешанным чувством недоверия и восхищения.

Другая сцена изображала стоящую в поле маленькую девочку, которая смотрела на улетающие в небо розовые воздушные шары; на следующей дети устроили водяное сражение, разбрызгивали краску и танцевали на песчаном пляже; на зеленом поле маленькая девочка устроила пикник с коровой, на голове у которой была соломенная шляпка; девочки и мальчики забрались на деревья и, смеясь, висели на ветках; а на потолке, который Элизабет покрасила в глубокий синий цвет, сверкали кометы, падающие звезды и яркие планеты. На дальней стене она изобразила мужчину и мальчика с черными, нарисованными фломастером усами: они с лупой в руках изучали черные следы ног, идущие со стены через весь пол на противоположную стену. Она создала новый мир, страну чудес, веселья и приключений, но именно внимание к деталям, радость на лицах персонажей, счастливые улыбки искреннего детского удовольствия поразили Бенджамина. Это выражение он видел на лице Элизабет, когда она танцевала в поле или шла по городу с застрявшими в волосах водорослями. Это было лицо человека, освободившегося от всех своих обид и по-настоящему счастливого.

Элизабет посмотрела вниз на совсем маленькую девочку, которая играла с одной из множества разбросанных по комнате игрушек. Она уже готова была наклониться и поговорить с ней, когда заметила, что та разговаривает сама с собой. Более того, девочка вела очень серьезный разговор — она знакомилась с воздухом.

Элизабет осмотрела комнату, глубоко вдохнула и постаралась уловить знакомый запах Айвена. «Спасибо», — прошептала она, закрыв глаза и представив себе, что он рядом с ней.

Маленькая девочка продолжала лепетать что-то самой себе, глядя вправо, когда говорила, и слушая, перед тем как заговорить снова. А потом она начала напевать ту самую знакомую песенку, которую Элизабет так и не смогла выкинуть из головы.

Элизабет запрокинула голову и засмеялась.

Со слезами на глазах я стоял у задней стены детской комнаты в новой гостинице. В горле у меня застрял огромный ком, и мне казалось, что я никогда больше не смогу говорить. Я все рассматривал и рассматривал стены — своеобразный фотоальбом всего, что мы делали с Элизабет и Люком за последние несколько месяцев. Как будто кто-то сидел вдалеке и рисовал нас.

Глядя на стены, на яркие краски и глаза персонажей, я увидел, что она поняла, и знал, что меня будут помнить. Рядом со мной, в задней части комнаты, стояли мои друзья, которые пришли поддержать меня в этот день.

Опал взяла мою руку и ободряюще сжала ее.

— Я очень горжусь тобой, Айвен, — прошептала она и поцеловала меня в щеку, без сомнения оставив на ней пятно фиолетовой помады. — Ты знаешь, мы все здесь с тобой. Мы никогда не оставим друг друга.

— Спасибо, Опал, я знаю, — сказал я, чувствуя себя очень взволнованным. Я смотрел на Гортензию, стоявшую справа от меня, на Оливию, которая стояла рядом с ней, на Томми, восхищенно разглядывавшего стены, на Джейми-Линн, которая присела на корточки, чтобы поиграть на полу с едва научившейся ходить девочкой, и на Бобби, который показывал пальцем и хихикал перед каждой картиной. Все они подняли вверх большие пальцы, и я понял, что никогда не останусь совсем один, так как меня окружают настоящие друзья.

Воображаемый друг, невидимый друг — называйте нас как хотите. Может быть, вы верите в нас, может быть — нет. Это совершенно не важно. Как большинство людей, которые делают по-настоящему великие дела, мы существуем не для того, чтобы о нас говорили и восхваляли, — мы существуем только для того, чтобы помогать тем, кто в нас нуждается. Может быть, мы вообще не существуем; может быть, мы лишь плод человеческой фантазии; может быть, это чистое совпадение, что двухлетние дети, едва начав говорить, заводят себе друзей, которых не видят взрослые. Может быть, все эти врачи и психотерапевты правы, предполагая, что они просто развивают таким образом воображение.

Или доставьте мне удовольствие. Может быть, все-таки есть другое объяснение, о котором вы не подумали, пока я рассказывал свою историю?

Я имею в виду реальность нашего существования. Возможность того, что мы действительно рядом — для тех, кому мы нужны, кто верит и поэтому видит нас.

Я всегда смотрю на положительную сторону вещей и всегда говорю, что нет худа без добра, но надо сказать правду — а я твердо верю в правду, — какое-то время мне не давала покоя ситуация с Элизабет. Я не мог понять, что выиграл, я видел только, что потерял ее, и это было для меня большим худом. Но потом я понял, что раз каждый день, каждую секунду я думал о ней и улыбался, значит, встреча с ней, знакомство с ней и, главное, любовь к ней были самым большим добром в моей жизни.

Она была лучше пиццы, лучше оливок, лучше пятниц и лучше, чем крутиться на кресле, и даже сейчас, когда она уже не с нами, — я, конечно, не должен этого говорить — из всех моих друзей Элизабет Эган — мой *самый* любимый друг.

СЕСИЛИЯ АХЕРН

Посмотри на меня

Главный редактор «Издательской Группы Аттикус»

С. Пархоменко

Главный редактор издательства «Иностранка»

В. Горностаева

Редактор И. Тулина

Технический редактор Л. Синицына

Корректор Н. Усольцева

Компьютерная верстка Т. Коровенкова

ООО «Издательская Группа Аттикус» —
обладатель товарного знака «Иностранка»
119991 г. Москва, 5-й Донской проезд, д. 15, стр. 4

Подписано в печать 17.04.2008.
Формат 80×100 ¹/₃₂. Бумага писчая.
Гарнитура «Original GaramondC». Печать офсетная.
Усл. печ. л. 21,6. Тираж 30 000 экз. Заказ № 310.

Отпечатано в ОАО "ИПП "Уральский рабочий"
620041, ГСП-148, Екатеринбург, ул. Тургенева, 13

ПО ВОПРОСАМ РАСПРОСТРАНЕНИЯ ОБРАЩАТЬСЯ:

В Москве: ООО «Издательская Группа Аттикус»
тел. (495) 933-76-00, факс (495) 933-76-20
e-mail: sales@machaon.net

В Санкт-Петербурге: «Аттикус-СПб»
тел./факс (812) 783-52-84
e-mail: machaon-spb@mail.ru

В Киеве: «Махаон-Украина»
тел. (044) 490-99-01
e-mail: sale@machaon.kiev.ua